*Prepared under the
editorial supervision of*
FREDERIC ERNST

CONTES

D'HIER ET D'AUJOURD'HUI

EDITED BY CLIFFORD S. PARKER

UNIVERSITY OF NEW HAMPSHIRE

HOLT, RINEHART AND WINSTON · NEW YORK

Library of Congress Catalog Card Number: 58-8633

36910—0218

Printed in the United States of America

CONTENTS

PREFACE

THE STORIES

IN PREPARING this collection of French stories, the editor has tried to compose a book that will help students acquire the ability to read French directly, without translating, and will at the same time offer glimpses of French life and character.

The editor believes that material used in the teaching of French, whether for drill or for reading, should be enjoyable and of superior quality. He dislikes dull patterns and shoddy prose. Therefore great care has been taken in choosing the stories which make up this collection. Written by French authors of established reputation, they will be appreciated by students for their humor or their humanity. As a group the stories show variety, intelligence, and stylistic excellence. They are definitely French in material and in manner.

When a student has finished reading this book, he will have made the acquaintance of a few outstanding authors of the nineteenth and twentieth centuries. He will then be prepared to embark upon the reading of masterpieces of French literature.

The book could be used towards the end of the second semester of elementary French in college but would probably be found more suitable for the third or fourth semester in colleges or the third year in secondary schools.

EXERCISES, NOTES, AND VOCABULARY

The exercises on pages facing the text should make the use of the old-fashioned translation method unnecessary. In giving assignments, teachers should not tell students to translate a certain number of pages but rather to prepare the exercises for a story or part of a story. Class time could be devoted primarily to the exercises. Teachers should, of course, feel free to modify and expand these exercises during a class meeting.

The device of translation, which is valuable in ascertaining accuracy of comprehension, has not been entirely omitted. Of the many types of exercises used, some require translation of French phrases into English, others translation of English words or phrases into French, still others the translation of complete French sentences. The main emphasis, however, is upon comprehension without translation.

Notes have been provided for words, phrases, and constructions that are of infrequent occurrence in French or would offer the student particular difficulty; thus, misleading cognates, common words used in a special way, proper nouns, and rare idioms are explained in the notes. There are no notes for words that the student would do well to look up in the general French-English vocabulary, and no attempt has been made to teach grammar through notes.

The vocabulary includes all words except the most common ones, which are learned in every elementary course, and a few obvious cognates.

SUGGESTIONS FOR STUDENTS

If you are in an intermediate French course (second college year or third high school year) or an earlier course, you should not try to emulate a professional translator by preparing an elegant English version of every sentence in this book. Instead of trying to find a good English word for every French word, make an effort to understand the meaning of the French without translating. For this purpose, do the exercises. When you have done them, you should have mastered the meaning of the French.

In preparing the exercises, you will of course come across words and phrases which you do not know and which you must know in order to follow the meaning of the French. If such words or phrases have asterisks, you will find all the help necessary in the notes on the facing page. If the words are not so explained, try first to derive their meaning from their context. Make *intelligent* guesses. If this does not work, look up the words in the Vocabulary at the end of the book. It would be a good idea to mark in the Vocabulary the words you look up. Then if, later on, you find yourself looking up a word that is marked, you should make a special effort to remember it.

It would be very much worthwhile to go through the exercises of each assignment twice and then, when you have finished a story, to read the story through *in French*, without mentally translating. Thus you will gain the ability to read French as you read English—without translating—an ability that will be a source of great satisfaction.

Suggestions for further reading in works by the authors represented in this collection are contained in the sketches of the writers.

CLIFFORD S. PARKER

Durham, New Hampshire
January 1958

THE AUTHORS

TRISTAN BERNARD

Born in Besançon, in eastern France, Tristan Bernard (1866 – 1947) moved with his family to Paris when he was thirteen. Though he studied law he soon devoted all his time to writing. He made the amusing short play his specialty.

From 1891 on he turned out a large number of plays. One play might by itself keep the name of Tristan Bernard alive in America for a long time to come: *L'Anglais tel qu'on le parle*. For over fifty years it has been found an ideal play for American school and college French clubs to perform. In most of Bernard's plays, the subject matter is slight, but the dramatist shows great ingenuity in using it as a source of wholesome amusement. Tristan Bernard, however, is not merely a clever entertainer. In some plays, such as *Triplepatte* (1906), one of his greatest successes, he owes his appeal to his mockery of human foolishness.

Tristan Bernard has written much prose fiction, but none of his novels are outstanding. A detective story, *Visites nocturnes* (1934), has been edited for use in French classes in America. His short stories are numerous; one collection alone contains forty-three titles. Bernard discovered that people can be made to laugh at other people's troubles. This is illustrated in the first story in our book, *Les Médecins spécialistes*, which is at the same time a humorous account of a man's afflictions and a piece of good-natured satire. The second story, *Gar ier*, offers an effective contrast: it is a realistic literary sketch of an unimportant man.

ANDRÉ MAUROIS

André Maurois (the pen name of Émile Herzog, 1885——) was born at Elbeuf in Normandy. He was the son of a textile-mill owner. At the *lycée* in Rouen, the boy's favorite teacher was Alain, a famous professor of philosophy, and Émile was the professor's brightest student. For ten years André Maurois helped manage the family's textile mill but he devoted his evenings to philosophy and literature.

In 1914, at the outbreak of the First World War, he was assigned as interpreter to the Ninth Scottish Division and in 1916 transferred to British General Headquarters in France. What he saw and heard among the British officers led to a book entitled *Les Silences du Colonel Bramble* (1918), whose delightful humor made it extremely popular. *Les Discours du Docteur O'Grady* (1922) was a successful sequel.

Since 1922 André Maurois has turned out a steady stream of books. A bibliography of his writings up to 1952 lists well over a hundred titles, to which must be added prefaces and miscellaneous items. He has published, moreover, important volumes since 1952. One of his works is called *Aspects de la biographie;* he is well qualified to write *about* biography, as he has himself written biographies of Shelley, Disraeli, Byron, Lyautey, Voltaire, Chateaubriand, Chopin, Proust, Eisenhower, Franklin, Washington, Alain, George Sand, Victor Hugo, and Alexandre Dumas (1957). He has, furthermore, written almost innumerable essays about other famous persons. One of his books is *Sept Visages de l'amour;* one can read about love also in his novels: *Ni Ange ni bête, Bernard Quesnay, Climats, Le Cercle de famille, L'Instinct du bonheur,* and *Terre promise*. He has written histories, both of countries—England, the United States, France—and of cities—London, Paris. He is adept also at the purely fanciful tale; very amusing are *Le Peseur d'âmes* and *La Machine à lire les pensées*. These titles, which by no means cover all he has written, should give some idea of the quantity and variety of his work. Versatility, it has been said, is Maurois' outstanding characteristic.

Clarity is another of his qualities. To the French he explains England and America, where he has traveled and lived; to the English and Americans, he explains France. He interprets clearly Paul Valéry and Marcel Proust. He has been a Visiting Professor at American universities; through his books he is a professor for all of Europe and America. His very agreeable style shows intelligence and taste. He possesses to a high degree two qualities which are so French that we find them listed in their French forms in an

English dictionary for lack of suitable English equivalents: *savoir-vivre* and *savoir-faire*.

In *Naissance d'un maître*, Maurois exercises his gay humor at the expense of modern art. *La Maison* could be considered a brief example of the purely fanciful tale. *La Cour et la conquête* (Courtship and Conquest) is the first chapter of *Cours de bonheur conjugal* (1951), which is neither a novel nor a play but a series of scenes, written to be broadcast by radio. It was suggested by the preparation-for-marriage courses given at some American universities. Its success in France was so great that it was soon rebroadcast in ten countries. Its success is not surprising; what normal young people, in every country, do not want to learn from the wit and wisdom of a distinguished writer how to get married and how to remain happily married?

ALPHONSE DAUDET

Born at Nîmes, in southern France, Alphonse Daudet (1840 – 1897) was the son of a silk merchant, whose business was ruined by the economic depression that followed the Revolution of 1848. The family moved to Lyons, center of the silk industry in France. Here Alphonse attended the *lycée*. The story is that an unfeeling teacher scorned the frail child whose father was obviously poor and instead of calling him by name always addressed him as "*le Petit Chose*" (Little What's-your-name). The family's fortune still being at a low ebb, Alphonse left Lyons at the age of sixteen to serve as a *pion* (study master) in a *lycée* at Alais. Some of the boys he was supposed to control were older and bigger than he and made life miserable for him. After a year of this, Alphonse fortunately could go to Paris to live with his elder brother Ernest. For two years he struggled with poverty and privations. Idealistically, he had determined to be a poet. A slender volume of poems caught the attention of Napoleon III's half-brother, the Duc de Morny. Daudet was given an unimportant position that furnished him an income and leisure for writing.

Ill health caused him to return now and then to the South for rest and sunshine. Loafing by an old abandoned windmill, he day-dreamed, invented stories, jotted down notes. Back in Paris he worked up his notes into stories and began (in 1866) to publish them in Paris newspapers. He collected them in a volume, *Lettres de mon moulin*, in 1869.

After the Franco-Prussian War, he published another collection of stories, *Contes du lundi*, and a number of novels. From 1871 on, his career was without notable incident. He lived the life of an industrious and prosperous man of letters.

A great many of Daudet's stories have been included in American textbooks. One should read from the *Lettres de mon moulin* (if not the entire delightful volume): *La Chèvre de M. Seguin*, *La Mule du Pape*, *L'Arlésienne*, *Les Deux Auberges*, and *L'Élixir du Révérend Père Gaucher;* from *Contes du Lundi: La Dernière Classe*, *Le Siège de Berlin*, *La Pendule de Bougival*, and *Les Trois Messes basses*. To be highly recommended among his novels are *Le Petit Chose* (the first half is disguised autobiography), *Tartarin de Tarascon* (a masterpiece of humor), *Fromont jeune et Risler aîné* (a fascinating realistic novel), *Jack* (very pathetic), and *Sapho* (a realistic love story).

Daudet is a master of humor, of pathos, of sentiment, and of realism. *Le Secret de Maître Cornille* is both sentimental and pathetic, whereas *Les Vieux* introduces us to two charming old people portrayed with delicate humor and sympathy.

GUY DE MAUPASSANT

Guy de Maupassant (1850–93) was born in Normandy and passed there his childhood and early youth. After serving as a soldier in the Franco-Prussian War (1870–71), he was a minor bureaucrat in Paris, first in the offices of the *Ministère de la Marine* and then in those of the *Ministère de l'Instruction publique*. He published most of his stories and novels in the decade from 1880 to 1890. The success of these works enabled him to give up his government position and to lead a gay and luxurious life. Dissipation resulted in a nervous breakdown. Maupassant died insane.

Many of his stories deal with the lives of the peasants and small townspeople of Normandy. Others have as a background the Franco-Prussian War; some of these have been very popular, but the fact that two world wars have occurred has dimmed our interest in the relatively minor war of 1870–71. A number of the stories that take place in Paris portray the life of government clerks and their families. Then there are stories that show life in other parts of France, in Algeria, and in Corsica—wherever the author had traveled and observed.

It is apparent that Maupassant drew material largely from what he himself had experienced and seen. The details of his settings and the language of his characters are faithfully copied from life. He is therefore a realist. At the same time he can be called a "naturalist," for most often he has chosen to portray the lower and baser aspects of human society and the animalistic side of human nature, almost to the exclusion of the noble and virtuous. He looked upon life as materialistic and deterministic.

Maupassant wrote altogether some two hundred and fifty short stories. Besides those included in this book, the following can be recommended: (apropos of the Franco-Prussian War) *Deux Amis, L'Aventure de Walter Schnaffs, Les Prisonniers, Un Coup d'État;* (concerning life in Paris) *La Parure, En Famille, Le Parapluie;* (dealing with the supernatural) *Le Horla, Qui Sait?;* (miscellaneous) *En Voyage, Mademoiselle Perle, Le Bonheur, Une Vendetta, La Peur.*

The common French conception of America as a land of millionaires is the basis of *Mon Oncle Jules.* The number of immigrants to America from France is relatively small. When a Frenchman does come here, he is expected by his family to make a fortune speedily and return to France to share it with his relatives.

In *La Ficelle,* which presents a masterly portrayal of provincial life, a small event—the chance picking up of a piece of string—has ultimately disastrous results. That petty events or chance may determine the destiny of a man is the "naturalistic" philosophy that underlies this story.

PROSPER MÉRIMÉE

Prosper Mérimée (1803–70) published at the age of twenty-two a successful hoax: *Théâtre de Clara Gazul.* This was a collection of plays which he pretended to have translated from the Spanish. He even gave an imaginary biography of the supposed author. An equally successful hoax was the volume entitled *La Guzla, choix de poésies illyriques* (1827), a collection of ballads which he claimed he had translated from Illyrian poets. In connection with this volume he is reported to have said that he had intended to visit Dalmatia but not having enough money to do so, he wrote a description of the trip instead.

After these youthful mystifications, Mérimée wrote one of the best French historical novels, *Chronique du règne de Charles IX* (1829), whose action is laid in the sixteenth century. From 1829 on he published a number of excellent short stories and two longer works, *Colomba* (1840), which deals with a feud on the island of Corsica, and *Carmen* (1847), the source of Bizet's famous opera. Mérimée also translated into French several stories by Russian authors.

As Inspector-General of Public Monuments, Mérimée helped to protect ruins and historical monuments in France. He was a friend of the Empress Eugénie and a welcome figure at the court of her husband, Napoleon III. He became a member of the Senate and of the French Academy.

The literary quality of his stories and novels has won for him a permanent place among the very best nineteenth-century writers of French prose. In addition to *Mateo Falcone*, one should read the following stories: *L'Enlèvement de la redoute, Tamango, Fédérigo, La Vision de Charles XI, La Partie de trictrac, La Vénus d'Ille, Colomba,* and *Carmen*. Of the Russian stories he translated, the best are *La Dame de pique* and *Le Coup de pistolet*.

One of Mérimée's most notable characteristics is the cool and calm narration of strong passions and sensational actions. This is well illustrated in *Mateo Falcone*, in which a man's anger leads him to perform a violent deed. Mérimée's story of this deed is, however, sober and restrained.

The background of the story is the island of Corsica, in the Mediterranean about one hundred miles south of France. For over four hundred years Corsica was owned by the Italian city of Genoa, which misgoverned and exploited the island and its inhabitants. The Corsicans maintained their resistance. Outlaws were numerous and were aided by the common people. For a long time after France gained possession of the island, in 1768 (one year before the birth of Napoleon Bonaparte), this attitude toward the governing class persisted. Today, however, Corsica has become an integral part of France. Its magnificent scenery, its picturesque towns, and its fame as the birthplace of Napoleon attract numerous visitors.

GEORGES DUHAMEL

Georges Duhamel (1884——) divided his time before the First World War between literature and medicine. Like many other French writers, he began his literary career as a poet, but the fame of his works in prose has almost made us forget his early volumes of verse.

During the war, from 1914 to 1918, Duhamel combined medicine and literature. He served as physician and surgeon in the military field hospitals, where he had innumerable opportunities to observe the sufferings and at the same time to appreciate the noble fortitude of the wounded. His *Vie des martyrs* (1917) is composed of stories and portraits, most of which depict the simplicity, candor, and courage of humble French soldiers, whereas other stories make us laugh at the stupidity of some of their "superiors." *Civilisation* (1918) is likewise based upon incidents of the First World War; its ironical title suggests that the war proves the bankruptcy of modern materialistic civilization, for, says Duhamel, civilization is not to be found in scientific and technological inventions. "*Si elle n'est pas dans le cœur de l'homme, eh bien! elle n'est nulle part.*"

Since 1920 Duhamel has written a large number of works: essays, accounts of travels in Europe and America, autobiographical volumes, and, above all, novels. In the five volumes of *Vie et aventures de Salavin*, he tells the story of a pitiful individual who, because of his weakness and impracticality, is his own worst enemy. He loses a job and loses a friend; tries to become a saint and then a revolutionist; and finds in the world only misfortunes. Much more enjoyable are the ten volumes that make up the *Chronique des Pasquier*. Here we meet a French family, all of whose members are interesting: an extraordinary father, who at the age of fifty decides to become a doctor and whose visionary schemes keep the family constantly upset; a typically French mother, devoted, hardworking, and thrifty; a son who becomes a wealthy businessman; another son of weak personality; a third son who is a successful scientist; a daughter of great musical ability; and a second daughter, beautiful and talented, who has a career on the stage. Read the first volume, *Le Notaire du Havre*, and then continue through the entire series. The personal and family experiences of the characters, and those of their friends, make us see and understand the manners of the French *bourgeoisie* in the twentieth century.

Duhamel is a distinguished member of the *Académie Française*. He is not, perhaps, a brilliant writer, but everything he writes is well written. A doctor by profession and a psychologist by sympathy, he has understood human nature better than most novelists of his time. He represents common sense and lucid intelligence, which are French qualities *par excellence*.

FRANÇOIS MAURIAC

One could say that François Mauriac (1885———) has led an uneventful life were it not that the publication of a book by one of the greatest living French authors is in itself an event.

Born in Bordeaux, he was brought up austerely by his Catholic mother. The principles of the Church and those of the *bourgeoisie* were the dominant influences in his development. To Catholicism he owes his preoccupation with sin. From middle-class people of Bordeaux and the surrounding country he has derived most of his literary characters. These people, he observed, set great store by prudence, work, and thrift, which led to the acquisition of property. Though he has spent the greater part of his life in Paris, "Bordeaux is in his bones" (E. Pell).

No one has ever looked at life through darker glasses than Mauriac's. His novels are filled with "blood and flesh, lust, greed, and sin. . . His characters are misers, lechers, profligates young and old" (R. Michaud). He shows us "a world of petty vanities and dissensions, of demoralizing avarice, jealousy, spite, hatred, pride, and snobbery" (M. Stansbury). The families he depicts are "ingrown, inbred, grimly devout, fiercely avaricious. . . . [The characters are] tortured and self-torturing, irresistibly drawn to the sin they fear and hate" (M. Bishop).

Le Baiser au lépreux (1922) presents as its hero a hideously ugly man, whose personality is as repulsive as his face. One day he

asks a peasant girl to marry him.   He belongs to a wealthy family;
can a girl refuse a rich young man?   Not, apparently, in or near
Bordeaux.   Eventually the wife kisses her husband, but from pity,
not love.—Do not look for happily married couples in Mauriac's
novels!

Génitrix (1923) depicts maternal love horribly jealous and domineering.   Fernand, under his mother's influence, lets his wife die
in a solitary room in a bleak, cold house.

The heroine of *Thérèse Desqueyroux* (1927), finding life dull and
herself a virtual prisoner in her husband's house, tries to murder
the husband by giving him arsenic.   He does not die and, to
protect the reputation of his family, saves his wife from being found
guilty of her crime.

Le Nœud de vipères (1932) compares a family to a tangle
of snakes.

These few books suggest the contents of the twenty novels
Mauriac has written.   Pleasant?   No.   Powerful?   Yes.   Artisti-
cally written?   Yes.   Mauriac has revealed the corrupt souls of
his characters.   His style is classically correct and often poetic.
For his achievements he was elected to the *Académie Française* and
awarded the Nobel Prize.   Today he is well known not only for
his novels, his *Journal*, and miscellaneous literary works, but also
for his frequent newspaper articles on contemporary problems.

Conte de Noël, taken from *Plongées* (1938), a collection of stories,
is an excellent introduction to Mauriac's work.   It shows his
interest in passions (a son who has been passionately attached to
his mother degenerates morally), it contains a picture of French
school life, it tells how Mauriac became a novelist, and finally,
it is beautifully written.

MARCEL AYMÉ

Marcel Aymé (1902——) had a hard time finding his true
vocation.   At school he showed no particular ability.   When he
had completed his required military service, he took courses at the
Faculté de Médecine of the University of Paris but lost interest in
his studies.   He had a job as a bricklayer, worked in a bank,
was employed by an insurance company, and eventually became a

journalist. Reading and writing, he finally discovered, were what interested him most.

His third novel, *La Table aux crevés* (1929), was awarded the Prix Théophraste Renaudot (a literary prize named after the seventeenth-century founder of the first newspaper and corresponding, in a way, to a Pulitzer Prize in the United States). The celebrity thus gained confirmed him in his profession of writer. He has produced a number of novels and short stories. Among his novels we may mention *La Jument verte* (1933), a lively story of country life, which can be called realistic if not naturalistic.

His best-known collection of stories is *Le Passe-Muraille* (1943), a volume that shows his varied talents. One story, for example, narrates in an apparently serious manner the exploits of a man who has the supernatural ability to pass through walls, and another tells what happens when a sheriff encounters St. Peter in Heaven.

Some of Aymé's stories were written for children.

To the theater he has contributed several plays. One, *La Tête des autres* (1952), is a fierce attack upon the administration of justice in criminal cases.

Will Marcel Aymé's reputation eventually depend upon fanciful tales, pictures of country life, realistic stories of the Parisian bourgeoisie? No one can now say. At present he has the reputation of being an excellent story-teller and is enjoying considerable popularity.

His talent is at its best in *Le Proverbe*, a short story (included in *Le Passe-Muraille*) which may well become a classic. Here he takes us into a Parisian home (so difficult for foreigners to enter), presents vividly drawn characters, and narrates in vigorous, idiomatic French a story which will appeal to every person who has ever had homework to do when in school—all this done with a delectable combination of realism and good humor.

ANATOLE FRANCE

François-Anatole Thibault (1844–1924), who signed his works "Anatole France," was born and grew up in the very center of Paris. Son of a bookseller, he was surrounded by books in his childhood; he loved books all his life. At school he was not a brilliant pupil; he did not like discipline and exactness. But "*à dix-sept ans*," he has said, "*j'adorais Virgile, et je le comprenais presque aussi bien que si mes professeurs ne me l'avaient pas expliqué.*"

Anatole France matured slowly. Though he wrote two volumes of verse, he did not publish anything to make his name well known until he was thirty-seven. Then appeared a novel, *Le Crime de Sylvestre Bonnard* (1881), notable for its portrayal of a naive and generous old scholar. Four years later came *Le Livre de mon ami*, the first of a series of books in which he narrates charmingly various episodes (somewhat disguised) of his childhood and youth. During the first half of his life he was interested in history, in philosophy, in fairy stories, and in medieval legends.

Suddenly a society lady, Mme Arman de Caillavet, decided to make a famous man of this bookworm. She had him meet, in her *salon*, distinguished men of the day. She made him accept a position as literary critic of the great Paris newspaper, *Le Temps*, and made sure that he had his reviews done on time. (His reviews told largely what he, Anatole France, liked or disliked in the books he read.) Later she helped him become a member of the *Académie Française*.

Even more influential in changing his life was the celebrated Dreyfus affair. Anatole France joined Émile Zola and other intellectuals in defending the innocent army captain unjustly accused of selling military secrets to Germany. This meant that in the cause of justice he had to attack the Courts, the Army, the Church, and the State. His weapons were irony and pity—irony directed against the authorities, pity for the victims of injustice. His short story entitled *Crainquebille* is rich in allusions to the Dreyfus affair and abounds, too, in examples of the author's irony and pity.

Having become aware that society is not admirably organized, Anatole France came to think that socialism had the best program for bringing about the happiness of the people. The First World War saddened him; every war, he thought, results from the stupidity of men. He withdrew from Paris to an estate he had bought near Tours.

Anatole France received the Nobel Prize in 1921. For years he was looked up to in France as "The Master."

One should read some of his excellent short stories, such as

Le Jongleur de Notre-Dame and *Le Procurateur de Judée*, his semi-autobiographical *Le Livre de mon ami* and its sequels, and among his novels, *Le Crime de Sylvestre Bonnard*, *Thaïs*, and *Les Dieux ont soif*.

Some critics have dealt harshly with Anatole France. They say that he had no original ideas, that he created no great characters, and that he was too skeptical. It is, however, a pleasure to see the world through the eyes of this scholar and gentleman. It is indisputable that he is one of the masters of the French language. Should one blame him if he preferred at first to live amidst the beauty of the past rather than among the discords of the present?

CONTES D'HIER ET D'AUJOURD'HUI

LES MÉDECINS SPÉCIALISTES

par

TRISTAN BERNARD

EXERCICES SUR LE TEXTE

Répondez par oui ou par non aux questions suivantes :

1. *Est-ce qu'il y aura toujours des gens qui se moquent des médecins?*
2. *Les médecins sont-ils très sérieux aujourd'hui?*
3. *Est-ce que tout le monde obéit exactement aux prescriptions des médecins?*
4. *Y a-t-il des gens qui disent que les médecins n'ont rien fait pour eux?*
5. *Un médecin peut-il vous guérir si vous ne l'écoutez pas?*
6. *Est-il toujours nécessaire de suivre un traitement pendant huit mois?*
7. *Siméon était-il un gros garçon barbu?*
8. *Est-ce que Siméon pesait, il y a quatre ans, plus de deux cents livres?*
9. *Est-ce que le docteur Belartur a dit à Siméon de marcher huit heures par jour?*
10. *Est-ce que Siméon ne peut plus marcher à cause de ses chevilles?*

NOTES SUR LE TEXTE ★★

7. Un tel: *So-and-so.* **8.** C'est que: *The reason is that, That's because.* **12.** Mais oui, voyons: *Why yes you do, Of course you do.—Voyons, like* allons, *is frequently used to emphasize a point, in which case it has no particular equivalent in English. Note that the author pretends he is telling the story to some one who has just had a blank look on his face.* **12-13.** Vous ne connaissez que ça: *You know him perfectly well.—Observe the colloquial tone of the author's style.* **14.** sommités: *leaders, (or colloquially)* " *big shots,*" " *top brass.*" **16.** voulut: *(past definite, a tense of action) decided to.* **22.** il se trouve: *(idiom) it happens, it turns out.*

LES MÉDECINS SPÉCIALISTES

par TRISTAN BERNARD

LA raillerie ne désarmera jamais devant la médecine ...
Et pourtant, jamais, nous pouvons le dire, les médecins
n'ont été aussi sérieux et aussi habiles qu'aujourd'hui.
Seulement on ne suit pas les traitements.

On va les voir comme des sauveurs, et si l'on n'est pas guéri 5
au bout de huit jours, on cesse d'obéir à leurs prescriptions.
Alors on dit : Un tel* ne m'a rien fait ...

C'est que* vous ne l'avez pas écouté.   Si vous l'aviez
écouté, il vous aurait guéri.   Il fallait observer votre régime
pendant quatre, huit mois, le temps nécessaire.   10

Vous connaissez Siméon ... C'est ce gros garçon barbu,
avec une redingote.   Mais oui, voyons.*   Vous ne connaissez
que ça.*   Siméon vient me voir il y a quatre ans.   Il savait
que j'ai toujours été en rapport avec les sommités* du monde
médical, à Paris.   Siméon pesait à cette époque deux cent 15
soixante-dix livres.   Il voulut* maigrir ... Je lui indique
l'adresse du docteur Belartur, rue Lafayette.   ... Il y va ...
Belartur l'examine ... et le soumet à un régime qui a déjà
donné d'excellents résultats, les exercices de marche prolongés.
Deux heures le matin, deux heures le soir.   Au bout de six 20
semaines, Siméon avait maigri de vingt-cinq livres.

Seulement il se trouve* qu'il a les chevilles un peu faibles
pour la masse de son corps.   Il ne pouvait plus marcher.   Il
avait les pieds tout enflés.   Il vient me voir.   Je lui indique
alors le docteur Schitzmer, un docteur d'origine autrichienne,

---

* The asterisks appearing here and throughout the text refer to the *Notes
sur le texte*, which will always be found at the foot of the facing page. The number
preceding each note indicates the line in which the word or expression under
discussion appears.

4

EXERCICES SUR LE TEXTE

I. Répondez par oui ou par non aux questions suivantes :

1. *Le docteur Belartur a-t-il dit à Siméon de se baigner les pieds dans de la boue?*
2. *Siméon a-t-il suivi ce traitement pendant trois mois?*
3. *Est-ce que Siméon a continué à avoir les pieds tout enflés?*
4. *Est-ce que Siméon était très heureux?*
5. *Avait-il des maux de gorge?*

II. Les déclarations suivantes sont-elles exactes ou inexactes?

1. *Siméon a trempé ses mains dans de la terre glaise délayée.*
2. *Il a contracté une maladie de la gorge qui l'a fait souffrir.*
3. *Tous les maux de gorge sont dus à une mauvaise circulation du sang dans le gosier.*
4. *Le docteur Cholamel se sert de l'électricité pour guérir les affections du larynx.*
5. *L'emploi de l'électricité a eu d'excellents résultats pour Siméon.*
6. *Quand on a des digestions difficiles, il faut prendre du bromure.*
7. *Le professeur Biridoff a dit à Siméon de manger des haricots, des pommes de terre et des pois.*
8. *Siméon était heureux parce que le professeur lui avait permis de manger beaucoup de viande et de boire beaucoup de vin.*

NOTES SUR LE TEXTE ✶✶

2. de la terre glaise délayée: terre glaise = *clay;* délayée = *diluted, watery; liquefied clay.* **20.** pris de: (pris, *pp.* of prendre) *seized with, subject to.* **23.** il ne faut pas: *(not " it is not necessary to," because* falloir *in the negative is not usually the opposite of* falloir *in the affirmative) you must not, you should not.—So in line 29, one must not, one should not.* **25.** en un tour de main: *(literally) in the time it takes to turn one's hand; in a twinkling, in a jiffy.* **27.** fait pour: *good for.* **27.** délabre: *ruins, destroys.* **32.** féculents: *starchy foods.*

qui guérit les affections de ce genre par des bains de pieds dans
de la boue, c'est-à-dire dans de la terre glaise délayée.* Mon
Siméon suit un traitement pendant trois mois, et au bout de
trois mois il avait les pieds complètement guéris.

— Ah! me dit-il alors, combien je te suis reconnaissant! 5
Quel soulagement je ressens de n'avoir plus ces douleurs aux
chevilles! Je serais bien heureux si je n'avais pas ces maux de
gorge!

Il faut vous dire, en effet, qu'à force de tremper ainsi les
pieds dans la terre mouillée, il avait contracté une affection du 10
larynx, qui le faisait beaucoup souffrir ... Mais pour guérir ça,
rien de plus facile. Je m'empressai de lui indiquer le docteur
Cholamel. Cholamel a remarqué que beaucoup de maux de
gorge étaient dus à une mauvaise circulation du sang dans le
gosier. Il rend sa vitalité à cet organe au moyen d'un traite- 15
ment à l'électricité. Siméon suivit ce traitement, et ce fut
l'affaire de quelques mois à peine. Son mal de gorge disparut
complètement. Malheureusement Siméon appartient à une
famille de nerveux; il souffre d'une nervosité spéciale, qui est
gravement affectée par l'électricité. Il fut pris de* crises, d'un 20
caractère très grave. Il avait chaque jour trois ou quatre
accès ... Je lui dis :

— Mon vieux, il ne faut pas* rester comme ça. Va voir,
de ma part, le docteur Langlevent et soumets-lui ton cas. Il
te soignera ça en un tour de main.* 25

Langlevent lui a fait prendre du bromure. Le bromure,
naturellement, n'est pas fait pour* l'estomac ... Ça le délabre,*
ça l'abîme, ça donne des digestions difficiles ... Quand on
souffre de l'estomac, il ne faut pas hésiter. On va voir le
professeur Biridoff. Il vous remet en une saison. J'envoyai 30
Siméon chez le professeur, qui l'examina et le mit au régime
des féculents.* Très peu de viande, peu de vin, de l'eau, et
des purées de haricots, des purées de pommes de terre, des
purées de pois. Siméon fut rétabli en peu de temps.

Il en fut bien heureux. Je le rencontrai chez moi dans 35
l'escalier, comme il venait me remercier. Il souffrait un peu ...

6

EXERCICES SUR LE TEXTE

Répondez en français aux questions suivantes :

1. *Combien de livres Siméon pesait-il?*
2. *Combien de livres pesait-il au commencement de cette histoire?*
3. *Est-ce qu'il avait réussi à maigrir?*
4. *Qui lui a dit de monter à cheval?*
5. *Quand a-t-il commencé à monter à cheval?*
6. *Quel cheval a-t-il choisi?*
7. *De combien de livres le poids de Siméon a-t-il diminué?*
8. *Pourquoi son poids a-t-il diminué de trente-six kilos exactement?*
9. *Siméon a toujours suivi les ordonnances des médecins; est-ce que sa santé a toujours été excellente?*
10. *Mentionnez toutes les maladies dont Siméon a souffert au cours de cette histoire.*
11. *Qu'est-ce que chaque médecin lui a dit de faire? Avec quels résultats?*
12. *Est-ce que l'auteur de ce conte vous a convaincu qu'il faut toujours obéir aux ordonnances des médecins?*

NOTES SUR LE TEXTE ★★

1. Dame: *Heavens, yes! Well, of course!—an exclamation, no more forceful than "Mon Dieu!" which often indicates agreement, hesitation, or surprise.*
1. farineux: *(lit.) foods made of meal or flour; (freely) foods to fatten one.*
4. enrayer: *to check it, to put a stop to it.* **11.** préconise: *advocates, recommends.*
12. canasson: *(colloquial) nag, old plug.* **13.** manège: *riding-school, riding-stable.*

parce qu'il était très gros.   Dame,* rien que des farineux!* ...
Il ne pesait pas moins de trois cent vingt-deux livres ... C'était
trop ...

— Il faut surveiller ça, lui dis-je, et enrayer* ...

— Mais, me répondit-il, si je recommence à me faire
maigrir, on va me faire marcher, mes chevilles vont enfler de
nouveau, etc., etc.

— Il ne s'agit pas de marche, lui dis-je.   Il y a d'autres
moyens de se faire maigrir.   Je vais aller avec toi chez un autre
de mes amis, le docteur Lerenchéry.

Lerenchéry préconise* surtout l'équitation, mais pas l'équitation au hasard.   Il ne suffit pas de prendre un canasson* au
manège,* et d'aller faire un petit tour au bois.   Lerenchéry
fit une ordonnance de douze pages, indiquant les heures de
sortie, le nombre et la durée des temps de trot, des temps de
galop ... Siméon choisit un cheval très fort, très vigoureux, et
commença ses exercices.

Hé bien, il a commencé il y a trois jours, et son poids a
déjà diminué de trente-six kilos.   C'est un résultat!

Il faut vous dire qu'il a fait une chute de cheval à sa première sortie et qu'on a dû lui couper la jambe gauche, qui
pesait exactement trente-six kilos.   Voilà donc un garçon qui
a toujours suivi les ordonnances à la lettre et qui a obtenu de
la médecine tout ce qu'il lui a demandé.

GAR IER

par

TRISTAN BERNARD

EXERCICES SUR LE TEXTE

Les déclarations suivantes sont-elles exactes ou inexactes?

1. *Personne n'entrait jamais dans le petit magasin du boulevard Richard-Lenoir.*

2. *Dans ce magasin, on vendait des porte-monnaie, des porte-cartes et des porte-cigares.*

3. *Il était difficile de dire si la devanture du magasin avait été brune ou grise.*

4. *On appelait Garnier Gar ier à cause de la mort de son père.*

5. *Gar ier était un gros garçon barbu, comme Siméon.*

6. *Son petit magasin lui permettait de gagner de quoi vivre.*

7. *Gar ier aimait à assister aux réunions d'un groupe politique.*

8. *A ces réunions, Gar ier se distinguait par son indépendance.*

NOTES SUR LE TEXTE ★★★

1. le patron: *not " patron " but owner, proprietor, boss.* **2.** boulevard Richard-Lenoir: *a wide boulevard, in a populous section of Paris, running from the Place de la Bastille to the Avenue de la République.* **4.** il se trouvait: *(cf. p. 3, l. 22) it turned out.* **5.** en faux cuir: *made of imitation leather.* **8.** manquait: *(used in the imperfect tense with an expression of time) had been lacking, had been missing.* **9.** De sorte qu'on: *(a clause, not a complete sentence) So that people.* **12.** une plaisanterie: *a joke.—Observe again in this sentence the force of the imperfect tense used with* depuis *and an expression of time.* **14.** c'est tout juste s'il: *(lit.) it's just barely if he; (freely) hardly did he, he just barely had to.* **17.** parvenir à: *attain.* **20-21.** un comité de vigilance républicaine: *France has a multiple-party political system. The parties or groups often have somewhat bombastic names—e.g.,* "Ralliement de la Gauche républicaine," "Parti Républicain de la Liberté." *So* "comité de vigilance républicaine" *is not a farfetched title.* **22.** assister: *not " assist " but attend, be present.* **25.** meetings: *political meeting or rally.*

GAR IER

par TRISTAN BERNARD

A la mort de son père, il était devenu le patron* d'un petit magasin du boulevard Richard-Lenoir.* On avait l'impression qu'il n'y entrait jamais personne. Tout de même, au bout du mois, il se trouvait* qu'il avait vendu un certain nombre d'articles en faux cuir,* porte-mon- 5 naie, porte-cartes, porte-cigares. La devanture, peut-être brune, peut-être grise, n'avait jamais été repeinte, et, sur l'enseigne, depuis quinze ans, l'*n* du mot Garnier manquait.*

De sorte qu'on* avait pris l'habitude d'appeler Garnier Gar ier. On disait Gar, et, pour exprimer le vide du milieu, 10 on attendait un moment avant d'ajouter ier. Depuis longtemps, ce n'était plus une plaisanterie,* mais un usage.

Gar ier était un petit homme sans prestige, maigre et doux. Il portait une pauvre moustache, et c'est tout juste s'il* avait besoin de raser deux fois par semaine ses joues pâles et stériles. 15 Un petit binocle le sauvait de la vulgarité, sans le faire parvenir à* l'élégance.

Son commerce le faisait vivre : il était célibataire, et profitait médiocrement de sa complète liberté. La grande satisfaction qu'il avait dans le monde était de faire partie d'un comité 20 de vigilance républicaine.* Cela se bornait, quand on n'était pas en période électorale, à assister,* une fois par mois, à de petites réunions, où Gar ier se distinguait par son assiduité et son silence. Au moment des élections, il ne manquait pas de suivre les meetings* organisés par son parti. Là, il attendait

EXERCICES SUR LE TEXTE

Répondez en français aux questions suivantes :

1. *Est-ce que Gar ier comprenait bien ce que l'on disait aux réunions de son groupe politique?*
2. *Pourquoi l'a-t-on fait boire?*
3. *Qu'est-ce qui a amusé l'assistance?*
4. *Qu'est-ce que ses amis avaient l'habitude de lui demander?*
5. *Comment leur répondait-il?*
6. *Où Gar ier passait-il le dimanche?*
7. *S'il ne fumait guère, pourquoi avait-il toujours un briquet sur lui?*
8. *Se plaignait-il souvent de sa vie étroite?*
9. *Combien d'argent donnait-il chaque mois à un pauvre?*
10. *Quand on l'a invité à passer un dimanche à la campagne, quelle faute a-t-il commise?*

NOTES SUR LE TEXTE ★★★

4. il n'en laissa jamais rien voir: *(freely) he never gave any sign or indication of it.* **5.** par gageure: *on a bet. (The French word is pronounced as if it were spelled " gajure. ")* **6.** Il " tint " ... une cuite bien conditionnée: *(colloquial) He got beautifully tight.* **7.** égarés: *bewildered, distracted, wild.* **8.** l'assistance: *the people present, the company.* **8.** valurent à: *(past def. of* valoir, *to be worth) procured for, gained for, won for, assured to.* **12.** peu timbrée: *not very sonorous, not very resonant.* **13.** Ça n'est pas fête tous les jours: *(a common expression, almost a proverb) " Christmas comes but once a year."* **18.** manille: *a card game.—It is characteristic of Gar ier that he watched others play but did not play himself.* **19.** mazagran: *a glass of cold coffee.* **19.** une anisette à l'eau: anisette *is a colorless sweet liqueur flavored with the herb named anise;* à l'eau, *diluted.* **21.** pour donner du feu: *to give or offer a light (to someone about to smoke).* **22.** de la monnaie de cinq francs: *change for five francs.—At the time of the story, the franc had its traditional value of twenty cents.* **27.** à son aise: *well-off, well-to-do.* **27.** avait ... un pauvre: *i.e., he had selected a particular poor man or beggar whom he helped out.* **28.** une pièce de vingt-cinq centimes: *a* **nickel**. **30.** poussait: *kept on walking.* **30.** la Bastille: *i.e., the* Place de la Bastille.

patiemment que les orateurs eussent fini leurs discours, pour les applaudir si ses amis en donnaient le signal.

Il comprenait peut-être admirablement ce que l'on disait sur l'estrade, mais il n'en laissa jamais rien voir.*

Un jour de banquet, ses voisins le firent boire, par gageure.* 5 Il « tint », ce jour-là, une cuite bien conditionnée,* qui ne le rendit pas plus bruyant. Mais ses yeux humides et égarés* amusèrent l'assistance* et valurent à* Gar ier pour toute sa vie la réputation d'ivrogne la plus usurpée.

Quand on le rencontrait, on lui disait : « Comment, Gar 10 ier, tu n'es pas saoul aujourd'hui ? ». Il souriait faiblement, à son maximum, et répondait de sa voix peu timbrée* : « Ça n'est pas fête tous les jours. » *

Il prenait, en somme, très bien les plaisanteries, peut-être parce qu'on ne lui offrait que cela et que c'était au moins quel- 15 que chose.

Le dimanche, il passait l'après-midi au café, assis sur la banquette de moleskine. Il regardait les joueurs de manille.* Il buvait dans sa journée un mazagran* et une anisette à l'eau.* Il ne fumait guère, mais il avait toujours un briquet pour 20 donner du feu,* et aussi de la monnaie de cinq francs* pour les personnes qui en avaient besoin.

Ses vêtements et son chapeau melon, qui lui duraient depuis des années, étaient assez convenables. La coquetterie du linge propre lui manquait cependant un peu.   25

Il ne se plaignit jamais de son existence étroite. Il estimait qu'il était à son aise,* et avait même un pauvre,* à qui il donnait chaque mois une pièce de vingt-cinq centimes.*

Le soir, il allait se promener sur les rives du canal Saint-Martin, et, parfois, poussait* jusqu'à la Bastille,* puis aux 30 berges de la Seine. Un dimanche, il fut invité à la campagne. Il était entendu qu'il resterait dîner. Mais son silence fatigua un peu ses amphitryons. Il eut le tort, après le repas, de laisser passer le train de 9 h. 34 et de prendre celui de 10 h. 16. C'était de la politesse mal entendue. On ne le pria pas de 35 revenir.

EXERCICES SUR LE TEXTE

Répondez en français aux questions suivantes :

1. *Quel âge avait Gar ier quand il est mort?*
2. *Où a-t-on repêché son corps?*
3. *Est-ce qu'on a prolongé la vie de Gar ier par de vigoureuses frictions?*
4. *Est-il certain que Gar ier s'était jeté à l'eau pour sauver une vieille dame?*
5. *Était-il ivre quand il est tombé à l'eau?*
6. *Est-ce que la mort de Gar ier a passé inaperçue dans le quartier?*
7. *Qu'est-ce qu'on a commandé pour lui?*
8. *Quel nom le marbrier a-t-il inscrit sur la pierre?*
9. *Quel nom aurait-il dû inscrire?*
10. *Pourquoi avait-on donné à Garnier le nom de Gar ier?*
11. *Est-ce que Gar ier a fait quelque chose d'important au cours de sa vie?*
12. *Quel avait été son plus grand plaisir?*
13. *Était-il généreux?*
14. *Où se promenait-il souvent le soir?*
15. *Comment Gar ier est-il mort?*

NOTES SUR LE TEXTE ✶✶

2. prenait le frais: *was enjoying the cool of the evening.* **4.** en aval: *downstream.* **6.** les mêmes parages: *the same locality.* **12.** en ribote: *drunk, tipsy, tight.* **13.** le pied lui avait manqué: *he had missed his footing, his foot had slipped.* **15.** républicains vigilants: *i.e., members of his political party.* **17-18.** état civil: *a person's* état civil *is his legal status according to official records.* **20.** du blanc: *i.e., with some white substance, probably white paint.* **21.** il ne fut pas donné suite: *(an impersonal expression) the project was not carried out.*

La vie de Gar ier n'excéda pas quarante années. Un soir qu'il prenait le frais* au bord de l'eau, dans un endroit à peu près désert, il continua sa promenade dans la Seine, et l'on repêcha, à quelques centaines de mètres en aval,* son mince corps inanimé. Or, une vieille dame, le même soir, était 5 tombée à l'eau à peu près dans les mêmes parages.* Elle respirait encore quand on la retira, et de vigoureuses frictions prolongèrent la suite de ses vieux jours.

Deux ou trois personnes firent cette réflexion que Gar ier s'était peut-être jeté à l'eau pour sauver la vieille dame. Mais 10 la grande majorité fut d'avis qu'il s'était noyé parce qu'il était en ribote,* qu'il s'était approché trop près du bord et que le pied lui avait manqué.*

La mort de Gar ier fit une certaine impression dans son quartier. Des voisins et quelques républicains vigilants* com- 15 mandèrent pour lui une petite stèle. Mais le marbrier, en-têté, ne consentit jamais, dans son aveugle respect de l'état civil,* à inscrire sur la pierre un autre nom que le nom complet de Garnier, qui ne correspondait à rien. Les camarades se dirent qu'ils viendraient effacer l'*n* avec du blanc.* Mais ils 20 étaient tous occupés, et il ne fut pas donné suite* à ce projet. Gar ier, rayé de la liste des vivants, ne figura même plus parmi les morts.

NAISSANCE
D'UN MAÎTRE

par

ANDRÉ MAUROIS

EXERCICES SUR LE TEXTE

Traduisez en anglais les phrases suivantes :

1. *Le peintre achevait une nature morte.*
2. *Tu as du métier mais tu n'arriveras jamais.*
3. *C'est dommage.*
4. *Je fais ce que je vois; je n'en demande pas plus.*
5. *Il s'agit bien de cela.*
6. *Le lait vaut dix-huit sous le litre.*
7. *Quel est le moyen de sortir d'une foule inconnue?*
8. *Sois sérieux, mon bonhomme.*
9. *Ta peinture n'éclate pas.*
10. *Les promeneurs ne s'arrêtent pas devant tes toiles.*

NOTES SUR LE TEXTE ★★★

1. une nature morte: *a still life.* **2.** un pot de pharmacie: *drugstore jar—* " vieilles faïences portant des noms de remèdes, qui sont utilisées comme ornements. " *(Information furnished by André Maurois.)* **2.** aubergines: *eggplant.* **10.** Tu as du métier: *You know the tricks of the trade.* **11.** mon bonhomme: *old fellow.—The tone here is half affectionate, half derisive.* **11-12.** ça ne gueule pas: *it doesn't shriek.—Obvious satire of some modern art which does " shriek."* **17.** Il s'agit bien de cela: *(lit.) It is indeed a question of that.—The speaker's tone and the use of* bien *make the sentence mean just the opposite: That's not the point at all, That's not at all the right thing to do.* **18-19.** dix-huit sous ... un franc: *As this is a very modern story, the prices mentioned are closer to current ones than those in Tristan Bernard's stories but they still seem impossibly low in terms of today's values, when one franc is worth less than one fourth of a cent.*

NAISSANCE D'UN MAÎTRE

par ANDRÉ MAUROIS

LE peintre Pierre Douche achevait une nature morte,* fleurs dans un pot de pharmacie,* aubergines* dans une assiette, quand le romancier Paul-Émile Glaise entra dans l'atelier. Glaise contempla pendant quelques minutes son ami qui travaillait, puis dit fortement : 5

— Non.

L'autre, surpris, leva la tête, et s'arrêta de polir une aubergine.

— Non, reprit Glaise, crescendo, non, tu n'arriveras jamais. Tu as du métier,* tu as du talent, tu es honnête. Mais ta 10 peinture est plate, mon bonhomme.* Ça n'éclate pas, ça ne gueule* pas. Dans un salon de cinq mille toiles, rien n'arrête devant les tiennes le promeneur endormi ... Non, Pierre Douche, tu n'arriveras jamais. Et c'est dommage.

— Pourquoi? soupira l'honnête Douche. Je fais ce que je 15 vois : je n'en demande pas plus.

— Il s'agit bien de cela*: tu as une femme, mon bonhomme, une femme et trois enfants. Le lait vaut dix-huit sous le litre, et les œufs coûtent un franc* pièce. Il y a plus de tableaux que d'acheteurs, et plus d'imbéciles que de connaisseurs. Or, 20 quel est le moyen, Pierre Douche, de sortir de la foule inconnue?

— Le travail?

— Sois sérieux. Le seul moyen, Pierre Douche, de réveiller les imbéciles, c'est de faire des choses énormes.

EXERCICES SUR LE TEXTE

Dites laquelle des déclarations faites dans (a) ou (b) est correcte :

1. *Glaise dit à son ami d'aller au Pôle Nord (a) pour y peindre, (b) pour s'y promener.*

2. *Il lui dit (a) d'aller à l'école, (b) de fonder une école.*

3. *Il lui dit aussi (a) de porter un chapeau, (b) de mêler des mots dans un chapeau.*

4. *Il lui dit aussi (a) d'inventer une nouvelle manière de peindre, (b) de ne pas employer de rouge ou de jaune.*

5. *Mme Kosnevska lit des revues coûteuses (a) qui reproduisent des tableaux faits par des enfants, (b) qui mentionnent souvent le nom de Pierre Douche.*

6. *Quant aux tableaux de Pierre Douche, la belle Polonaise (a) les admire, (b) les méprise.*

7. *Elle a découvert de la sensibilité et de la force (a) dans des tableaux faits par des nègres, (b) dans les tableaux de Pierre Douche.*

8. *Pierre Douche (a) est assez fatigué pour se coucher, (b) est très découragé.*

9. *Il veut (a) renoncer à la peinture, (b) respecter les maîtres.*

10. *Le succès, dit-il, dépend (a) des critiques, (b) des badauds.*

11. *Il accuse les critiques (a) de ne pas respecter les maîtres, (b) d'être des barbares.*

12. *Glaise demande à Douche s'il veut donner (a) des leçons d'art à des snobs, (b) une dure leçon aux faux artistes.*

13. *Il lui demande (a) s'il prépare depuis dix ans un renouvellement de sa manière, (b) s'il est capable d'annoncer qu'il prépare depuis dix ans uue nouvelle manière de peindre.*

NOTES SUR LE TEXTE ★★★

11. Abonnée à: *A subscriber to.* **12.** à grands frais: *at great expense.* **19.** le modelé: *(in art) the relief.* **21.** du bout des lèvres: *(lit.) with the end of her lips; disdainfully.* **28.** faiseurs: *bluffers, humbugs.* **34.** sérieux: *(here) seriousness.*

Annonce que tu vas peindre au Pôle Nord. Promène-toi vêtu
en roi égyptien. Fonde une école. Mélange dans un chapeau
des mots savants : extériorisation dynamique, et compose des
manifestes. Nie le mouvement, ou le repos; le blanc, ou le
noir; le cercle, ou le carré. Invente la peinture néo-homé- 5
rique, qui ne connaîtra que le rouge et le jaune, la peinture
cylindrique, la peinture octaédrique, la peinture à quatre
dimensions ...

A ce moment, un parfum étrange et doux annonça l'entrée
de Mme Kosnevska. C'était une belle Polonaise dont Pierre 10
Douche admirait la grâce. Abonnée à* des revues coûteuses
qui reproduisaient à grands frais* des chefs-d'œuvre d'enfants
de trois ans, elle n'y trouvait pas le nom de l'honnête Douche
et méprisait sa peinture. S'allongeant sur un divan, elle
regarda la toile commencée, secoua ses cheveux blonds, et 15
sourit avec un peu de dépit :

— J'ai été hier, dit-elle, de son accent roulant et chantant,
voir une exposition d'art nègre de la bonne époque. Ah! la
sensibilité, le modelé,* la force de ça!

Le peintre retourna pour elle un portrait dont il était content. 20

— Gentil, dit-elle du bout des lèvres,* et, roulante, chantante, parfumée, disparut.

Pierre Douche jeta sa palette dans un coin et se laissa
tomber sur le divan :

— Je vais, dit-il, me faire inspecteur d'assurances, employé 25
de banque, agent de police. La peinture est le dernier des
métiers. Le succès, fait par des badauds, ne va qu'à des
faiseurs.* Au lieu de respecter les maîtres, les critiques en-
couragent les barbares. J'en ai assez, je renonce.

Paul-Émile, ayant écouté, alluma une cigarette et réfléchit 30
assez longuement.

— Veux-tu, dit-il enfin, donner aux snobs et aux faux
artistes la dure leçon qu'ils méritent? Te sens-tu capable
d'annoncer en grand mystère et sérieux* à la Kosnevska, et à
quelques autres esthètes, que tu prépares depuis dix ans un 35
renouvellement de ta manière?

EXERCICES SUR LE TEXTE

I. Dites laquelle des déclarations faites dans (a) ou (b) est correcte :

1. *Douche (a) comprend bien, (b) ne comprend pas bien, ce que son ami veut dire.*

2. *Glaise (a) va parler partout de la nouvelle manière de son ami, (b) va écrire deux articles pour annoncer un renouvellement de la manière de son ami.*

3. *Glaise conseille à Douche (a) de fonder une école idéoanalytique, (b) d'étudier le visage humain.*

4. *Si on peint une cheminée d'usine et un poing fermé sur une table, on fait le portrait idéoanalytique (a) d'un industriel, (b) d'un colonel.*

5. *Douche (a) hésite à accepter, (b) accepte sans hésiter, les conseils de son ami.*

II. Répondez en français aux questions suivantes :

1. *Si on demande à Douche d'expliquer la peinture idéoanalytique, qu'est-ce qu'il va dire?*
2. *Quand l'Exposition a-t-elle eu lieu?*
3. *Est-ce que Mme Kosnevska a assisté à l'Exposition?*
4. *A-t-elle admiré ou méprisé les portraits idéoanalytiques?*
5. *Qu'est-ce que Douche lui a dit?*

NOTES SUR LE TEXTE ★★★

3-4. Jusqu'à toi: *(freely) Until you came along.* **7.** que barrent cinq énormes galons: *logically* = que cinq énormes galons barrent; *which is crossed by five enormous stripes.—Observe this common case of inverted word order in a relative clause.* **17.** bagout: *gift of gab, glibness.* **23.** aussi: *when standing at the beginning of a sentence and followed as here by inverted order,* aussi means so, thus, *or* therefore. **26.** le vernissage: *the private showing, the preview.—On the day before the formal opening to the public of an exhibition, artists could give their paintings a last coat of varnish or glaze.* Le vernissage, *the varnishing, came to mean the day before an opening, when only special guests were admitted, as at the dress rehearsal of a play.*

— Moi ? dit l'honnête Douche étonné.

— Écoute … Je vais annoncer au monde, en deux articles bien placés, que tu fondes l'École idéo-analytique. Jusqu'à toi,* les portraitistes, dans leur ignorance, ont étudié le visage humain. Sottise ! Non, ce qui fait vraiment l'homme, ce sont 5 les idées qu'il évoque en nous. Ainsi le portrait d'un colonel, c'est un fond bleu et or que barrent cinq énormes galons,* un cheval dans un coin, des croix dans l'autre. Le portrait d'un industriel, c'est une cheminée d'usine, un poing fermé sur une table. Comprends-tu, Pierre Douche, ce que tu apportes au 10 monde, et peux-tu me peindre en un mois vingt portraits idéo-analytiques ?

Le peintre sourit tristement.

— En une heure, dit-il, et ce qui est triste, Glaise, c'est que cela pourrait réussir. 15

— Essayons.

— Je manque de bagout.*

— Alors, mon bonhomme, à toute demande d'explication, tu prendras un temps, tu lanceras une bouffée de pipe au nez du questionneur, et tu diras ces simples mots : « Avez-vous 20 jamais regardé un fleuve ? »

— Et qu'est-ce que cela veut dire ?

— Rien, dit Glaise, aussi* le trouveront-ils très beau, et quand ils t'auront bien découvert, expliqué, exalté, nous racon-terons l'aventure et jouirons de leur confusion. 25

Deux mois plus tard, le vernissage* de l'Exposition Douche s'achevait en triomphe. Chantante, roulante, parfumée, la belle Mme Kosnevska ne quittait plus son nouveau grand homme.

— Ah ! répétait-elle, la sensibilité ! le modelé, la force de ça ! 30 Quelle intelligence ! Quelle révélation ! Et comment, cher, êtes-vous parvenu à ces synthèses étonnantes ?

Le peintre prit un temps, lança une forte bouffée de pipe, et dit : « Avez-vous jamais, chère madame, regardé un fleuve ? »

Les lèvres de la belle Polonaise, émues, promirent des bon- 35 heurs roulants et chantants.

EXERCICES SUR LE TEXTE

Répondez en français aux questions suivantes :

1. *Est-ce que Lévy-Cœur a admiré les portraits?*
2. *Qu'est-ce que Lévy-Cœur avait souvent dit?*
3. *Qu'est-ce qu'il a demandé à l'artiste de lui dire?*
4. *Quelle réponse le peintre a-t-il faite?*
5. *Qui a pris le peintre par la manche?*
6. *Qu'est-ce que le marchand de tableaux voulait faire?*
7. *Combien de tableaux voulait-il acheter?*
8. *Quand est-ce que Glaise a fermé la porte de l'atelier?*
9. *Glaise est parti d'un éclat de rire; est-ce que Douche a ri, lui aussi?*
10. *Les trois jolies jeunes filles avaient-elles admiré ou méprisé les portraits que Douche avait peints?*
11. *Est-ce que Douche lui-même admire ses propres tableaux?*
12. *Est-ce Douche qui appelle Glaise un imbécile ou bien Glaise qui appelle Douche un imbécile?*
13. *Pourquoi le romancier est-il furieux?*
14. *Combien de portraits est-ce que Douche avait peints?*

NOTES SUR LE TEXTE ✱✱✱

1. à col de lapin: *with a rabbit-fur collar.—The à is the " characteristic à" which attaches a descriptive phrase to a noun; in English, with. It may be used with a singular or plural noun and either with or without a definite article. It is of frequent occurrence in the stories of this book.* **14.** un lancement: *(lit.) launching (of a ship); in commercial language, a promotion.—Here the businessman implies: We can promote this and make a good thing out of it.* **16.** Ça va?: *All right? O.K.?* **24-25.** crois-tu que nous les avons eus: *(colloquial) we took them in all right, didn't we? don't you think we bamboozled them good and proper?* **34.** je viens de réussir la plus belle charge: *I've just carried out, put across, worked, the finest practical joke, hoax.* **34.** Bixiou: *a character in Balzac's novels who liked to play jokes on people.* **36.** que donne la certitude: *for word order, cf. note to p. 23, l. 7.*

En pardessus à col de lapin,* le jeune et brillant Lévy-Cœur discutait au milieu d'un groupe : « Très fort! disait-il, très fort! Pour moi, je répète depuis longtemps qu'il n'est pas de lâcheté pire que de peindre d'après un modèle. Mais, dites-moi, Douche, la révélation? D'où vient-elle? De mes articles? » 5

Pierre Douche prit un temps considérable, lui souffla au nez une bouffée triomphante, et dit : « Avez-vous jamais, monsieur, regardé un fleuve?

— Admirable! approuva l'autre, admirable! »

A ce moment, un célèbre marchand de tableaux, ayant 10 achevé le tour de l'atelier, prit le peintre par la manche et l'entraîna dans un coin.

— Douche, mon ami, dit-il, vous êtes un malin. On peut faire un lancement* de ceci. Réservez-moi votre production. Ne changez pas de manière avant que je ne vous le dise, et je 15 vous achète cinquante tableaux par an … Ça va?*

Douche, énigmatique, fuma sans répondre.

Lentement, l'atelier se vida. Paul-Émile Glaise alla fermer la porte derrière le dernier visiteur. On entendit dans l'escalier un murmure admiratif qui s'éloignait. Puis, resté 20 seul avec le peintre, le romancier mit joyeusement ses mains dans ses poches et partit d'un éclat de rire formidable. Douche le regarda avec surprise.

— Eh bien! mon bonhomme, dit Glaise, crois-tu que nous les avons eus?* As-tu entendu le petit au col de lapin? Et la 25 belle Polonaise? Et les trois jolies jeunes filles qui répétaient : « Si neuf! si neuf! » Ah! Pierre Douche, je croyais la bêtise humaine insondable, mais ceci dépasse mes espérances.

Il fut repris d'une crise de rire invincible. Le peintre fronça le sourcil, et, comme des hoquets convulsifs agitaient 30 l'autre, dit brusquement :

— Imbécile!

— Imbécile! cria le romancier furieux. Quand je viens de réussir la plus belle charge* que depuis Bixiou* … »

Le peintre parcourut des yeux avec orgueil les vingt por- 35 traits analytiques et dit avec la force que donne la certitude :*

EXERCICES SUR LE TEXTE

Répondez en français aux questions suivantes :

    1. *Avez-vous jamais vu, dans un musée, des tableaux qui ressemblent à ceux de la peinture idéoanalytique?*
    2. *De quelle sorte de peinture l'auteur de ce conte se moque-t-il?*
    3. *Comment, d'après M. Maurois, un artiste devient-il parfois un maître?*

NOTE SUR LE TEXTE ★★★
4. Celle-là est forte!: *That's a good one! That beats everything!*

— Oui, Glaise, tu es un imbécile. Il y a quelque chose dans cette peinture ... Le romancier contempla son ami avec une stupeur infinie.

— Celle-là est forte!* hurla-t-il. Douche, souviens-toi. Qui t'a suggéré cette manière nouvelle ?

Alors Pierre Douche prit un temps, et tirant de sa pipe une énorme bouffée :

— As-tu jamais, dit-il, regardé un fleuve ? ...

LA MAISON

par

ANDRÉ MAUROIS

EXERCICES SUR LE TEXTE

Traduisez en français les phrases suivantes :

1. *Two years ago, I was sick.*
2. *I had the same dream every night.*
3. *I used to see a long, low, white house.*
4. *To the left of the house there was a meadow.*
5. *I used to see the house from far off.*
6. *I used to see linden trees and poplars.*
7. *I used to walk towards the house.*
8. *I followed a path whose curve was very graceful.*
9. *The path was bordered by trees.*
10. *A great lawn stretched out in front of the house.*
11. *The house was built of white stone.*
12. *It had a slate roof.*
13. *I wanted to visit the house.*
14. *No one answered my calls.*
15. *I used to ring and to shout.*
16. *Finally I would wake up.*

NOTES SUR LE TEXTE ★★★

4. un bosquet de tilleuls: *a grove of linden trees.* **5.** peupliers: *poplars.* **6.** la cime: *the top, the crest.* **8-9.** j'allais vers: *I used to walk towards.* **12.** primevères: *primroses.* **12.** pervenches: *periwinkles—in U.S. often called myrtles.* **16.** tondue: *mowed, cut close.* **17.** une bande: *a strip, a narrow bed.* **19.** aux: *cf. note to p. 25, l. 1.* **20.** perron: *flight of steps.* **25.** je finis par penser: *I finally thought, at last I thought—a common use of* finir par + *infinitive.*

LA MAISON

par ANDRÉ MAUROIS

IL y a deux ans, dit-elle, quand je fus si malade, je remarquai
que je faisais toutes les nuits le même rêve. Je me pro-
menais dans la campagne; j'apercevais de loin une maison
blanche, basse et longue, qu'entourait un bosquet de tilleuls.*
A gauche de la maison, un pré bordé de peupliers* rompait 5
agréablement la symétrie du décor, et la cime* de ces arbres,
que l'on voyait de loin, se balançait au-dessus des tilleuls.

Dans mon rêve, j'étais attirée par cette maison et j'allais
vers* elle. Une barrière peinte en blanc fermait l'entrée.
Ensuite on suivait une allée dont la courbe avait beaucoup de 10
grâce. Cette allée était bordée d'arbres sous lesquels je trouvais les fleurs du printemps : des primevères,* des pervenches,*
et des anémones, qui se fanaient dès que je les cueillais. Quand
on débouchait de cette allée, on se trouvait à quelques pas de
la maison. Devant celle-ci s'étendait une grande pelouse, 15
tondue* comme les gazons anglais et presque nue. Seule y
courait une bande* de fleurs violettes.

La maison, bâtie de pierres blanches, portait un toit d'ar-
doises. La porte, une porte de chêne clair aux* panneaux
sculptés, était au sommet d'un petit perron.* Je souhaitais 20
visiter cette maison, mais personne ne répondait à mes appels.
J'étais profondément désappointée, je sonnais, je criais, et enfin
je me réveillais.

Tel était mon rêve et il se répéta, pendant de longs mois,
avec une précision et une fidélité telles que je finis par penser* 25

EXERCICES SUR LE TEXTE

Répondez par oui ou par non aux questions suivantes :

1. *La femme qui raconte cette histoire a-t-elle vu un parc et un château dans un rêve?*

2. *Croyait-elle les avoir vus dans son enfance?*

3. *Voulait-elle les revoir?*

4. *Pouvait-elle se rappeler où elle les avait vus?*

5. *A-t-elle parcouru toute la France à la recherche de la maison de ses rêves?*

6. *A-t-elle trouvé la maison en Normandie? en Touraine? dans le Poitou?*

7. *A-t-elle continué ses voyages pendant l'hiver?*

8. *A-t-elle cherché la maison aux environs de Paris?*

9. *Avait-elle jamais été près de l'Isle-Adam?*

10. *A-t-elle reconnu le paysage qui s'étendait à sa droite?*

11. *Avait-elle déjà vu ce paysage?*

12. *Savait-elle quel chemin il fallait prendre?*

13. *L'a-t-elle pris?*

14. *A-t-elle découvert une allée qu'elle n'avait jamais vue?*

15. *A-t-elle vu les mêmes fleurs qu'elle avait vues dans son rêve?*

16. *Le domestique qui lui a ouvert la porte, a-t-il eu peur d'elle?*

17. *Est-ce que le domestique lui a dit de s'en aller?*

18. *Est-ce que le domestique a été très surpris de la voir?*

NOTES SUR LE TEXTE ★★★

2. à l'état de veille : *(lit.) in the state of being awake; (freely) when I was awake.* **5.** voiture : *car.—The use of* voiture *for* automobile *is as common in France as that of " car " for " automobile " in America.* **7-8.** la Normandie, la Touraine, le Poitou : *Normandy, a northern province; Touraine, a west central province (" the châteaux country "); Poitou, a western province.* **13.** l'Isle-Adam : *a town about twenty miles north of Paris on the edge of a forest of the same name.* **21.** je sus : *(past definite tense of* savoir, *indicating an action rather than a condition) I became aware, I realized.* **22.** je n'ignorais pas : ignorer *is not to know, so the negative = to know.* **30.** marches : *steps.*

que j'avais certainement, dans mon enfance, vu ce parc et ce
château.   Pourtant je ne pouvais, à l'état de veille,* en retrouver le souvenir, et cette recherche devint pour moi une
obsession si forte qu'un été, ayant appris à conduire moi-même
une petite voiture,* je décidai de passer mes vacances sur les   5
routes de France, à la recherche de la maison de mon rêve.

Je ne vous raconterai pas mes voyages.   J'explorai la Normandie, la Touraine, le Poitou;* je ne trouvai rien et n'en fus
pas très surprise.   En octobre je rentrai à Paris et, pendant
tout l'hiver, continuai à rêver de la maison blanche.   Au prin- 10
temps dernier, je recommençai mes promenades aux environs
de Paris.   Un jour, comme je traversais une vallée voisine de
l'Isle-Adam,* je sentis tout d'un coup un choc agréable, cette
émotion curieuse que l'on éprouve lorsqu'on reconnaît, après
une longue absence, des personnes ou des lieux que l'on a   15
aimés.

Bien que je ne fusse jamais venue dans cette région, je
connaissais parfaitement le paysage qui s'étendait à ma droite.
Des cimes de peupliers dominaient une masse de tilleuls. A
travers le feuillage encore léger de ceux-ci, on devinait une   20
maison.   Alors, je sus* que j'avais trouvé le château de mes
rêves.   Je n'ignorais pas* que, cent mètres plus loin, un chemin étroit couperait la route.   Le chemin était là.   Je le pris.
Il me conduisit devant une barrière blanche.

De là partait l'allée que j'avais si souvent suivie.   Sous les   25
arbres, j'admirais le tapis aux couleurs douces que formaient
les pervenches, les primevères et les anémones.   Lorsque je
débouchai de la voûte des tilleuls, je vis la pelouse verte et le
petit perron, au sommet duquel était la porte de chêne clair.
Je sortis de ma voiture, montai rapidement les marches* et   30
sonnai.

J'avais grand'peur que personne ne répondît, mais, presque
tout de suite, un domestique parut.   C'était un homme au
visage triste, fort vieux et vêtu d'un veston noir.   En me
voyant, il parut très surpris, et me regarda avec attention, sans 35
parler.

EXERCICES SUR LE TEXTE

I. Traduisez en anglais les phrases suivantes :

1. *Le château est à louer.*
2. *Je suis ici pour le faire visiter.*
3. *Quelle chance inespérée!*
4. *Les propriétaires ont quitté la maison depuis qu'elle est hantée.*
5. *Voilà qui ne m'arrêtera guère.*
6. *Est-ce qu'on croit encore aux revenants?*
7. *Quelle histoire!*
8. *Vous ne devriez pas rire de cette histoire.*

II. Relisez les cinq dernières lignes de la page 31, puis répondez aux questions suivantes :

1. *Est-ce que la femme avait agi, dans son rêve, comme un revenant?*
2. *Qu'est-ce qu'elle avait fait?*

NOTES SUR LE TEXTE ★★★

4. à louer: *for rent.* **4-5.** à regret: *as if with regret, as if reluctantly.*
6. Quelle chance: *What (good) luck.* **11.** Voilà qui = voilà une chose
qui: *That's something which, That (emphatic).* ... **13.** revenants: *ghosts.*

— Je vais, lui dis-je, vous demander une faveur un peu étrange. Je ne connais pas les propriétaires de cette maison, mais je serais heureuse s'ils pouvaient m'autoriser à la visiter.

— Le château est à louer,* Madame, dit-il comme à regret,* et je suis ici pour le faire visiter. 5

— A louer? dis-je. Quelle chance* inespérée ! ... Comment les propriétaires eux-mêmes n'habitent-ils pas une maison si belle?

— Les propriétaires l'habitaient, Madame. Ils l'ont quittée depuis que la maison est hantée. 10

— Hantée? dis-je. Voilà qui* ne m'arrêtera guère. Je ne savais pas que, dans les provinces françaises, on croyait encore aux revenants* ...

— Je n'y croirais pas, Madame, dit-il sérieusement, si je n'avais moi-même si souvent rencontré dans le parc, la nuit, 15 le fantôme qui a mis mes maîtres en fuite.

— Quelle histoire! dis-je, en essayant de sourire.

— Une histoire, dit le vieillard d'un air de reproche, dont vous au moins, Madame, ne devriez pas rire, puisque ce fantôme, c'était vous.

LE SECRET DE MAÎTRE CORNILLE

par

ALPHONSE DAUDET

EXERCICES SUR LE TEXTE

Complétez chacune des phrases suivantes par quelques mots bien choisis dans le texte :

1. *Francet Mamaï vient souvent chez moi pour ...*
2. *C'est lui qui m'a raconté ...*
3. *Les faits qu'il m'a racontés ont eu lieu il y a ...*
4. *Imaginez-vous que vous écoutez ...*
5. *Autrefois dans notre pays un grand commerce de meunerie ...*
6. *Il y avait des moulins à vent tout autour ...*
7. *Ces moulins se trouvaient sur des ...*
8. *On voyait beaucoup de petits ânes chargés de ...*
9. *Les sacs étaient pleins de ...*
10. *Le dimanche on allait aux moulins pour ...*
11. *Les meuniers étaient généreux et les meunières étaient ...*
12. *On dansait jusqu'à ...*

NOTES SUR LE TEXTE ★★

2. faire la veillée: *to spend the evening.* **3.** du vin cuit: *mulled wine—wine that has been heated, sweetened, and spiced.* **12.** sans refrains: *(freely) cheerless, without gaiety.* **13.** il s'y faisait: *there was done or carried on.* **13.** meunerie: *milling.* **14.** mas: *a Provençal word for farm or farmhouse.* **17.** mistral: *name of a cold north wind, often violent, that blows from the Alps down the Rhône valley.* **18.** ribambelles: *long strings, long lines.* **21.** la toile: *the canvas—i.e., the flapping canvas covers of donkey-carts.* **21.** Dia hue!: *two Provençal words, Get up! Giddap!* **24.** fichus: *neckerchiefs.*

LE SECRET DE MAÎTRE CORNILLE

par ALPHONSE DAUDET

FRANCET Mamaï, un vieux joueur de fifre, qui vient de temps en temps faire la veillée* chez moi, en buvant du vin cuit,* m'a raconté l'autre soir un petit drame de village dont mon moulin a été témoin il y a quelque vingt ans. Le récit du bonhomme m'a 5 touché et je vais essayer de vous le redire tel que je l'ai entendu.

Imaginez-vous pour un moment, chers lecteurs, que vous êtes assis devant un pot de vin tout parfumé, et que c'est un vieux joueur de fifre qui vous parle. 10

Notre pays, mon bon monsieur, n'a pas toujours été un endroit mort et sans refrains* comme il est aujourd'hui. Auparavant, il s'y faisait* un grand commerce de meunerie,* et, dix lieues à la ronde, les gens des *mas** nous apportaient leur blé à moudre ... Tout autour du village, les collines étaient 15 couvertes de moulins à vent. De droite et de gauche, on ne voyait que des ailes qui viraient au mistral* par-dessus les pins, des ribambelles* de petits ânes chargés de sacs, montant et dévalant le long des chemins; et toute la semaine c'était plaisir d'entendre sur la hauteur le bruit des fouets, le craquement de 20 la toile* et le *Dia hue!** des aides-meuniers ... Le dimanche nous allions aux moulins, par bandes. Là-haut, les meuniers payaient le muscat. Les meunières étaient belles comme des reines, avec leurs fichus* de dentelles et leurs croix d'or. Moi, j'apportais mon fifre, et jusqu'à la noire nuit on dansait des

EXERCICES SUR LE TEXTE

Les déclarations suivantes sont-elles exactes ou inexactes?

1. *Des Français de Paris établirent un moulin à vent sur la route de Tarascon.*

2. *Les paysans y portaient leur blé parce que ce moulin était nouveau.*

3. *Bientôt les autres moulins furent obligés de fermer.*

4. *Les meuniers ne payaient plus le muscat.*

5. *On ne dansait plus de farandole.*

6. *On jeta à bas les moulins à vent.*

7. *Seul le moulin à vent des Parisiens continua à virer.*

8. *Maître Cornille avait au moins soixante ans.*

9. *L'installation des minotiers l'avait rendu fou de joie.*

10. *Il a couru par le village pour dire aux gens qu'on allait enrichir le pays.*

11. *Moi, disait-il, je me sers du mistral et de la tramontane.*

12. *Les minotiers, disait-il, se servent de la vapeur pour faire du pain.*

13. *C'est le diable, disait-il, qui a inventé les vents, c'est le bon Dieu qui a créé la vapeur.*

14. *Tout le monde l'écoutait parce que ses paroles étaient belles.*

15. *Enfin Maître Cornille s'enferma dans son moulin et y vécut comme une bête sauvage.*

NOTES SUR LE TEXTE ★★

1. farandoles: *name of a Provençal dance.* **4.** minoterie: *flour mill* **4.** Tarascon: *town on the Rhône, north of Marseilles.* **5.** Tout beau, tout nouveau!: *a proverb which means that what is new is always thought, for a while, to be beautiful.* **9.** pécaïre!: *(a Provençal interjection) alas! ah me!* **11-12.** Le mistral avait beau souffler: (avoir beau + *infinitive is a common idiom*) *No matter how the wind blew, It was of no use for the wind to blow.* **13.** masures: *ruins.* **16-17.** à la barbe de: *in the face of, under the very nose of (don't say beard!).* **21.** enragé pour: *crazy about, infatuated with.* **23.** ameutant: *exciting, stirring up.* **28.** tramontane: *another wind.* **32.** de male rage: *wild with rage, in great fury.*

farandoles.* Ces moulins-là, voyez-vous, faisaient la joie et la richesse de notre pays.

Malheureusement, des Français de Paris eurent l'idée d'établir une minoterie* à vapeur, sur la route de Tarascon.* Tout beau, tout nouveau!* Les gens prirent l'habitude d'en- 5 voyer leurs blés aux minotiers, et les pauvres moulins à vent restèrent sans ouvrage. Pendant quelque temps ils essayèrent de lutter, mais la vapeur fut la plus forte, et l'un après l'autre, *pécaïre!** ils furent tous obligés de fermer ... On ne vit plus venir les petits ânes ... Les belles meunières vendirent leurs 10 croix d'or ... Plus de muscat! plus de farandole! ... Le mistral avait beau souffler,* les ailes restaient immobiles ... Puis, un beau jour, la commune fit jeter toutes ces masures* à bas, et l'on sema à leur place de la vigne et des oliviers.

Pourtant, au milieu de la débâcle, un moulin avait tenu 15 bon et continuait de virer courageusement sur sa butte, à la barbe* des minotiers. C'était le moulin de maître Cornille, celui-là même où nous sommes en train de faire la veillée en ce moment.

———————

Maître Cornille était un vieux meunier, vivant depuis 20 soixante ans dans la farine et enragé pour* son état. L'instal- lation des minoteries l'avait rendu comme fou. Pendant huit jours, on le vit courir par le village, ameutant* le monde au- tour de lui et criant de toutes ses forces qu'on voulait empoison- ner la Provence avec la farine des minotiers. « N'allez pas 25 là-bas, disait-il; ces brigands-là, pour faire le pain, se servent de la vapeur, qui est une invention du diable, tandis que moi je travaille avec le mistral et la tramontane,* qui sont la respi- ration du bon Dieu ... » Et il trouvait comme cela une foule de belles paroles à la louange des moulins à vent, mais per- 30 sonne ne les écoutait.

Alors, de male rage,* le vieux s'enferma dans son moulin et vécut tout seul comme une bête farouche. Il ne voulut pas même garder près de lui sa petite-fille Vivette, une enfant de

EXERCICES SUR LE TEXTE

I. Les déclarations suivantes sont-elles exactes ou inexactes?

1. *Vivette était l1 fille de Maître Cornille.*
2. *Elle fut obligée de travailler dans les fermes pour gagner sa vie.*
3. *Il était certain que Maître Cornille n'aimait pas Vivette.*
4. *Pourtant, lorsqu'il voulait la voir, il allait à pied au mas où elle travaillait.*
5. *Il était certain que Maître Cornille avait agi par avarice.*

II. Répondez en français aux questions suivantes :

1. *Qui portait du blé au moulin de Maître Cornille?*
2. *Est-ce que les ailes de son moulin continuaient à tourner?*
3. *Où est-ce qu'on rencontrait Maître Cornille, le soir?*
4. *De quoi son âne était-il chargé?*
5. *Qu'est-ce que les paysans lui demandaient?*
6. *De quelle manière le vieux meunier leur répondait-il?*
7. *Est-ce qu'on lui demandait d'où venait son ouvrage?*
8. *Quelle réponse faisait-il à cette question?*

NOTES SUR LE TEXTE ★★★

1. n'avait plus que: *no longer had anyone except.—Be careful of the meaning of* ne *(verb)* plus que, *a construction of frequent occurrence, in which* plus *usually means (no) longer and* que *means except, and does not mean than.* **2.** grand: *(Provençal) grandfather.* **3.** se louer: *to rent herself out, to work for wages.* **4.** magnans: *(silk) cocoon-picking.* **4.** olivades: *olive-picking.* **13.** bailes: *(Provençal) overseers, bosses.* **14.** en condition: *in service.* **17.** taillole: *a broad woolen belt, usually red.* **21.** le banc d'œuvre: *churchwarden's pew.* **26.** allaient toujours leur train: *kept going, kept turning.* **29.** Bonnes vêpres: *(a strictly local expression), (lit.) Good vespers; (freely) good evening.* **35.** Motus!: *Hush!*

quinze ans, qui, depuis la mort de ses parents, n'avait plus que*
son *grand** au monde.   La pauvre petite fut obligée de gagner
sa vie et de se louer* un peu partout dans les *mas*, pour la moisson, les magnans* ou les olivades.*   Et pourtant son grand-
père avait l'air de bien l'aimer, cette enfant-là.   Il lui arrivait 5
souvent de faire ses quatre lieues à pied par le grand soleil pour
aller la voir au *mas* où elle travaillait, et quand il était
près d'elle, il passait des heures entières à la regarder en
pleurant ...

Dans le pays on pensait que le vieux meunier, en renvoyant 10
Vivette, avait agi par avarice; et cela ne lui faisait pas honneur
de laisser sa petite-fille ainsi traîner d'une ferme à l'autre,
exposée aux brutalités des *baïles** et à toutes les misères des
jeunesses en condition.*   On trouvait très mal aussi qu'un
homme du renom de maître Cornille, et qui, jusque-là, s'était 15
respecté, s'en allât maintenant par les rues comme un vrai
bohémien, pieds nus, le bonnet troué, la taillole* en lam-
beaux ... Le fait est que le dimanche, lorsque nous le voyions
entrer à la messe, nous avions honte pour lui, nous autres les
vieux : et Cornille le sentait si bien qu'il n'osait plus venir 20
s'asseoir sur le banc d'œuvre.*   Toujours il restait au fond de
l'église, près du bénitier, avec les pauvres.

Dans la vie de maître Cornille il y avait quelque chose qui
n'était pas clair.   Depuis longtemps personne, au village, ne
lui portait plus de blé, et pourtant les ailes de son moulin 25
allaient toujours leur train* comme devant ... Le soir, on
rencontrait par les chemins le vieux meunier poussant devant
lui son âne chargé de gros sacs de farine.

— Bonnes vêpres,* maître Cornille ! lui criaient les paysans;
ça va donc toujours, la meunerie ? 30

— Toujours, mes enfants, répondait le vieux d'un air gaillard.   Dieu merci, ce n'est pas l'ouvrage qui nous manque.

Alors, si on lui demandait d'où diable pouvait venir tant
d'ouvrage, il se mettait un doigt sur les lèvres et répondait
gravement : « *Motus!** je travaille pour l'exportation ... » 35
Jamais on n'en put tirer davantage.

44

EXERCICES SUR LE TEXTE

Répondez en français aux questions suivantes :

1. *Pourquoi n'entrait-on pas dans le moulin de Maître Cornille pour voir ce qui s'y passait?*

2. *Qu'est-ce qu'on voyait sur la plateforme?*

3. *Que voyait-on sur le rebord de la fenêtre?*

4. *Quel bruit s'était répandu dans le village?*

5. *Qui est tombé amoureux de Vivette?*

6. *De qui Vivette est-elle tombée amoureuse?*

7. *Pourquoi Mamaï est-il monté au moulin de Maître Cornille?*

8. *Comment a-t-il dû parler à Maître Cornille?*

9. *Qu'est-ce que Maître Cornille a répondu à Mamaï?*

10. *Qui lui a dit d'aller chercher des filles à la minoterie?*

11. *Les mauvaises paroles de Maître Cornille ont-elles mis Mamaï en colère?*

12. *Qu'est-ce que Mamaï a eu la sagesse de faire?*

13. *A qui a-t-il annoncé le mauvais résultat de sa visite au moulin?*

14. *Qui sont « les pauvres agneaux» qui ne pouvaient pas y croire?*

NOTES SUR LE TEXTE ★★

1-2. il n'y fallait pas songer: *(cf. note to p. 5, l. 23, and apply the principle there explained to* falloir *in the imperfect tense) that was not to be thought of, one could not think of such a thing.* **8.** sentait le mystère: *had an air of mystery about it.* **17.** passereau: *sparrow.* **24.** tant bien que mal: *(lit.) as well as badly; (freely) after a fashion, as well as I could.* **30.** aller chercher: *go and get.—With* aller, venir, *and* envoyer *the verb* chercher *does not mean to look for or to seek but to get.* **31.** Pensez que le sang me montait: *Imagine how my blood boiled, Just think how mad I got.* **34.** déconvenue: *discomfiture, failure.*

Quant à mettre le nez dans son moulin, il n'y fallait pas
songer.*   La petite Vivette elle-même n'y entrait pas …

Lorsqu'on passait devant, on voyait la porte toujours
fermée, les grosses ailes toujours en mouvement, le vieil âne
broutant le gazon de la plate-forme, et un grand chat maigre 5
qui prenait le soleil sur le rebord de la fenêtre et vous regardait
d'un air méchant.

Tout cela sentait le mystère* et faisait beaucoup jaser le
monde.   Chacun expliquait à sa façon le secret de maître
Cornille, mais le bruit général était qu'il y avait dans ce 10
moulin-là plus de sacs d'écus que de sacs de farine.

A la longue pourtant tout se découvrit; voici comment :
En faisant danser la jeunesse avec mon fifre, je m'aperçus
un beau jour que l'aîné de mes garçons et la petite Vivette
s'étaient rendus amoureux l'un de l'autre.   Au fond je n'en 15
fus pas fâché, parce qu'après tout le nom de Cornille était en
honneur chez nous, et puis ce joli petit passereau* de Vivette
m'aurait fait plaisir à voir trotter dans ma maison.   Seulement, comme nos amoureux avaient souvent occasion d'être
ensemble, je voulus, de peur d'accidents, régler l'affaire tout 20
de suite, et je montai jusqu'au moulin pour en toucher deux
mots au grand-père … Ah! le vieux sorcier! Il faut voir de
quelle manière il me reçut! Impossible de lui faire ouvrir sa
porte.   Je lui expliquai mes raisons tant bien que mal,* à
travers le trou de la serrure; et tout le temps que je parlais, il 25
y avait ce coquin de chat maigre qui soufflait comme un diable
au-dessus de ma tête.

Le vieux ne me donna pas le temps de finir, et me cria fort
malhonnêtement de retourner à ma flûte; que, si j'étais pressé
de marier mon garçon, je pouvais bien aller chercher* des filles 30
à la minoterie … Pensez que le sang me montait* d'entendre
ces mauvaises paroles; mais j'eus tout de même assez de sagesse
pour me contenir, et, laissant ce vieux fou à sa meule, je revins
annoncer aux enfants ma déconvenue* … Ces pauvres agneaux
ne pouvaient pas y croire; ils me demandèrent comme une

EXERCICES SUR LE TEXTE

Traduisez en français :

1. *The children wanted to go up together to the mill.*
2. *They set out at once.*
3. *Master Cornille had just gone out.*
4. *He had left his ladder outside.*
5. *The idea came to the lovers to enter through the window.*
6. *They wanted to see what there was in the mill.*
7. *There were spider webs but not a bag, not a grain, of wheat.*
8. *In a corner of the downstairs room, there were some broken bags, from which some plaster and some white earth were flowing out.*
9. *That was Master Cornille's secret!*
10. *He had wanted to make people believe that flour was being made in his mill.*
11. *But the bags with which* (dont) *his donkey was laden had been full of old plaster.*
12. *Poor Cornille! The steammills had taken away from him his last customer.*
13. *The children told me what they had seen. My heart was broken.*
14. *I told my neighbors what the children had discovered.*
15. *We agreed to carry to Cornille's mill all the wheat there was in the houses.*
16. *No sooner said than done!*
17. *When we arrived at the mill, Cornille was in front of his door, seated on a bag, his head in his hands.*
18. *On coming home, he had just discovered that some one had been in the mill during his absence.*

NOTES SUR LE TEXTE ★★

13. l'arbre de couche: *(a technical expression) the driving shaft.* **18.** gravats: *pieces of plaster.* **20.** plâtras: *plaster debris, old plaster.* **24.** pratique: *customer.* **25.** à vide: *empty—i.e., with nothing to grind.* **29.** sur l'heure: *at once, immediately.*

grâce de monter tous deux ensemble au moulin, pour parler
au grand-père … Je n'eus pas le courage de refuser, et prrt!
voilà mes amoureux partis.

Tout juste comme ils arrivaient là-haut, maître Cornille
venait de sortir.   La porte était fermée à double tour; mais le   5
vieux bonhomme, en partant, avait laissé son échelle dehors,
et tout de suite l'idée vint aux enfants d'entrer par la fenêtre,
voir un peu ce qu'il y avait dans ce fameux moulin …

Chose singulière! la chambre de la meule était vide …
Pas un sac, pas un grain de blé; pas la moindre farine aux   10
murs ni sur les toiles d'araignée … On ne sentait pas même
cette bonne odeur chaude de froment écrasé qui embaume
dans les moulins … L'arbre de couche* était couvert de poussière, et le grand chat maigre dormait dessus.

La pièce du bas avait le même air de misère et d'abandon :   15
— un mauvais lit, quelques guenilles, un morceau de pain sur
une marche d'escalier, et puis dans un coin trois ou quatre
sacs crevés d'où coulaient des gravats* et de la terre
blanche.

C'était là le secret de maître Cornille! C'était ce plâtras*   20
qu'il promenait le soir par les routes pour sauver l'honneur du
moulin et faire croire qu'on y faisait de la farine … Pauvre
moulin! Pauvre Cornille! Depuis longtemps les minotiers leur
avaient enlevé leur dernière pratique.*   Les ailes viraient toujours, mais la meule tournait à vide.*   25

Les enfants revinrent tout en larmes me conter ce qu'ils
avaient vu.   J'eus le cœur crevé de les entendre … Sans perdre
une minute, je courus chez les voisins, je leur dis la chose en
deux mots, et nous convînmes qu'il fallait, sur l'heure,* porter
au moulin Cornille tout ce qu'il y avait de froment dans les   30
maisons … Sitôt dit, sitôt fait.   Tout le village se met en route,
et nous arrivons là-haut avec une procession d'ânes chargés de
blé, — du vrai blé, celui-là!

Le moulin était grand ouvert … Devant la porte, maître
Cornille, assis sur un sac de plâtre, pleurait, la tête dans ses   35
mains.   Il venait de s'apercevoir, en rentrant, que pendant

48

EXERCICES SUR LE TEXTE

I. Traduisez en anglais :

1. *Il sanglotait à fendre l'âme.*
2. *Nous nous mettons tous à crier.*
3. *Maître Cornille ouvrait de grands yeux.*
4. *C'est du bon blé! Laissez-moi, que je le regarde.*
5. *Il faut que j'aille donner à manger à mon moulin.*
6. *Pensez donc! il y a si longtemps qu'il ne s'est rien mis sous la dent.*
7. *A partir de ce jour-là, nous ne laissâmes jamais le vieux meunier manquer d'ouvrage.*

II. Répondez en français aux questions suivantes :

1. *Dans quelle partie de la France cette histoire se passe-t-elle?*
2. *Qu'est-ce qu'on pouvait y voir autrefois sur les collines?*
3. *Qu'est-ce qu'on portait autrefois aux moulins?*
4. *Qu'est-ce qu'on faisait le dimanche aux moulins?*
5. *Pourquoi la plupart des moulins à vent ont-ils disparu?*
6. *Pourquoi Maître Cornille a-t-il voulu continuer à faire marcher son moulin?*
7. *Y a-t-il réussi?*
8. *Doit-on admirer Maître Cornille?*

NOTES SUR LE TEXTE ★★★

1. surpris: *discovered—with the implication that some one had been taken by surprise.* **2-3.** je n'ai plus qu'à mourir: *(lit.) I have no longer (anything to do) except to die; (freely) there is nothing left for me to do now but to die—cf. note to p. 43, l. 1.* **4.** à fendre l'âme: *in a heartbreaking way.* **26.** se démener: *bustling about, rushing about.* **26.** éventrant: *ripping open.* **33.** prit sa suite: *followed him, succeeded him.* **33.** Que voulez-vous: *(frequently idiomatic, as here) What can you expect?* **35.** coches: *barges—old-fashioned, rendered obsolete both by railroads and by modern barges.* **36.** parlements: *(not the same as English parliament) law courts—which existed before the French Revolution.* **36.** jaquettes à grandes fleurs: *long coats with large flowered patterns—rendered obsolete simply because styles change.*

son absence on avait pénétré chez lui et surpris* son triste secret.

— Pauvre de moi! disait-il.   Maintenant, je n'ai plus qu'à mourir* ... Le moulin est déshonoré.

Et il sanglotait à fendre l'âme,* appelant son moulin par toutes sortes de noms, lui parlant comme à une personne véri- 5 table.

A ce moment, les ânes arrivent sur la plate-forme, et nous nous mettons tous à crier bien fort comme au beau temps des meuniers :

— Ohé! du moulin! ... Ohé! maître Cornille.   10

Et voilà les sacs qui s'entassent devant la porte et le beau grain roux qui se répand par terre, de tous côtés ...

Maître Cornille ouvrait de grands yeux.   Il avait pris du blé dans le creux de sa vieille main et il disait, riant et pleurant à la fois :   15

— C'est du blé! ... Seigneur Dieu! ... Du bon blé ... Lais-sez-moi, que je le regarde.

Puis, se tournant vers nous :

— Ah! je savais bien que vous me reviendriez ... Tous ces minotiers sont des voleurs.   20

Nous voulions l'emporter en triomphe au village.

— Non, non, mes enfants; il faut avant tout que j'aille donner à manger à mon moulin ... Pensez donc! il y a si longtemps qu'il ne s'est rien mis sous la dent!

Et nous avions tous des larmes dans les yeux de voir le 25 pauvre vieux se démener* de droite et de gauche, éventrant* les sacs, surveillant la meule, tandis que le grain s'écrasait et que la fine poussière de froment s'envolait au plafond.

C'est une justice à nous rendre : à partir de ce jour-là, jamais nous ne laissâmes le vieux meunier manquer d'ouvrage. 30 Puis, un matin, maître Cornille mourut, et les ailes de notre dernier moulin cessèrent de virer, pour toujours cette fois ... Cornille mort, personne ne prit sa suite.*   Que voulez-vous,* monsieur! ... tout a une fin en ce monde, et il faut croire que le temps des moulins à vent était passé comme celui des coches* 35 sur le Rhône, des parlements* et des jaquettes à grandes fleurs.*

LES VIEUX

par

ALPHONSE DAUDET

EXERCICES SUR LE TEXTE

Les déclarations suivantes sont-elles exactes ou inexactes?

1. « *Père Azan* » *vient d'arriver de Paris.*
2. « *Père Azan* » *est un brave homme.*
3. *Une jeune fille est venue de Paris pour me voir.*
4. *La visite de cette jeune fille va me faire perdre une journée entière.*
5. *Un de mes amis veut que je lui rende un service.*
6. *Il veut que je ferme mon moulin et que j'aille à Eyguières.*
7. *Eyguières est un petit village à trois ou quatre kilomètres de mon moulin.*
8. *Mon ami habite le couvent des Orphelines à Eyguières.*
9. *Mon ami veut que j'entre dans une maison à volets gris.*
10. *Il me dit que je trouverai ses grands-parents dans cette maison.*
11. *Mon ami n'a pas vu ses grands-parents depuis dix ans.*
12. *Ses grands-parents sont trop vieux pour aller le voir à Paris.*

NOTES SUR LE TEXTE ★★

1. père Azan: père *is here a friendly appellation, like* " Dad," " Doc," " Uncle," " Old " *in English.* Azan *is obviously the name of a postman.* **4-5.** cette Parisienne: *feminine because it is* une lettre. **5.** de la rue Jean-Jacques: *i.e., from the post office of the* " rue Jean-Jacques Rousseau." **8-9.** ton moulin—*cf. the introductory sketch of Alphonse Daudet.* **14.** braves gens: *(not brave when* brave *precedes a noun) good people.* **16.** archivieux: *extremely old,* " *superold.*" **18.** comme s'ils étaient à toi: *as if they belonged to you, as if they were yours.* **22.** que veux-tu—*cf. note to p. 49, l. 33.* **24.** meunier: *miller—cf. note to ll. 8-9 above.*

LES VIEUX

par ALPHONSE DAUDET

UNE lettre, père Azan?*
— Oui, monsieur ... ça vient de Paris.
Il était tout fier que ça vînt de Paris, ce brave
père Azan ... Pas moi. Quelque chose me disait que cette
Parisienne* de la rue Jean-Jacques,* tombant sur ma table à   5
l'improviste et de si grand matin, allait me faire perdre toute
ma journée. Je ne me trompais pas, voyez plutôt :

Il faut que tu me rendes un service, mon ami. Tu vas fermer ton
moulin* pour un jour et t'en aller tout de suite à Eyguières ... Eyguières
est un gros bourg à trois ou quatre lieues de chez toi, — une promenade.   10
En arrivant, tu demanderas le couvent des Orphelines. La première
maison après le couvent est une maison basse à volets gris avec un
jardinet derrière. Tu entreras sans frapper, — la porte est toujours
ouverte, — et, en entrant, tu crieras bien fort : « Bonjour, braves gens!* Je
suis l'ami de Maurice ... » Alors, tu verras deux petits vieux, oh! mais   15
vieux, vieux, archivieux,* te tendre les bras du fond de leurs grands
fauteuils, et tu les embrasseras de ma part, avec tout ton cœur, comme
s'ils étaient à toi.* Puis vous causerez; ils te parleront de moi, rien
que de moi; ils te raconteront mille folies que tu écouteras sans rire ...
Tu ne riras pas, hein? ... Ce sont mes grands-parents, deux êtres dont   20
je suis toute la vie et qui ne m'ont pas vu depuis dix ans ... Dix ans,
c'est long! Mais que veux-tu!* moi, Paris me tient; eux, c'est le grand
âge ... Ils sont si vieux, s'ils venaient me voir, ils se casseraient en
route ... Heureusement, tu es là-bas, mon cher meunier,* et, en t'embras-

53

EXERCICES SUR LE TEXTE

Les déclarations suivantes sont-elles exactes ou inexactes?

1. *Ce jour-là il faisait un temps admirable pour se promener.*

2. *Il ne faisait ni trop de vent ni trop de soleil.*

3. *Il fait souvent du vent et du soleil en Provence.*

4. *J'avais eu l'intention de me reposer toute la journée.*

5. *J'aime écouter chanter les pins.*

6. *J'ai fermé le moulin et je me suis mis en route pour Eyguières.*

7. *Il m'a fallu deux heures pour y aller.*

8. *Quand j'y suis arrivé, les gens du village se promenaient sous les ormes du cours.*

9. *Il n'y avait personne là sauf une vieille femme.*

10. *Je lui ai demandé de me dire où se trouvait le couvent des Orphelines.*

11. *Le couvent se trouvait tout près.*

12. *La maison où les grands-parents de mon ami demeuraient était à côté du couvent.*

13. *J'ai reconnu la maison parce que je l'avais déjà vue.*

14. *J'ai vu des fleurs et des violons sur une table.*

15. *J'étais entré dans la maison d'un vieux bailli.*

16. *Au bout du couloir il y avait une horloge.*

17. *J'ai entendu la voix d'un enfant qui lisait à haute voix.*

NOTES SUR LE TEXTE ✶✶✶

3. Le diable soit de l'amitié!: *To the devil with friendship!* **4.** qui ne valait rien: *(lit.) which was worth nothing; (freely) which was no good at all.* **10.** en maugréant: *grumbling.* **10-11.** la chatière: *the cat-hole (in door).* **13.** les ormes du cours: *the elms of the avenue—cours is a common designation of a* " promenade publique, plantée d'arbres, " *a shaded place for people to stroll.* **14-15.** en pleine Crau: *in the middle of the Crau—a stony plain on the eastern side of the Rhône River.* **15.** bien: *to be sure.* **20.** sa quenouille: *distaff— stick used in spinning flax or wool.* **24.** grès: *sandstone.* **32.** Sedaine— *eighteenth-century French dramatist, author of* Le Philosophe sans le savoir.

sant, les pauvres gens croiront m'embrasser un peu moi-même … Je
leur ai si souvent parlé de nous et de cette bonne amitié dont …

Le diable soit de l'amitié!* Justement ce matin-là il faisait
un temps admirable, mais qui ne valait rien* pour courir les
routes : trop de mistral et trop de soleil, une vraie journée de 5
Provence.   Quand cette maudite lettre arriva, j'avais déjà
choisi mon *cagnard* (abri) entre deux roches, et je rêvais de
rester là tout le jour, comme un lézard, à boire de la lumière,
en écoutant chanter les pins … Enfin, que voulez-vous faire?
Je fermai le moulin en maugréant,* je mis la clef sous la cha- 10
tière.*   Mon bâton, ma pipe, et me voilà parti.

J'arrivai à Eyguières vers deux heures.   Le village était
désert, tout le monde aux champs.   Dans les ormes du cours,*
blancs de poussière, les cigales chantaient comme en pleine
Crau.*   Il y avait bien* sur la place de la mairie un âne qui 15
prenait le soleil, un vol de pigeons sur la fontaine de l'église,
mais personne pour m'indiquer l'orphelinat.   Par bonheur
une vieille fée m'apparut tout à coup, accroupie et filant dans
l'encoignure de sa porte ; je lui dis ce que je cherchais ; et comme
cette fée était très puissante, elle n'eut qu'à lever sa quenouille :* 20
aussitôt le couvent des Orphelines se dressa devant moi comme
par magie … C'était une grande maison maussade et noire,
toute fière de montrer au-dessus de son portail en ogive une
vieille croix de grès* rouge avec un peu de latin autour.   A
côté de cette maison, j'en aperçus une autre plus petite.   Des 25
volets gris, le jardin derrière … Je la reconnus tout de suite, et
j'entrai sans frapper.

Je reverrai toute ma vie ce long corridor frais et calme, la
muraille peinte en rose, le jardinet qui tremblait au fond à
travers un store de couleur claire, et sur tous les panneaux des 30
fleurs et des violons fanés.   Il me semblait que j'arrivais chez
quelque vieux bailli du temps de Sedaine …* Au bout du
couloir, sur la gauche, par une porte entr'ouverte, on enten-
dait le tic tac d'une grosse horloge et une voix d'enfant, mais
d'enfant à l'école, qui lisait en s'arrêtant à chaque syllabe :

EXERCICES SUR LE TEXTE

Répondez par oui ou par non aux questions suivantes :

1. *Est-ce que je suis entré tout de suite dans la chambre?*
2. *Y avait-il un vieillard qui dormait?*
3. *Y avait-il une fillette qui dormait aux pieds du vieillard?*
4. *Le livre que la petite fille tenait, était-il vraiment plus gros qu'elle?*
5. *Est-ce qu'il y avait des mouches et des oiseaux qui dormaient?*
6. *Avez-vous jamais vu danser des étincelles dans une bande de lumière?*
7. *En entrant dans la chambre, est-ce que j'ai fait le bruit que fait un lion?*
8. *La petite fille a-t-elle eu peur?*
9. *A-t-elle laissé tomber son livre?*
10. *Est-ce que les mouches ont réveillé les canaris?*
11. *Est-ce que le vieux s'est vite habillé?*
12. *Le vieux m'a-t-il embrassé?*
13. *Les petites filles m'ont-elles embrassé?*
14. *Est-ce que le vieux s'est écrié « Mon Dieu »?*
15. *Est-ce que le vieux était content de me voir?*
16. *Riait-il?*
17. *Est-ce que la lecture avait vraiment endormi la maison entière?*
18. *Est-ce qu'une horloge ronfle de temps en temps?*
19. *Est-ce que j'avais fait sonner la pendule?*
20. *Alphonse Daudet a-t-il bien décrit cette scène?*

NOTES SUR LE TEXTE ✴✴✴

1. Irénée: *Irenaeus—Bishop of Lyons, martyred about A.D. 200.* **7.** pommettes: *cheekbones.* **10.** pèlerine: *cape.* **10.** béguin: *cap—of a religious order of women.* **24.** coup de théâtre: *a sudden, striking change; an electrifying, theatrical event.*

A... LORS... SAINT... I... RÉ... NÉE*... S'É... CRI... A... JE...
SUIS... LE... FRO... MENT... DU... SEIGNEUR... IL... FAUT...
QUE... JE... SOIS... MOU... LU... PAR... LA... DENT... DE... CES...
A... NI... MAUX... Je m'approchai doucement de cette porte et
je regardai ... 5

Dans le calme et le demi-jour d'une petite chambre, un
bon vieux à pommettes* roses, ridé jusqu'au bout des doigts,
dormait au fond d'un fauteuil, la bouche ouverte, les mains
sur ses genoux. A ses pieds, une fillette habillée de bleu, —
grande pèlerine* et petit béguin,* le costume des orphelines, 10
— lisait la Vie de saint Irénée dans un livre plus gros qu'elle ...
Cette lecture miraculeuse avait opéré sur toute la maison. Le
vieux dormait dans son fauteuil, les mouches au plafond, les
canaris dans leur cage, là-bas sur la fenêtre. La grosse horloge ronflait, tic tac, tic tac. Il n'y avait d'éveillé dans toute 15
la chambre qu'une grande bande de lumière qui tombait droite
et blanche entre les volets clos, pleine d'étincelles vivantes et
de valses microscopiques ... Au milieu de l'assoupissement
général, l'enfant continuait sa lecture d'un air grave : AUS...
SI... TÔT... DEUX... LIONS... SE... PRÉ... CI... PI... TÈ... RENT... 20
SUR... LUI... ET... LE... DÉ... VO... RÈ... RENT... C'est à ce
moment que j'entrai ... Les lions de saint Irénée se précipitant
dans la chambre n'y auraient pas produit plus de stupeur que
moi. Un vrai coup de théâtre!* La petite pousse un cri, le
gros livre tombe, les canaris, les mouches se réveillent, la pen- 25
dule sonne, le vieux se dresse en sursaut, tout effaré, et moi-
même, un peu troublé, je m'arrête sur le seuil en criant bien fort :

— Bonjour, braves gens! je suis l'ami de Maurice.

Oh! alors, si vous l'aviez vu, le pauvre vieux, si vous l'aviez
vu venir vers moi les bras tendus, m'embrasser, me serrer les 30
mains, courir égaré dans la chambre, en faisant :

— Mon Dieu! mon Dieu! ...

Toutes les rides de son visage riaient. Il était rouge. Il
bégayait :

— Ah! monsieur ... ah! monsieur ... 35

Puis il allait vers le fond en appelant :

EXERCICES SUR LE TEXTE

Traduisez en français les mots et les phrases entre parenthèses :

1. *La porte (opens).*
2. *Mamette tenait un mouchoir (in her hand).*
3. *Elle m'a reçu (in the ancient manner).*
4. *Mamette et le vieux (looked alike).*
5. *(He might have been named) Mamette.*
6. *Mamette (must have) beaucoup pleurer.*
7. *Elle était (more wrinkled than) lui.*
8. *Elle avait près d'elle une enfant (who never left her).*
9. *Mamette m'a fait (a great bow).*
10. *Mamette tremble (at the slightest emotion).*
11. *Ils me prennent (each by the hand).*
12. *Ils m'emmènent (up to the window).*
13. *On avait ouvert la fenêtre (wide).*
14. *On (draws up) des fauteuils.*
15. *(How is he?)*
16. *Je répondais (as well as I could).*
17. *(What was the color of the) papier de sa chambre?*

NOTES SUR LE TEXTE ★★★

4. bonnet à coque: *cap with a ribbon tied in a bow.* **4.** carmélite: *pale brown—color of robe of Carmelite nuns.* **7.** un tour: *a roll or switch of false hair.* **8.** avait dû ... pleurer: *must have ... wept, cried.* **31.** Et patati! et patata!: *And so forth and so on; Jabber, jabber, jabber!* **35.** fermaient bien—*at the time of the story, and for some French people still today, it was very important that windows should not let the slightest draft enter a bedroom at night.*

— Mamette!

Une porte qui s'ouvre, un trot de souris dans le couloir …
c'était Mamette.   Rien de joli comme cette petite vieille avec
son bonnet à coque,* sa robe carmélite,* et son mouchoir
brodé qu'elle tenait à la main pour me faire honneur, à l'an- 5
cienne mode … Chose attendrissante! ils se ressemblaient.
Avec un tour* et des coques jaunes, il aurait pu s'appeler Mamette, lui aussi.   Seulement la vraie Mamette avait dû* beaucoup pleurer dans sa vie, et elle était encore plus ridée que
l'autre.   Comme l'autre aussi, elle avait près d'elle une enfant 10
de l'orphelinat, petite garde en pèlerine bleue, qui ne la quittait jamais; et de voir ces vieillards protégés par ces orphelines,
c'était ce qu'on peut imaginer de plus touchant.

En entrant, Mamette avait commencé par me faire une
grande révérence, mais d'un mot le vieux lui coupa sa révé- 15
rence en deux :

— C'est l'ami de Maurice …

Aussitôt la voilà qui tremble, qui pleure, perd son mouchoir, qui devient rouge, toute rouge, encore plus rouge que
lui … Ces vieux! ça n'a qu'une goutte de sang dans les veines, 20
et à la moindre émotion elle leur saute au visage …

— Vite, vite, une chaise …, dit la vieille à sa petite.

— Ouvre les volets …, crie le vieux à la sienne.

Et, me prenant chacun par une main, ils m'emmenèrent
en trottinant jusqu'à la fenêtre, qu'on a ouverte toute grande 25
pour mieux me voir.   On approche les fauteuils, je m'installe
entre les deux sur un pliant, les petites bleues derrière nous, et
l'interrogatoire commence :

— Comment va-t-il? Qu'est-ce qu'il fait? Pourquoi ne
vient-il pas? Est-ce qu'il est content? …   30

Et patati! et patata!* Comme cela pendant des heures.

Moi, je répondais de mon mieux à toutes leurs questions,
donnant sur mon ami les détails que je savais, inventant effrontément ceux que je ne savais pas, me gardant surtout d'avouer
que je n'avais jamais remarqué si ses fenêtres fermaient bien* 35
ou de quelle couleur était le papier de sa chambre.

EXERCICES SUR LE TEXTE

Répondez en français aux questions suivantes :

1. *Est-ce que je savais de quelle couleur était le papier de sa chambre?*
2. *Vers qui Mamette s'est-elle tournée?*
3. *Mon ami était-il courageux?*
4. *Qui a l'oreille un peu dure?*
5. *Qu'est-ce que cela veut dire—« avoir l'oreille un peu dure»?*
6. *Qui n'entend pas très bien?*
7. *Qui a élevé la voix?*
8. *Comment Mamette et le vieux m'ont-ils remercié?*
9. *Pourquoi m'ont-ils remercié?*
10. *Comment s'appelait mon ami?*
11. *A quelle heure mon ami déjeune-t-il d'habitude?*
12. *Est-ce que j'avais déjeuné?*
13. *Quelle heure était-il à ce moment-là?*
14. *Qu'est-ce que Mamette a ordonné aux petites filles de faire?*
15. *Où a-t-on mis la table?*
16. *Qu'est-ce qu'on a mis sur la table?*
17. *Combien d'assiettes a-t-on cassées?*
18. *Pourquoi a-t-on cassé des assiettes?*
19. *Avait-on mis des fleurs sur les assiettes?*
20. *A qui a-t-on servi un bon petit déjeuner?*

NOTES SUR LE TEXTE ★★

9. airs entendus: *knowing airs.* **28.** branle-bas: *confusion, hubbub.* **29.** j'étais encore à jeun: *I was still fasting, I had not yet eaten, I had not yet had lunch.* **30.** Vite le couvert: *Hurry and set the table.*

— Le papier de sa chambre! ... Il est bleu, madame, bleu clair, avec des guirlandes ...

— Vraiment? faisait la pauvre vieille attendrie; et elle ajoutait en se tournant vers son mari : C'est un si brave enfant!

— Oh! oui, c'est un brave enfant! reprenait l'autre avec enthousiasme.

Et, tout le temps que je parlais, c'étaient entre eux des hochements de tête, de petits rires fins, des clignements d'yeux, des airs entendus,* ou bien encore le vieux qui se rapprochait pour me dire :

— Parlez plus fort ... Elle a l'oreille un peu dure.

Et elle de son côté :

— Un peu plus haut, je vous prie! ... Il n'entend pas très bien ...

Alors j'élevais la voix; et tous deux me remerciaient d'un sourire; et dans ces sourires fanés qui se penchaient vers moi, cherchant jusqu'au fond de mes yeux l'image de leur Maurice, moi, j'étais tout ému de la retrouver cette image, vague, voilée, presque insaisissable, comme si je voyais mon ami me sourire, très loin, dans un brouillard.

Tout à coup le vieux se dresse sur son fauteuil :

— Mais j'y pense, Mamette ... il n'a peut-être pas déjeuné!

Et Mamette, effarée, les bras au ciel :

— Pas déjeuné! ... Grand Dieu!

Je croyais qu'il s'agissait encore de Maurice, et j'allais répondre que ce brave enfant n'attendait jamais plus tard que midi pour se mettre à table. Mais non, c'était bien de moi qu'on parlait; et il faut voir quel branle-bas* quand j'avouai que j'étais encore à jeun.*

— Vite le couvert,* petites bleues! La table au milieu de la chambre, la nappe du dimanche, les assiettes à fleurs. Et ne rions pas tant, s'il vous plaît! et dépêchons-nous ...

Je crois bien qu'elles se dépêchaient. A peine le temps de casser trois assiettes, le déjeuner se trouva servi.

— Un bon petit déjeuner! me disait Mamette en me con-

EXERCICES SUR LE TEXTE

Répondez en français aux questions suivantes :

1. *Quand Mamette et le vieux avaient-ils déjeuné?*
2. *Est-ce que les vieux déjeunent toujours de bonne heure?*
3. *Qu'est-ce qu'on m'a donné à boire et à manger?*
4. *A quoi une barquette ressemble-t-elle?*
5. *Est-ce que j'avais très faim?*
6. *Est-ce que j'ai mangé tout ce qu'on m'a donné?*
7. *Pourquoi les canaris s'intéressaient-ils à ce que je mangeais?*
8. *Est-ce que j'aimais la chambre où je me trouvais?*
9. *Pourquoi?*
10. *Qui avait l'habitude de dormir dans cette chambre?*
11. *D'ordinaire, qui dort dans un berceau?*
12. *A quelle heure les vieux se réveillent-ils?*
13. *Qui demande alors à Mamette si elle dort?*
14. *Pendant que je déjeunais, où le vieux est-il allé?*
15. *Quand avait-on mis le bocal de cerises sur le rayon de l'armoire?*
16. *Comment le vieux a-t-il essayé d'atteindre le bocal de cerises?*

NOTES SUR LE TEXTE ★★★

3. à quelque heure qu'on les prenne: *at whatever hour one comes upon them, no matter at what hour one visits them.* **6.** barquette—*a boat-shaped piece of pastry.* **7.** échaudé—*a very light pastry, used sometimes as food for canaries and so called in English, " canary-bread."* **8.** dire: *(here) to think.* **18.** au petit jour: *at daybreak.* **19.** rideaux à franges: *curtains or draperies with fringes, fringed drapes.—As if it were not enough to keep windows tightly closed at night, the French have traditionally enclosed their beds in draperies.* **30.** bocal: *glass jar.* **31-32.** dont on voulait me faire l'ouverture: *(freely) which they wanted to open in my honor.* **33.** avait tenu à aller chercher: *had insisted upon going and getting.—Cf. note to p. 45, l. 30.*

duisant à table; seulement vous serez tout seul ... Nous autres,
nous avons déjà mangé ce matin.

Ces pauvres vieux! à quelque heure qu'on les prenne,* ils
ont toujours mangé le matin.

Le bon petit déjeuner de Mamette, c'était deux doigts de 5
lait, des dattes et une *barquette*,* quelque chose comme un
échaudé*; de quoi la nourrir elle et ses canaris au moins pendant huit jours ... Et dire* qu'à moi seul je vins à bout de toutes
ces provisions! ... Aussi quelle indignation autour de la table!
Comme les petites bleues chuchotaient en se poussant du coude, 10
et là-bas, au fond de leur cage, comme les canaris avaient l'air
de se dire : « Oh! ce monsieur qui mange toute la *barquette!* »

Je la mangeai toute, en effet, et presque sans m'en apercevoir, occupé que j'étais à regarder autour de moi dans cette
chambre claire et paisible où flottait comme une odeur de 15
choses anciennes ... Il y avait surtout deux petits lits dont je ne
pouvais pas détacher mes yeux. Ces lits, presque deux ber-
ceaux, je me les figurais le matin, au petit jour,* quand ils sont
encore enfouis sous leurs grands rideaux à franges.* Trois
heures sonnent. C'est l'heure où tous les vieux se réveillent : 20

— Tu dors, Mamette?
— Non, mon ami.
— N'est-ce pas que Maurice est un brave enfant?
— Oh! oui, c'est un brave enfant.

Et j'imaginais comme cela toute une causerie, rien que 25
pour avoir vu ces deux petits lits de vieux, dressés l'un à côté
de l'autre ...

Pendant ce temps, un drame terrible se passait à l'autre
bout de la chambre, devant l'armoire. Il s'agissait d'atteindre
là-haut, sur le dernier rayon, certain bocal* de cerises à l'eau- 30
de-vie qui attendait Maurice depuis dix ans et dont on voulait
me faire l'ouverture.* Malgré les supplications de Mamette,
le vieux avait tenu à aller chercher* ses cerises lui-même; et,
monté sur une chaise au grand effroi de sa femme, il essayait
d'arriver là-haut ... Vous voyez le tableau d'ici, le vieux qui 35
tremble et qui se hisse, les petites bleues cramponnées à sa

EXERCICES SUR LE TEXTE

Traduisez en anglais :

1. *Mamette tend les bras.*
2. *Un parfum s'exhale de l'armoire.*
3. *On parvint à tirer le bocal de l'armoire.*
4. *On remplit une timbale de cerises jusqu'au bord.*
5. *Vous êtes heureux de pouvoir en manger.*
6. *Ce sont des cerises à l'eau-de-vie.*
7. *Mamette avait oublié de sucrer les cerises.*
8. *Les vieux sont souvent distraits.*
9. *J'ai mangé les cerises jusqu'au bout.*
10. *Je me suis levé pour prendre congé.*
11. *Le jour baissait.*
12. *Le vieux s'était levé aussi.*
13. *Il voulait me conduire jusqu'à la place.*
14. *Il faisait un peu frais.*
15. *Mamette a aidé son mari à passer les manches de son habit.*
16. *C'était un habit à boutons de nacre.*
17. *Mamette demande à son mari de ne pas rentrer trop tard.*
18. *Le vieux lui a répondu d'un petit air malin.*
19. *Ils se regardaient en riant.*
20. *Ils auraient voulu me garder encore un peu.*

NOTES SUR LE TEXTE ★★

2. bergamote—*a kind of orange from which one gets an agreeable perfume.*
6. fameux: *(here) precious, wonderful.* **6.** timbale: *drinking cup, mug.*
7. bosselée: *dented.* **29-30.** tabac d'Espagne: *the color of Spanish snuff.*

chaise, Mamette derrière lui haletante, les bras tendus, et sur tout cela un léger parfum de bergamote* qui s'exhale de l'armoire ouverte et des grandes piles de linge roux ... C'était charmant.

Enfin, après bien des efforts, on parvint à le tirer de 5 l'armoire, ce fameux* bocal, et avec lui une vieille timbale* d'argent toute bosselée,* la timbale de Maurice quand il était petit.   On me la remplit de cerises jusqu'au bord; Maurice les aimait tant, les cerises! Et tout en me servant, le vieux me disait à l'oreille d'un air de gourmandise : 10

— Vous êtes bien heureux, vous, de pouvoir en manger! ... C'est ma femme qui les a faites ... Vous allez goûter quelque chose de bon.

Hélas! sa femme les avait faites, mais elle avait oublié de les sucrer.   Que voulez-vous! on devient distrait en vieillis- 15 sant.   Elles étaient atroces, vos cerises, ma pauvre Mamette ... Mais cela ne m'empêcha pas de les manger jusqu'au bout, sans sourciller.

Le repas terminé, je me levai pour prendre congé de mes hôtes.   Ils auraient bien voulu me garder encore un peu pour 20 causer du brave enfant, mais le jour baissait, le moulin était loin, il fallait partir.

Le vieux s'était levé en même temps que moi.

— Mamette, mon habit! ... Je veux le conduire jusqu'à la place. 25

Bien sûr qu'au fond d'elle-même Mamette trouvait qu'il faisait déjà un peu frais pour me conduire jusqu'à la place; mais elle n'en laissa rien paraître.   Seulement, pendant qu'elle l'aidait à passer les manches de son habit, un bel habit tabac d'Espagne* à boutons de nacre, j'entendais la chère créature 30 qui lui disait doucement :

— Tu ne rentreras pas trop tard, n'est-ce pas?

Et lui, d'un petit air malin :

— Hé! Hé! ... je ne sais pas ... peut-être ...

Là-dessus, ils se regardaient en riant, et les petites bleues

EXERCICES SUR LE TEXTE

Répondez en français aux questions suivantes :

1. *Pourquoi les petites filles riaient-elles?*
2. *Où étaient les canaris?*
3. *Est-ce que les canaris riaient aussi?*
4. *Pourquoi l'odeur des cerises aurait-elle pu les griser?*
5. *Quelle heure était-il, à peu près, quand le vieux et moi, nous sommes sortis?*
6. *Pourquoi une petite bleue nous a-t-elle suivis?*
7. *De quoi le vieux était-il fier?*
8. *Qu'est-ce que Mamette avait l'air de se dire?*
9. *Daudet croyait qu'il allait perdre toute une journée; l'a-t-il perdue?*
10. *Est-ce que Daudet a fait un conte charmant de sa visite aux grands-parents de son ami?*

riaient de les voir rire, et dans leur coin les canaris riaient aussi
à leur manière ... Entre nous, je crois que l'odeur des cerises
les avait tous un peu grisés.

   ... La nuit tombait quand nous sortîmes, le grand-père et
moi. La petite bleue nous suivait de loin pour le ramener; 5
mais lui ne la voyait pas, et il était tout fier de marcher à mon
bras, comme un homme. Mamette, rayonnante, voyait cela
du pas de sa porte, et elle avait en nous regardant de jolis
hochements de tête qui semblaient dire : «Tout de même,
mon pauvre homme! ... il marche encore. »

MON
ONCLE JULES

par

GUY DE MAUPASSANT

EXERCICES SUR LE TEXTE

Les déclarations suivantes sont-elles exactes ou inexactes?

1. *M. Davranche donna cinq francs à un vieux pauvre.*
2. *Je fus surpris qu'il lui eût donné si peu d'argent.*
3. *Le mendiant lui avait rappelé une histoire qu'il avait oubliée.*
4. *La famille de Joseph Davranche avait de la peine à s'en tirer.*
5. *Sa mère était souvent malade.*
6. *Elle grondait souvent son mari.*
7. *Le pauvre homme ne lui répondait pas, mais se couvrait le visage de ses deux mains.*
8. *On dépensait autant d'argent que possible.*
9. *La famille était si pauvre qu'on ne pouvait pas toujours donner une nourriture saine et réconfortante aux enfants.*
10. *On grondait Joseph s'il avait perdu un bouton.*
11. *La famille se promenait toujours le dimanche.*

NOTES SUR LE TEXTE ★★

2. l'aumône: *alms.* **3.** cent sous; *(then)* = *five francs* = *one dollar.—The beggar had expected to receive only a few sous or pennies.* **6.** du Havre: Le Havre, *a seaport, is situated where the Seine empties into the Channel.* **6-7.** On s'en tirait: *(a common idiom) We just got along, We got along somehow, We just managed.* **15-16.** pour n'avoir pas à le rendre: *so as not to be obliged to return it.* **16.** au rabais: *at a reduced price, when marked down.* **16-17.** les fonds de boutique: *shopworn leftovers.* **19.** galon: *binding, trimming.* **19.** quinze centimes: *(then) three cents.*

MON ONCLE JULES

par GUY DE MAUPASSANT

UN vieux pauvre, à barbe blanche, nous demanda
l'aumône.* Mon camarade Joseph Davranche lui
donna cent sous.* Je fus surpris. Il me dit :

— Ce misérable m'a rappelé une histoire que je vais te dire
et dont le souvenir me poursuit sans cesse. La voici :   5

Ma famille, originaire du Havre,* n'était pas riche. On
s'en tirait,* voilà tout. Le père travaillait, rentrait tard du
bureau et ne gagnait pas grand'chose. J'avais deux sœurs.

Ma mère souffrait beaucoup de la gêne où nous vivions, et
elle trouvait souvent des paroles aigres pour son mari, des   10
reproches voilés et perfides. Le pauvre homme avait alors un
geste qui me navrait. Il se passait la main ouverte sur le front,
comme pour essuyer une sueur qui n'existait pas, et il ne
répondait rien. Je sentais sa douleur impuissante. On écono-
misait sur tout; on n'acceptait jamais un dîner, pour n'avoir   15
pas à la rendre;* on achetait les provisions au rabais,* les
fonds de boutique.* Mes sœurs faisaient leurs robes elles-
mêmes et avaient de longues discussions sur le prix d'un
galon* qui valait quinze centimes* le mètre. Notre nourriture
ordinaire consistait en soupe grasse et bœuf accommodé à   20
toutes les sauces. Cela est sain et réconfortant, paraît-il;
j'aurais préféré autre chose.

On me faisait des scènes abominables pour les boutons
perdus et les pantalons déchirés.

Mais chaque dimanche nous allions faire notre tour de

EXERCICES SUR LE TEXTE

Les déclarations suivantes sont-elles exactes ou non?

1. *Mon père portait une redingote, un grand chapeau et des gants.*
2. *Mes sœurs n'étaient jamais prêtes quand nous voulions nous mettre en route.*
3. *Ma mère découvrait toujours une tache sur les vêtements de son mari.*
4. *Ma mère ne portait jamais de gants, de peur de les gâter.*
6. *La promenade du dimanche était toujours une affaire sérieuse pour ma famille.*
6. *En voyant entrer des navires dans le port du Havre, mon père disait toujours la même chose.*
7. *Il espérait que son frère serait à bord d'un des navires.*
8. *J'avais souvent vu mon oncle Jules quand j'étais enfant.*
9. *Je savais tous les détails de sa vie, jusqu'à son départ pour l'Amérique.*
10. *L'oncle Jules avait dépensé plus d'argent qu'il n'en avait gagné.*
11. *C'est pour cette raison qu'il avait été la terreur de la famille.*
12. *Maintenant il était devenu le seul espoir de la famille.*

NOTES SUR LE TEXTE ★★

1. faire notre tour de jetée: *take our walk on the pier or dock.—It is difficult to imagine what the pier of Le Havre looked like some seventy-five or eighty years ago and to visualize the good people of the town strolling there on Sunday afternoons.* **1.** en grande tenue: *(lit.) in full dress uniform; (freely) in our Sunday best.* **1.** redingote: *frock coat.* **2.** pavoisée: *decked out, dressed up.* **10.** de myope: *for nearsighted people.* **14.** on en faisait montre: *we were showing them off.* **20.** tenue: *(here) bearing, appearance, demeanor.* **24.** là-dedans: *(lit.) in it, in there; (freely) on board.* **28.** du premier coup: *at first glance.* **28.** tant: *(modifies* familière*) so familiar.* **33.** mangé: *(figuratively) squandered.* **35.** fait des bêtises: *(lit.) does foolish things; (freely) sows his wild oats.* **36.** noceur: *roisterer, " gay dog," " sport."*

jetée* en grande tenue.* Mon père, en redingote,* en grand chapeau, en gants, offrait le bras à ma mère, pavoisée* comme un navire un jour de fête. Mes sœurs, prêtes les premières, attendaient le signal du départ; mais, au dernier moment, on découvrait toujours une tache oubliée sur la redingote du père 5 de famille, et il fallait bien vite l'effacer avec un chiffon mouillé de benzine.

Mon père, gardant son grand chapeau sur la tête, attendait, en manches de chemise, que l'opération fût terminée, tandis que ma mère se hâtait, ayant ajusté ses lunettes de myope,* et 10 ôté ses gants pour ne les pas gâter.

On se mettait en route avec cérémonie. Mes sœurs marchaient devant, en se donnant le bras. Elles étaient en âge de mariage, et on en faisait montre* en ville. Je me tenais à gauche de ma mère, dont mon père gardait la droite. Et je me 15 rappelle l'air pompeux de mes pauvres parents dans ces promenades du dimanche, la rigidité de leurs traits, la sévérité de leur allure. Ils avançaient d'un pas grave, le corps droit, les jambes raides, comme si une affaire d'une importance extrême eût dépendu de leur tenue.* 20

Et chaque dimanche, en voyant entrer les grands navires qui revenaient de pays inconnus et lointains, mon père prononçait invariablement les mêmes paroles :

— Hein! si Jules était là-dedans,* quelle surprise!

Mon oncle Jules, le frère de mon père, était le seul espoir 25 de la famille, après en avoir été la terreur. J'avais entendu parler de lui depuis mon enfance, et il me semblait que je l'aurais reconnu du premier coup,* tant* sa pensée m'était devenue familière. Je savais tous les détails de son existence jusqu'au jour de son départ pour l'Amérique, bien qu'on ne 30 parlât qu'à voix basse de cette période de sa vie.

Il avait eu, paraît-il, une mauvaise conduite, c'est-à-dire qu'il avait mangé* quelque argent, ce qui est bien le plus grand des crimes pour les familles pauvres. Chez les riches, un homme qui s'amuse *fait des bêtises*.* Il est ce qu'on appelle, 35 en souriant, un noceur.* Chez les nécessiteux, un garçon qui

74

EXERCICES SUR LE TEXTE

Répondez par oui ou par non aux questions suivantes :

1. *M. Davranche croit-il que les conséquences seules déterminent la gravité d'un acte?*

2. *Est-ce que Jules avait emprunté beaucoup d'argent à mon père?*

3. *Est-ce qu'il avait décidé d'aller voir l'Amérique?*

4. *Est-il allé en Amérique avec un marchand?*

5. *En arrivant à New-York, est-il devenu marchand?*

6. *A-t-il commencé à gagner de l'argent?*

7. *Espérait-il gagner beaucoup d'argent?*

8. *Est-il probable qu'il regrettait d'avoir diminué l'héritage sur lequel comptait mon père?*

9. *Envoyait-il souvent de ses nouvelles à sa famille?*

10. *Espérait-il faire fortune dans l'Amérique du Sud?*

11. *Avait-il l'intention de n'y rester que quelques mois?*

12. *L'oncle Jules a-t-il envoyé plusieurs lettres à sa famille?*

13. *La situation de la famille a-t-elle changé pendant l'absence de Jules?*

14. *Est-ce que Jules aurait pu être sur un des navires qui entrait dans le port du Havre?*

15. *Est-il vrai que de gros navires entraient dans le port?*

force les parents à écorner* le capital devient un mauvais sujet,*
un gueux,* un drôle!*

Et cette distinction est juste, bien que le fait soit le même,
car les conséquences seules déterminent la gravité de l'acte.

Enfin l'oncle Jules avait notablement diminué l'héritage ₅
sur lequel comptait mon père, après avoir d'ailleurs mangé sa
part jusqu'au dernier sou.

On l'avait embarqué pour l'Amérique, comme on faisait
alors, sur un navire marchand allant du Havre à New-York.

Une fois là-bas, mon oncle Jules s'établit marchand de je ne ₁₀
sais quoi, et il écrivit bientôt qu'il gagnait un peu d'argent et
qu'il espérait pouvoir dédommager mon père du tort qu'il lui
avait fait. Cette lettre causa dans la famille une émotion profonde. Jules, qui ne valait pas, comme on dit, les quatre fers
d'un chien,* devint tout à coup un honnête homme, un garçon ₁₅
de cœur, un vrai Davranche, intègre comme tous les Davranche.

Un capitaine nous apprit en outre qu'il avait loué une
grande boutique et qu'il faisait un commerce important.

Une seconde lettre, deux ans plus tard, disait : « Mon cher
Philippe, je t'écris pour que tu ne t'inquiètes pas de ma santé, ₂₀
qui est bonne. Les affaires aussi vont bien. Je pars demain
pour un long voyage dans l'Amérique du Sud. Je serai peut-
être plusieurs années sans te donner de mes nouvelles. Si je ne
t'écris pas, ne sois pas inquiet. Je reviendrai au Havre une
fois fortune faite. J'espère que ce ne sera pas trop long, et ₂₅
nous vivrons heureux ensemble ... »

Cette lettre était devenue l'évangile de la famille. On la
lisait à tout propos,* on la montrait à tout le monde.

Pendant dix ans, en effet, l'oncle Jules ne donna plus de
nouvelles,* mais l'espoir de mon père grandissait à mesure que ₃₀
le temps marchait; et ma mère aussi disait souvent :

— Quand ce bon Jules sera là, notre situation changera.
En voilà un qui a su se tirer d'affaire!*

Et chaque dimanche, en regardant venir de l'horizon les
gros vapeurs noirs vomissant sur le ciel des serpents de fumée, ₃₅
mon père répétait sa phrase éternelle :

EXERCICES SUR LE TEXTE

Répondez par oui ou par non aux questions suivantes:

1. *A-t-on vu Jules agiter un mouchoir?*
2. *Est-ce que les Davranche étaient certains que Jules allait revenir?*
3. *Avait-on acheté une maison de campagne?*
4. *A-t-on montré la lettre de Jules à un jeune homme?*
5. *Cette lettre a-t-elle eu une forte influence sur lui?*
6. *Est-il possible que la fortune anticipée de l'oncle Jules ait terminé les hésitations du jeune homme?*
7. *Ce jeune homme voulait-il se marier avec l'aînée des deux sœurs?*
8. *Cette sœur aurait-elle pu accepter le jeune homme sans le consentement de ses parents?*
9. *Un voyage de France à l'île de Jersey coûte-t-il cher?*
10. *Les habitants de l'île de Jersey sont-ils Français?*
11. *M. Davranche admire-t-il les mœurs des habitants de l'île de Jersey?*
12. *Pouvait-on aller de France à l'île de Jersey en deux heures?*
13. *Est-ce que toute la famille comptait faire un voyage à Jersey?*
14. *Est-on allé au Havre pour prendre le bateau?*
15. *Est-ce qu'un paquebot est une sorte de navire?*
16. *M. et Mme Davranche avaient-ils souvent voyagé?*
17. *Est-ce qu'une des sœurs s'est perdue?*
18. *Cette sœur ressemblait-elle à un poulet?*

NOTES SUR LE TEXTE ★★

5. échafaudé: *erected, built.* **7.** Ingouville—*then a suburb, now a part of Le Havre.* **11.** c'était là: *that was—the use of* là *stresses the subject.* **13.** prétendant: *suitor.* **19.** Jersey—*largest and most important of the Channel Islands; though English, it is nearer to France than to England.* **24.** pavillon: *banner— more pompous than* drapeau, *flag. So the phrase* " avec simplicité " *in the next line is ironical.* **30.** Granville—*then a small seaport on the Channel, now a flourishing summer resort.* **31.** colis: *parcels, packages, bundles.* **36.** montés: *on board.*

— Hein! si Jules était là-dedans, quelle surprise!

Et on s'attendait presque à le voir agiter un mouchoir, et crier :

— Ohé! Philippe.

On avait échafaudé* mille projets sur ce retour assuré; on devait même acheter, avec l'argent de l'oncle, une petite maison de campagne près d'Ingouville.* Je n'affirmerais pas que mon père n'eût point entamé déjà des négociations à ce sujet.

L'aînée de mes sœurs avait alors vingt-huit ans; l'autre vingt-six. Elles ne se mariaient pas, et c'était là* un gros chagrin pour tout le monde.

Un prétendant* enfin se présenta pour la seconde. Un employé, pas riche, mais honorable. J'ai toujours eu la conviction que la lettre de l'oncle Jules, montrée un soir, avait terminé les hésitations et emporté la résolution du jeune homme.

On l'accepta avec empressement, et il fut décidé qu'après le mariage toute la famille ferait ensemble un petit voyage à Jersey.*

Jersey est l'idéal du voyage pour les gens pauvres. Ce n'est pas loin; on passe la mer dans un paquebot et on est en terre étrangère, cet îlot appartenant aux Anglais. Donc, un Français, avec deux heures de navigation, peut s'offrir la vue d'un peuple voisin chez lui et étudier les mœurs, déplorables d'ailleurs, de cette île couverte par le pavillon* britannique, comme disent les gens qui parlent avec simplicité.

Ce voyage de Jersey devint notre préoccupation, notre unique attente, notre rêve de tous les instants.

On partit enfin. Je vois cela comme si c'était d'hier : le vapeur chauffant contre le quai de Granville;* mon père, effaré, surveillant l'embarquement de nos trois colis;* ma mère inquiète ayant pris le bras de ma sœur non mariée, qui semblait perdue depuis le départ de l'autre, comme un poulet resté seul de sa couvée; et, derrière nous, les nouveaux époux qui restaient toujours en arrière, ce qui me faisait souvent tourner la tête.

Le bâtiment siffla. Nous voici montés,* et le navire, quit-

EXERCICES SUR LE TEXTE

Répondez en français aux questions suivantes :

1. *Est-ce qu'il faisait beau le jour du départ?*
2. *Pourquoi les Davranche étaient-ils heureux et fiers?*
3. *Avait-on été obligé, ce jour-là, d'ôter une tache de la redingote de M. Davranche?*
4. *Qu'est-ce que des messieurs offraient à des dames, sur le bateau?*
5. *Qui ouvrait les coquilles?*
6. *Avec quoi les ouvrait-il?*
7. *Comment les dames mangeaient-elles les huîtres?*
8. *Où jetaient-elles les coquilles vides?*
9. *Qu'est-ce que le père a demandé à sa femme et aux deux sœurs?*
10. *Pourquoi la mère a-t-elle hésité?*
11. *Est-ce que la mère était plus économe que le père?*
12. *Avait-elle vraiment peur de se faire mal à l'estomac?*
13. *Pourquoi a-t-elle dit que Joseph n'en avait pas besoin?*
14. *Est-ce que Joseph aurait aimé à manger des huîtres?*
15. *Joseph est resté avec sa mère; où les autres sont-ils allés?*
16. *Qui le père a-t-il voulu imiter?*
17. *Est-ce que le père savait comment s'y prendre pour manger des huîtres sans laisser couler de l'eau?*

NOTES SUR LE TEXTE ✱✱
14. l'eau: *the liquid, the juice.* **18.** bon genre: *stylish, genteel.* **34.** s'y prendre: *(a common idiom) to go about it.* **35.** voulut—*cf. note to p. 3, l. 16.*

tant la jetée, s'éloigna sur une mer plate comme une table de marbre vert. Nous regardions les côtes s'enfuir, heureux et fiers comme tous ceux qui voyagent peu.

Mon père tendait son ventre sous sa redingote dont on avait, le matin même, effacé avec soin toutes les taches, et il répandait autour de lui cette odeur de benzine des jours de sortie, qui me faisait reconnaître les dimanches.

Tout à coup, il avisa deux dames élégantes à qui deux messieurs offraient des huîtres. Un vieux matelot déguenillé ouvrait d'un coup de couteau les coquilles et les passait aux messieurs, qui les tendaient ensuite aux dames. Elles mangeaient d'une manière délicate, en tenant l'écaille sur un mouchoir fin et en avançant la bouche pour ne point tacher leurs robes. Puis elles buvaient l'eau* d'un petit mouvement rapide et jetaient la coquille à la mer.

Mon père, sans doute, fut séduit par cet acte distingué de manger des huîtres sur un navire en marche. Il trouva cela bon genre,* raffiné, supérieur, et il s'approcha de ma mère et de mes sœurs en demandant :

— Voulez-vous que je vous offre quelques huîtres?

Ma mère hésitait, à cause de la dépense; mais mes deux sœurs acceptèrent tout de suite. Ma mère dit, d'un ton contrarié :

— J'ai peur de me faire mal à l'estomac. Offre ça aux enfants seulement, mais pas trop, tu les rendrais malades.

Puis, se tournant vers moi, elle ajouta :

— Quant à Joseph, il n'en a pas besoin; il ne faut point gâter les garçons.

Je restai donc à côté de ma mère, trouvant injuste cette distinction. Je suivais de l'œil mon père, qui conduisait pompeusement ses deux filles et son gendre vers le vieux matelot déguenillé.

Les deux dames venaient de partir, et mon père indiquait à mes sœurs comment il fallait s'y prendre* pour manger sans laisser couler l'eau; il voulut* même donner l'exemple et il s'empara d'une huître. En essayant d'imiter les dames, il

EXERCICES SUR LE TEXTE

Répondez en français aux questions suivantes :

1. *Quelle bêtise le père a-t-il commise?*
2. *Qu'est-ce que la mère a dit?*
3. *Tout à coup le père est devenu inquiet; comment a-t-il montré son émotion?*
4. *Qu'est-ce qu'il a dit à sa femme?*
5. *Est-ce que le père savait où Jules se trouvait?*
6. *Croit-il que l'écailleur est son frère?*
7. *De quoi la mère accuse-t-elle son mari?*
8. *Qu'est-ce que le père a dit de faire à sa femme?*
9. *Pourquoi lui a-t-il dit de faire cela?*
10. *Où la mère est-elle allée?*
11. *Qui l'a accompagnée?*
12. *De quoi le vieux matelot s'occupait-il?*
13. *Est-ce qu'il les a regardés?*
14. *Qu'est-ce que la mère a déclaré en revenant?*
15. *Qui pourrait donner des renseignements sur le vieux matelot?*
16. *Où était le capitaine?*
17. *Qu'est-ce que le capitaine y faisait?*
18. *Est-ce que le capitaine commandait un grand navire?*
19. *De quoi le père a-t-il parlé d'abord au capitaine?*
20. *Comment Joseph a-t-il pu entendre ce que disaient son père et le capitaine?*

NOTES SUR LE TEXTE ★★

3. Il ferait mieux de se tenir tranquille: *(lit.) He would do better to keep quiet; (freely) He should have stayed where he was.* **6.** l'écailleur: *the oyster opener.* **11.** interdite: *dumbfounded, stunned.* **29.** garnement: *rascal, rogue.* **29.** sur les bras: *on our hands.* **34.** le courrier: *the mail boat—hence a large, fast ship.*

renversa immédiatement tout le liquide sur sa redingote et j'entendis ma mère murmurer :

— Il ferait mieux de se tenir tranquille.*

Mais tout à coup mon père me parut inquiet; il s'éloigna de quelques pas, regarda fixement sa famille pressée autour de 5 l'écailleur,* et, brusquement, il vint vers nous. Il me sembla fort pâle, avec des yeux singuliers. Il dit, à mi-voix à ma mère :

— C'est extraordinaire, comme cet homme qui ouvre les huîtres ressemble à Jules. 10

Ma mère interdite* demanda :

— Quel Jules? ...

Mon père reprit :

— Mais ... mon frère ... Si je ne le savais pas en bonne position, en Amérique, je croirais que c'est lui. 15

Ma mère effarée balbutia :

— Tu es fou! Du moment que tu sais bien que ce n'est pas lui, pourquoi dire ces bêtises-là?

Mais mon père insistait :

— Va donc le voir, Clarisse; j'aime mieux que tu t'en 20 assures toi-même, de tes propres yeux.

Elle se leva et alla rejoindre ses filles. Moi aussi, je regardais l'homme. Il était vieux, sale, tout ridé, et ne détournait pas le regard de sa besogne.

Ma mère revint. Je m'aperçus qu'elle tremblait. Elle 25 prononça très vite :

— Je crois que c'est lui. Va donc demander des renseignements au capitaine. Surtout sois prudent, pour que ce garnement* ne nous retombe pas sur les bras,* maintenant!

Mon père s'éloigna, mais je le suivis. Je me sentais étran- 30 gement ému.

Le capitaine, un grand monsieur, maigre, à longs favoris, se promenait sur la passerelle d'un air important, comme s'il eût commandé le courrier* des Indes.

Mon père l'aborda avec cérémonie, en l'interrogeant sur 35 son métier avec accompagnement de compliments :

EXERCICES SUR LE TEXTE

Traduisez en anglais :

1. *On eût cru qu'il s'agissait des États-Unis d'Amérique.*
2. *On parla du bâtiment qui nous portait.*
3. *On en vint à l'équipage.*
4. *La conversation finissait par irriter le capitaine.*
5. *Le bonhomme a des parents au Havre.*
6. *Il leur doit de l'argent.*
7. *Il paraît qu'il a été riche un moment là-bas.*
8. *Le marin l'a regardé s'éloigner.*
9. *Mon père avait la gorge serrée.*
10. *Mon père revint auprès de ma mère.*
11. *On va s'apercevoir de quelque chose.*
12. *Joseph peut aller chercher les enfants.*
13. *Il faut que notre gendre ne se doute de rien.*
14. *Mon père paraissait atterré.*

NOTES SUR LE TEXTE **

4. On eût cru: *One would have thought.*—The use of the pluperfect subjunctive tense for the conditional perfect is common in French literary style; there will be many examples of it in the stories in this book.   **10.** finissait par irriter—*cf.* note to p. *31*, l. *25*.   **16.** enfin: *(here, not " at last " or " finally " but merely an exclamation of impatient emphasis),* in short.   **35.** ne se doute de rien: *does not suspect anything.*—Douter de *or* que = *to doubt,* se douter de *or* que = *to suspect.*

— Quelle était l'importance de Jersey? Ses productions?
Sa population? Ses mœurs? Ses coutumes? La nature du sol,
etc., etc.

On eût cru* qu'il s'agissait au moins des États-Unis d'Amérique.

Puis on parla du bâtiment qui nous portait, l'*Express;* puis
on en vint à l'équipage.   Mon père, enfin, d'une voix troublée :

— Vous avez là un vieil écailleur d'huîtres qui paraît bien
intéressant.   Savez-vous quelques détails sur ce bonhomme?

Le capitaine, que cette conversation finissait par irriter,*
répondit sèchement :

— C'est un vieux vagabond français que j'ai trouvé en
Amérique l'an dernier, et que j'ai rapatrié.   Il a, paraît-il,
des parents au Havre, mais il ne veut pas retourner près d'eux,
parce qu'il leur doit de l'argent.   Il s'appelle Jules ... Jules
Darmanche ou Darvanche, quelque chose comme ça, enfin.*
Il paraît qu'il a été riche un moment là-bas, mais vous voyez où
il en est réduit maintenant.

Mon père, qui devenait livide, articula, la gorge serrée, les
yeux hagards :

— Ah! ah! très bien ..., fort bien ... Cela ne m'étonne
pas ... Je vous remercie beaucoup, capitaine.

Et il s'en alla, tandis que le marin le regardait s'éloigner
avec stupeur.

Il revint auprès de ma mère, tellement décomposé qu'elle
lui dit :

— Assieds-toi; on va s'apercevoir de quelque chose.   Il
tomba sur le banc en bégayant :

— C'est lui, c'est bien lui!

Puis il demanda :

— Qu'allons-nous faire? ...

Elle répondit vivement :

— Il faut éloigner les enfants.   Puisque Joseph sait tout,
il va aller les chercher.   Il faut prendre garde surtout que notre
gendre ne se doute de rien.*

Mon père paraissait atterré.   Il murmura :

EXERCICES SUR LE TEXTE

Traduisez en anglais :

1. *Ma mère s'était toujours doutée que cela arriverait.*
2. *Mon père se passa la main sur le front.*
3. *On m'a donné de l'argent pour que j'aille payer les huîtres.*
4. *Il ne manquerait plus que d'être reconnus par ce mendiant.*
5. *Cela ferait un joli effet.*
6. *Allons-nous-en.*
7. *Ils s'éloignèrent.*
8. *Ma mère m'a remis une pièce de cent sous.*
9. *Combien est-ce que nous vous devons?*
10. *Il me rendit la monnaie.*
11. *Je lui laissai dix sous de pourboire.*
12. *Dieu vous bénisse!*
13. *Jules avait dû mendier en Amérique.*
14. *Il y en avait pour trois francs?*

NOTES SUR LE TEXTE ★★★

10. Il ne manquerait plus que: *It would be the last straw.* **14.** remis: *handed (from* remettre*).* **22.** Deux francs cinquante: *(understand,* cinquante centimes*) two francs fifty, or two and a half francs, at the then-prevailing rate, had the value of half a dollar.* **28.** dix sous de pourboire: *a ten-cent tip.—A normal 10 per cent tip would have been only five cents,* cinq sous. **36.** Il y en avait pour trois francs?: *(a common expression) There were three francs worth?*

— Quelle catastrophe !

Ma mère ajouta, devenue tout à coup furieuse :

— Je me suis toujours doutée que ce voleur ne ferait rien, et qu'il nous retomberait sur le dos ! Comme si on pouvait attendre quelque chose d'un Davranche ! ...

Et mon père se passa la main sur le front, comme il faisait sous les reproches de sa femme.

Elle ajouta :

— Donne de l'argent à Joseph pour qu'il aille payer ces huîtres, à présent.   Il ne manquerait plus que* d'être reconnus par ce mendiant.   Cela ferait un joli effet sur le navire. Allons-nous-en à l'autre bout, et fais en sorte que cet homme n'approche pas de nous !

Elle se leva, et ils s'éloignèrent après m'avoir remis* une pièce de cent sous.

Mes sœurs, surprises, attendaient leur père.   J'affirmai que maman s'était trouvée un peu gênée par la mer, et je demandai à l'ouvreur d'huîtres :

— Combien est-ce que nous vous devons, monsieur ? J'avais envie de dire : mon oncle.

Il répondit :

— Deux francs cinquante.*

Je tendis mes cent sous et il me rendit la monnaie.

Je regardais sa main, une pauvre main de matelot toute plissée, et je regardais son visage, un vieux et misérable visage, triste, accablé, en me disant :

— C'est mon oncle, le frère de papa, mon oncle !

Je lui laissai dix sous de pourboire.*   Il me remercia :

— Dieu vous bénisse, mon jeune monsieur ! avec l'accent d'un pauvre qui reçoit l'aumône.   Je pensai qu'il avait dû mendier, là-bas !

Mes sœurs me contemplaient, stupéfaites de ma générosité.

Quand je remis les deux francs à mon père, ma mère, surprise, demanda :

— Il y en avait pour trois francs ?* ... Ce n'est pas possible.

86

EXERCICES SUR LE TEXTE

Répondez en français aux questions suivantes :

1. *Pourquoi la mère a-t-elle dit que Joseph était fou?*
2. *Combien de sous la mère aurait-elle donnés comme pourboire?*
3. *Quelle ombre semblait sortir de la mer?*
4. *Quel désir violent est venu au cœur du jeune garçon?*
5. *Qu'est-ce qu'il aurait voulu dire à son oncle Jules?*
6. *Pourquoi Jules n'était-il plus sur le pont?*
7. *Où était-il?*
8. *Pourquoi les Davranche n'ont-ils pas pris l'*Express *pour revenir de Jersey?*
9. *Pourquoi la mère était-elle dévorée d'inquiétude?*
10. *Y a-t-il aujourd'hui des jeunes gens, comme Jules, qui gagnent peu d'argent et qui en dépensent beaucoup?*
11. *Y a-t-il des Français qui viennent en Amérique pour faire fortune?*
12. *Qu'est-ce que Mme Davranche pensait de Jules avant le départ de celui-ci pour l'Amérique?*
13. *Qu'est-ce qu'elle pensait de lui quand elle croyait qu'il était en train de s'enrichir?*
14. *Qu'est-ce qu'elle pensait de lui après l'avoir retrouvé sur l'*Express?

NOTES SUR LE TEXTE ★★

3. eut un sursaut: *was startled.—Why shouldn't she have been startled? Her son had just given away five cents more than necessary—the same amount that Gar ier gave to his "pauvre" each month. If Maupassant were writing today, he might multiply the number of francs by one hundred.* **7.** on se tut: *(from se taire) they stopped talking.* **14.** cale: *hold.* **16.** Saint-Malo—*a larger port than Granville; being farther west, it is at a greater distance from Le Havre.*

Je déclarai d'une voix ferme :

— J'ai donné dix sous de pourboire.

Ma mère eut un sursaut* et me regarda dans les yeux :

— Tu es fou! Donner dix sous à cet homme, à ce gueux! ...

Elle s'arrêta sous un regard de mon père, qui désignait son 5 gendre.

Puis on se tut.*

Devant nous, à l'horizon, une ombre violette semblait sortir de la mer.   C'était Jersey.

Lorsqu'on approcha des jetées, un désir violent me vint au 10 cœur de voir encore une fois mon oncle Jules, de m'approcher, de lui dire quelque chose de consolant, de tendre.

Mais, comme personne ne mangeait plus d'huîtres, il avait disparu, descendu sans doute au fond de la cale* infecte où logeait ce misérable.   15

Et nous sommes revenus par le bateau de Saint-Malo,* pour ne pas le rencontrer.   Ma mère était dévorée d'inquiétude.

Je n'ai jamais revu le frère de mon père!

Voilà pourquoi tu me verras quelquefois donner cent sous 20 aux vagabonds.

LA FICELLE

par

GUY DE MAUPASSANT

EXERCICES SUR LE TEXTE

Laquelle des déclarations faites dans (a) et (b) est correcte?

1. *Goderville est le nom (a) d'une petite ville, (b) d'une grande ville.*

2. *Les paysans y allaient (a) parce que c'était dimanche, (b) parce que c'était jour de marché.*

3. *Les paysans marchaient (a) vite, (b) lentement.*

4. *Ils (a) étaient jeunes, (b) n'étaient plus jeunes.*

5. *Ils avaient (a) beaucoup travaillé, (b) peu travaillé.*

6. *La tête, les bras et les pieds de chaque paysan sortaient (a) d'un ballon, (b) d'une blouse.*

7. *Pour faire marcher plus vite une vache ou un veau, les femmes (a) tiraient sur une corde, (b) fouettaient l'animal.*

8. *Les femmes allaient vendre (a) des poulets et des canards, (b) de larges paniers.*

NOTES SUR LE TEXTE ★★★

TITLE. La Ficelle: *this word has two meanings—(lit.) the piece of string; (figuratively) the trick. This double meaning will be used later in the story.*
1. Goderville—*this name and others that occur later designate actual villages or small towns in Normandy, not far from Le Havre.* **2.** s'en venaient: *were coming along.* **5.** torses: *twisted, crooked, warped.* **6.** pesée: *weighing down, pushing down.* **7.** fait ... dévier la taille: *makes one's body crooked.* **7.** fauchage: *mowing.* **10.** blouse: *smock.* **10.** empesée: *starched.* **12.** torse: *torso, bust, body—not the same word as torses above.* **15.** les reins: *the loins, the back.* **21.** étriqué: *narrow, scanty.* **21.** épinglé: *pinned.* **24.** un char à bancs: *wagonette, light wagon.* **24.** saccadé: *jerky.* **24.** bidet: *small horse, nag.*

LA FICELLE*

par GUY DE MAUPASSANT

SUR toutes les routes autour de Goderville,* les paysans
et leurs femmes s'en venaient* vers le bourg; car
c'était jour de marché. Les mâles allaient, à pas
tranquilles, tout le corps en avant à chaque mouvement de
leurs longues jambes torses,* déformées par les rudes travaux, 5
par la pesée* sur la charrue qui fait en même temps monter
l'épaule gauche et dévier la taille,* par le fauchage* des blés
qui fait écarter les genoux pour prendre un aplomb solide, par
toutes les besognes lentes et pénibles de la campagne. Leur
blouse* bleue, empesée,* brillante, comme vernie, ornée au 10
col et aux poignets d'un petit dessin de fil blanc, gonflée autour
de leur torse* osseux, semblait un ballon prêt à s'envoler, d'où
sortaient une tête, deux bras et deux pieds.

Les uns tiraient au bout d'une corde une vache, un veau.
Et leurs femmes, derrière l'animal, lui fouettaient les reins* 15
d'une branche encore garnie de feuilles, pour hâter sa marche.
Elles portaient au bras de larges paniers d'où sortaient des têtes
de poulets par-ci, des têtes de canards par-là. Et elles marchaient d'un pas plus court et plus vif que leurs hommes,
la taille sèche, droite et drapée dans un petit châle 20
étriqué,* épinglé* sur leur poitrine plate, la tête enveloppée
d'un linge blanc collé sur les cheveux et surmontée d'un
bonnet.

Puis, un char à bancs* passait, au trot saccadé* d'un bidet,*
secouant étrangement deux hommes assis côte à côte et une

EXERCICES SUR LE TEXTE

Laquelle des déclarations faites dans (a) et (b) est correcte?

1. *Les chemins étaient (a) en très bon état, (b) en mauvais état.*

2. *Sur la place de Goderville, il y avait déjà (a) beaucoup de monde, (b) peu de monde.*

3. *Les paysans portaient (a) des chapeaux, (b) des coiffes.*

4. *Tout le monde parlait (a) en même temps, (b) de temps en temps.*

5. *(a) La clameur était si forte qu'on ne pouvait pas entendre le meuglement d'une vache; (b) le meuglement d'une vache se faisait parfois entendre malgré la clameur continue.*

6. *La clameur était (a) celle de la foule, (b) celle des animaux.*

7. *L'auteur (a) aime beaucoup, (b) n'aime pas du tout, l'odeur des fermes.*

8. *Maître Hauchecorne (a) ramassa, (b) chercha, une ficelle.*

9. *Il pensa qu'une ficelle (a) pourrait servir, (b) ne valait rien.*

10. *Maître Hauchecorne et Maître Malandain étaient ennemis (a) depuis longtemps, (b) depuis peu de temps.*

11. *Malandain (a) ne l'a pas vu, (b) l'a vu, ramasser quelque chose.*

12. *Maître Hauchecorne (a) espérait trouver une autre ficelle, (b) voulait tromper son ennemi.*

13. *Hauchecorne cacha dans sa poche (a) une petite ficelle, (b) un licol.*

14. *Les paysans (a) ne voulaient rien acheter, (b) ne voulaient pas être trompés.*

15. *Ils tâtaient les vaches (a) pour découvrir leurs défauts, (b) parce qu'ils en avaient peur.*

NOTES SUR LE TEXTE ✶✶✶

2. cahots: *bumps, jolts.* **3.** cohue: *crowd, throng, mass.* **4.** cornes: *horns.* **5.** à longs poils: *long-haired, shaggy—refers to the nap of the hats.* **7.** glapissantes: *yelping, yapping, screeching—usually used of animals.* **8.** que dominait—*cf. note to p. 23, l. 7.* **21.** bourrelier: *harness-maker.* **21.** des affaires: *business, dealings—with the implication of a misunderstanding and a quarrel.* **22.** licol: *halter.* **23.** crotte: *dirt, mud.* **30.** douleurs: *pains—not sorrows; the man probably suffered from arthritis.* **34.** mis dedans: *" taken in," cheated, deceived, fooled.*

femme dans le fond du véhicule, dont elle tenait le bord pour atténuer les durs cahots.*

Sur la place de Goderville, c'était une foule, une cohue* d'humains et de bêtes mélangés. Les cornes* des bœufs, les hauts chapeaux à longs poils* des paysans riches et les coiffes des paysannes émergeaient à la surface de l'assemblée. Et les voix criardes, aiguës, glapissantes,* formaient une clameur continue et sauvage que dominait* parfois un grand éclat poussé par la robuste poitrine d'un campagnard en gaieté, ou le long meuglement d'une vache attachée au mur d'une maison.

Tout cela sentait l'étable, le lait et le fumier, le foin et la sueur, dégageait cette saveur aigre, affreuse, humaine et bestiale, particulière aux gens des champs.

Maître Hauchecorne, de Bréauté, venait d'arriver à Goderville, et il se dirigeait vers la place, quand il aperçut par terre un petit bout de ficelle. Maître Hauchecorne, économe en vrai Normand, pensa que tout était bon à ramasser qui peut servir; et il se baissa péniblement, car il souffrait de rhumatismes. Il prit, par terre, le morceau de corde mince, et il se disposait à le rouler avec soin, quand il remarqua, sur le seuil de sa porte, maître Malandain, le bourrelier,* qui le regardait. Ils avaient eu des affaires* ensemble au sujet d'un licol,* autrefois, et ils étaient restés fâchés, étant rancuniers tous deux. Maître Hauchecorne fut pris d'une sorte de honte d'être vu ainsi, par son ennemi, cherchant dans la crotte* un bout de ficelle. Il cacha brusquement sa trouvaille sous sa blouse, puis dans la poche de sa culotte; puis il fit semblant de chercher encore par terre quelque chose qu'il ne trouvait point, et il s'en alla vers le marché, la tête en avant, courbé en deux par ses douleurs.*

Il se perdit aussitôt dans la foule criarde et lente, agitée par les interminables marchandages. Les paysans tâtaient les vaches, s'en allaient, revenaient, perplexes, toujours dans la crainte d'être mis dedans,* n'osant jamais se décider, épiant l'œil du vendeur, cherchant sans fin à découvrir la ruse de l'homme et le défaut de la bête.

EXERCICES SUR LE TEXTE

I. Laquelle des déclarations faites dans (a) et (b) est correcte?

1. *Les femmes (a) avaient tiré des poulets de leurs paniers, (b) avaient l'œil effaré.*

2. *Elles (a) n'acceptaient jamais un rabais, (b) acceptaient tout à coup une proposition.*

3. *Elles (a) ne voulaient pas perdre un client, (b) maintenaient toujours leurs prix.*

4. *« Chez Jourdain » est le nom (a) d'une petite auberge, (b) d'une grande auberge.*

II. Traduisez en anglais :

1. *L'immense cheminée était pleine de flamme claire.*

2. *Trois broches étaient chargées de poulets, de pigeons et de gigots.*

3. *L'odeur de la viande faisait venir l'eau à la bouche des dîneurs.*

4. *L'aristocratie de la charrue mangeait chez maître Jourdain.*

5. *Les plats se vidaient, comme les brocs de cidre jaune.*

6. *Le temps était bon pour les légumes.*

7. *Tout à coup on entendit un tambour; aussitôt tout le monde fut debout.*

8. *On courut à la porte, la serviette à la main.*

NOTES SUR LE TEXTE ✶✶

2. qui gisaient: *which were (was) lying—from the very irregular and defective verb* gésir. **7.** C'est dit: *It's a bargain, It's agreed, It's settled.* **7.** J' vous l' donne: *I'll let you have it.—Here, as later in the story, Maupassant represents the pronunciation of his characters. The correct written spelling will be given in the Notes when the meaning is not clear.* **13.** cabriolets ... tilburys ... carrioles: *gigs ... tilburys ... traps.—All three are two-wheeled, one-horse carriages.* **21.** rissolée: *browned.* **22.** mouillait les bouches: *made everyone's mouth water.* **24.** maquignon: *horse trader.* **29.** les verts: *green things, green crops, green vegetables.* **29.** mucre: *wet, damp.* **35-36.** à contretemps: *out of time, in the wrong places—i.e., not according to the meaning, but when he ran out of breath!*

Les femmes, ayant posé à leurs pieds leurs grands paniers, en avaient tiré leurs volailles qui gisaient* par terre, liées par les pattes, l'œil effaré, la crête écarlate.

Elles écoutaient les propositions, maintenaient leurs prix, l'air sec, le visage impassible, ou bien, tout à coup, se décidant 5 au rabais proposé, criaient au client qui s'éloignait lentement :

— C'est dit,* maît' Anthime. J' vous l' donne.*

Puis, peu à peu, la place se dépeupla, et l'*Angelus* sonnant midi, ceux qui demeuraient trop loin se répandirent dans les auberges. 10

Chez Jourdain, la grande salle était pleine de mangeurs, comme la vaste cour était pleine de véhicules de toute race, charrettes, cabriolets,* chars à bancs, tilburys,* carrioles* innommables, jaunes de crotte, déformées, rapiécées, levant au ciel, comme deux bras, leurs brancards, ou bien le nez par terre et 15 le derrière en l'air.

Tout contre les dîneurs attablés, l'immense cheminée, pleine de flamme claire, jetait une chaleur vive dans le dos de la rangée de droite. Trois broches tournaient, chargées de poulets, de pigeons et de gigots ; et une délectable odeur de 20 viande rôtie et de jus ruisselant sur la peau rissolée,* s'envolait de l'âtre, allumait les gaietés, mouillait les bouches.*

Toute l'aristocratie de la charrue mangeait là, chez maît' Jourdain, aubergiste et maquignon,* un malin qui avait des écus. 25

Les plats passaient, se vidaient comme les brocs de cidre jaune. Chacun racontait ses affaires, ses achats et ses ventes. On prenait des nouvelles des récoltes. Le temps était bon pour les verts,* mais un peu mucre* pour les blés.

Tout à coup, le tambour roula, dans la cour, devant la 30 maison. Tout le monde aussitôt fut debout, sauf quelques indifférents, et on courut à la porte, aux fenêtres, la bouche encore pleine et la serviette à la main.

Après qu'il eut terminé son roulement, le crieur public lança d'une voix saccadée, scandant ses phrases à contre- 35 temps :*

EXERCICES SUR LE TEXTE

Traduisez en anglais :

1. *Il a été perdu un portefeuille en cuir noir, contenant des papiers d'affaires.*
2. *On est prié de le rapporter à la mairie.*
3. *On entendit encore une fois au loin la voix affaiblie du crieur.*
4. *On se mit à parler de cet événement.*
5. *Le repas s'acheva.*
6. *Un gendarme parut sur le seuil de l'auberge.*
7. *M. le maire voudrait vous parler à la mairie.*
8. *Maître Hauchecorne avala d'un coup son petit verre.*
9. *Il se mit en route avec le gendarme.*
10. *Il était plus courbé encore que le matin.*
11. *Le maire était un homme grave, à phrases pompeuses.*
12. *C'était le notaire de l'endroit.*

NOTES SUR LE TEXTE ★★

1. assavoir: *(now used only in combination with* faire*) It is made known, Notice is hereby given.* **6.** incontinent: *forthwith, immediately.* **16.** le brigadier de gendarmerie: *the sergeant of gendarmes.—Do not confuse* la police *with* la gendarmerie *nor* les agents de police *with* les gendarmes. Les agents *function in cities,* les gendarmes *maintain law and order in the country at large. They are a national organization.* **22.** Me v'là: *Here I am.—It is not uncommon to say* " me voilà " *instead of* " me voici. " **27-28.** son petit verre: *his brandy, cognac, or other liqueur—not the glass itself!* **34.** notaire: *notary.—Unlike the* avocat, *who specializes in pleading cases in court, the French* notaire *is a lawyer who draws up legal contracts, wills, real estate deeds and other documents of all kinds and often manages the financial as well as the legal affairs of his clients; he is therefore a very important person in a French community.*

— Il est fait assavoir* aux habitants de Goderville, et en
général à toutes — les personnes présentes au marché, qu'il a été
perdu ce matin, sur la route de Beuzeville, entre — neuf
heures et dix heures, un portefeuille en cuir noir, contenant
cinq cents francs et des papiers d'affaires.   On est prié de le 5
rapporter — à la mairie, incontinent,* ou chez maître Fortuné
Houlbrèque, de Manneville.   Il y aura vingt francs de récompense.

Puis l'homme s'en alla.   On entendit encore une fois au
loin les battements sourds de l'instrument et la voix affaiblie 10
du crieur.

Alors on se mit à parler de cet événement, en énumérant
les chances qu'avait maître Houlbrèque de retrouver ou de ne
pas retrouver son portefeuille.

Et le repas s'acheva.   15

On finissait le café, quand le brigadier de gendarmerie*
parut sur le seuil.

Il demanda :

— Maître Hauchecorne, de Bréauté, est-il ici?

Maître Hauchecorne, assis à l'autre bout de la table, 20
répondit :

— Me v'là.*

Et le brigadier reprit :

— Maître Hauchecorne, voulez-vous avoir la complaisance de m'accompagner à la mairie. .M. le maire voudrait 25
vous parler.

Le paysan, surpris, inquiet, avala d'un coup son petit
verre,* se leva et, plus courbé encore que le matin, car les
premiers pas après chaque repos étaient particulièrement difficiles, il se mit en route en répétant :   30

— Me v'là, me v'là.

Et il suivit le brigadier.

Le maire l'attendait, assis dans un fauteuil. C'était le
notaire* de l'endroit, homme gros, grave, à phrases pompeuses.   35

— Maître Hauchecorne, dit-il, on vous a vu ce matin

EXERCICES SUR LE TEXTE

Répondez en français aux questions suivantes :

1. *De quoi a-t-on accusé Maître Hauchecorne?*
2. *Avait-il fait ce dont on l'accusait?*
3. *Exprimez en bon français ce qu'il dit au maire.*
4. *Avait-il vu le portefeuille qui avait été perdu?*
5. *Qu'est-ce que Maître Malandain l'avait vu ramasser?*
6. *Où Maître Hauchecorne avait-il mis la ficelle après l'avoir ramassée?*
7. *Est-ce que M. Malandain avait pris la ficelle pour un portefeuille?*
8. *Se peut-il que Malandain ait accusé Hauchecorne d'avoir ramassé un portefeuille seulement pour lui jouer un mauvais tour?*
9. *Est-il certain que Malandain fût un homme digne de foi?*
10. *Pourquoi Hauchecorne a-t-il levé la main et craché de côté?*
11. *Malandain avait donné d'autres détails de l'affaire au maire; quels détails?*
12. *Pourquoi a-t-on fait venir Malandain à la mairie?*
13. *Quelle affirmation Malandain a-t-il répétée?*
14. *Malandain et Hauchecorne se sont-ils battus?*
15. *Est-ce que Hauchecorne a dit la vérité au maire?*

NOTES SUR LE TEXTE ★★★

6. mé = moi. **6.** çu = ce. **14.** manant: *boor, lout.* **22-23.** cracha de côté pour attester son honneur: *spit to one side to affirm, certify to, his honor.— Not a common practice of the French! It must have been a regional custom.* **32.** dénaturer: *slander, ruin the reputation of.* **36.** s'injurièrent: injurier = *to abuse, to insult, not " to injure."*

ramasser, sur la route de Beuzeville, le portefeuille perdu par maître Houlbrèque, de Manneville.

Le campagnard, interdit, regardait le maire, apeuré déjà par ce soupçon qui pesait sur lui, sans qu'il comprît pourquoi.

— Mé, mé,* j'ai ramassé çu* portafeuille?

— Oui, vous-même.

— Parole d'honneur, je n'en ai seulement point eu connaissance.

— On vous a vu.

— On m'a vu, mé? Qui ça qui m'a vu?

— M. Malandain, le bourrelier.

Alors le vieux se rappela, comprit et, rougissant de colère :

— Ah! I m'a vu, çu manant!* I m'a vu ramasser c'te ficelle-là, tenez, m'sieu le maire.

Et, fouillant au fond de sa poche, il en retira le petit bout de corde.

Mais le maire, incrédule, remuait la tête.

— Vous ne me ferez pas accroire, maître Hauchecorne, que M. Malandain, qui est un homme digne de foi, a pris ce fil pour un portefeuille.

Le paysan, furieux, leva la main, cracha de côté pour attester son honneur,* répétant :

— C'est pourtant la vérité du bon Dieu, la sainte vérité, m'sieu le maire.   Là, sur mon âme et mon salut, je l' répète.

Le maire reprit :

— Après avoir ramassé l'objet, vous avez même encore cherché longtemps dans la boue, si quelque pièce de monnaie ne s'en était pas échappée.

Le bonhomme suffoquait d'indignation et de peur.

— Si on peut dire! ... si on peut dire ... des menteries comme ça pour dénaturer* un honnête homme! Si on peut dire! ...

Il eut beau protester, on ne le crut pas.

Il fut confronté avec M. Malandain, qui répéta et soutint son affirmation.   Ils s'injurièrent* une heure durant.   On

EXERCICES SUR LE TEXTE

Répondez en français aux questions suivantes :

1. *Quand on a fouillé Hauchecorne, qu'a-t-on trouvé sur lui?*
2. *Pourquoi le maire était-il perplexe?*
3. *Si vous aviez été le maire, auriez-vous été perplexe? Pourquoi?*
4. *En sortant de la mairie, par qui Maître Hauchecorne a-t-il été interrogé?*
5. *Pensait-on qu'il avait menti?*
6. *Est-ce que beaucoup de gens s'intéressaient à l'affaire de la ficelle?*
7. *Comment Hauchecorne a-t-il essayé de prouver qu'il n'avait pas trouvé le portefeuille?*
8. *Pourquoi a-t-il été obligé de quitter Goderville?*
9. *Avec qui s'est-il mis en route pour Bréauté?*
10. *Pourquoi est-il allé à Bréauté?*
11. *Ce soir-là, qu'a-t-il raconté à tout le monde?*
12. *Qui a rendu le portefeuille à Maître Houlbrèque?*
13. *Quand le lui a-t-il rendu?*
14. *Où avait-il trouvé le portefeuille?*
15. *Pourquoi ne l'avait-il pas rendu tout de suite?*
16. *Qu'est-ce que Maître Hauchecorne pouvait ajouter maintenant à son histoire?*
17. *Pourquoi triomphait-il maintenant?*

NOTES SUR LE TEXTE ★★

4. le parquet: *the public prosecutor.* **7.** goguenarde: *jeering, teasing, mocking.*
24. valet de ferme: *farm hand.* **27.** prétendait: *claimed (not " pretended ").*
33. Ç' qui m' faisait deuil: *What distressed me, What got me down.* **34-35.** Y a
rien qui vous nuit: *There's nothing—if he spoke English the old man might
have said: " There ain't nothing "—which hurts one* (nuit *from* nuire). **35.** être
en réprobation pour: *being thought guilty of, being blamed for (something that
one has not done or that is not true).*

fouilla, sur sa demande, maître Hauchecorne.   On ne trouva
rien sur lui.

Enfin, le maire, fort perplexe, le renvoya, en le prévenant
qu'il allait aviser le parquet* et demander des ordres.

La nouvelle s'était répandue.   A sa sortie de la mairie, le 5
vieux fut entouré, interrogé avec une curiosité sérieuse ou
goguenarde,* mais où n'entrait aucune indignation.   Et il se
mit à raconter l'histoire de la ficelle.   On ne le crut pas.
On riait.

Il allait, arrêté par tous, arrêtant ses connaissances, recom- 10
mençant sans fin son récit et ses protestations, montrant ses
poches retournées, pour prouver qu'il n'avait rien.

On lui disait :

— Vieux malin, va !

Et il se fâchait, s'exaspérant, enfiévré, désolé de n'être pas 15
cru, ne sachant que faire, et contant toujours son histoire.

La nuit vint.   Il fallait partir.   Il se mit en route avec trois
voisins à qui il montra la place où il avait ramassé le bout de
corde ; et tout le long du chemin il parla de son aventure.

Le soir, il fit une tournée dans le village de Bréauté, afin de 20
la dire à tout le monde.   Il ne rencontra que des incrédules.

Il en fut malade toute la nuit.

Le lendemain, vers une heure de l'après-midi, Marius
Paumelle, valet de ferme* de maître Breton, cultivateur à
Ymauville, rendait le portefeuille et son contenu à maître 25
Houlbrèque, de Manneville.

Cet homme prétendait* avoir, en effet, trouvé l'objet sur
la route ; mais, ne sachant pas lire, il l'avait rapporté à la
maison et donné à son patron.

La nouvelle se répandit aux environs.   Maître Hauche- 30
corne en fut informé.   Il se mit aussitôt en tournée et commença
à narrer son histoire complétée du dénouement.   Il triomphait.

— Ç' qui m' faisait deuil,* disait-il, c'est point tant la
chose, comprenez-vous ; mais c'est la menterie.   Y a rien qui
vous nuit* comme d'être en réprobation pour* une menterie. 35

Tout le jour il parlait de son aventure, il la contait sur les

EXERCICES SUR LE TEXTE

I. Traduisez en anglais :

1. *Quelque chose le gênait sans qu'il sût au juste ce que c'était.*
2. *On avait l'air de plaisanter.*
3. *Il lui semblait sentir des propos derrière son dos.*
4. *Hauchecorne aborda un fermier de Criquetot.*
5. *Ce fermier lui cria par la figure: « Gros malin, va! »*
6. *Hauchecorne fut de plus en plus inquiet.*
7. *Il se remit à expliquer l'affaire.*
8. *Allons, allons! Tais-toi!*
9. *Il était d'autant plus atterré qu'il était capable de faire ce dont on l'accusait.*
10. *Il était capable de s'en vanter comme d'un bon tour.*

II. Répondez en français aux questions suivantes :

1. *Pourquoi Hauchecorne n'était-il pas tranquille?*
2. *Pourquoi s'est-il rendu à Goderville un mardi plutôt qu'un jeudi?*
3. *Pourquoi l'avait-on appelé « gros malin »?*
4. *Qu'est-ce que Hauchecorne a fini par comprendre?*

NOTES SUR LE TEXTE ★★★

6. des propos: *remarks, talk, people talking.* **8.** autre: *following—unusual meaning.* **20.** vieille pratique: *(colloquial) you old rogue, you!* **20.** ta ficelle: *(here an untranslatable pun; cf. note to title of story) your string and your trick.* **24.** pé = père: *(here) old man.* **25.** Ni vu ni connu, je t'embrouille—*like a sharper working the old shell game, " now you see it and now you don't, the hand's quicker than the eye," or " nobody saw nothing, I fool you " (lit.) "I mix you up."* **33.** confusion: *(here) shame.*

routes aux gens qui passaient, au cabaret aux gens qui buvaient,
à la sortie de l'église le dimanche suivant.   Il arrêtait des
inconnus pour la leur dire.   Maintenant, il était tranquille,
et pourtant quelque chose le gênait sans qu'il sût au juste ce que
c'était.   On avait l'air de plaisanter en l'écoutant.   On ne 5
paraissait pas convaincu.   Il lui semblait sentir des propos*
derrière son dos.

Le mardi de l'autre* semaine, il se rendit au marché de
Goderville uniquement poussé par le besoin de conter son cas.

Malandain, debout sur sa porte, se mit à rire en le voyant 10
passer.   Pourquoi?

Il aborda un fermier de Criquetot, qui ne le laissa pas
achever et, lui jetant une tape dans le creux de son ventre, lui
cria par la figure : « Gros malin, va! » Puis lui tourna les talons.

Maître Hauchecorne demeura interdit et de plus en plus 15
inquiet.   Pourquoi l'avait-on appelé « gros malin »?

Quand il fut assis à table, dans l'auberge de Jourdain, il se
remit à expliquer l'affaire.

Un maquignon de Montivilliers lui cria :

— Allons, allons, vieille pratique,* je la connais, ta ficelle!* 20
Hauchecorne balbutia :

— Puisqu'on l'a retrouvé, çu portafeuille!

Mais l'autre reprit :

— Tais-té, mon pé,* y en a un qui trouve, et y en a un qui
r'porte.   Ni vu ni connu, je t'embrouille.*   25

Le paysan resta suffoqué.   Il comprenait enfin.   On l'accusait d'avoir fait reporter le portefeuille par un compère, par
un complice.

Il voulut protester.   Toute la table se mit à rire.

Il ne put achever son dîner et s'en alla, au milieu des 30
moqueries.

Il rentra chez lui, honteux et indigné, étranglé par la colère,
par la confusion,* d'autant plus atterré qu'il était capable, avec
sa finauderie de Normand, de faire ce dont on l'accusait, et
même de s'en vanter comme d'un bon tour.   Son innocence 35
lui apparaissait confusément comme impossible à prouver, sa

EXERCICES SUR LE TEXTE

Répondez en français aux questions suivantes :

1. *Le soupçon qui pesait sur Hauchecorne, était-il vraiment injuste?*

2. *Qu'est-ce que Hauchecorne a ajouté maintenant à son histoire de la ficelle?*

3. *De quoi son esprit était-il uniquement occupé?*

4. *Pourquoi n'a-t-on pas voulu le croire?*

5. *Qui lui faisait conter son histoire? Pourquoi?*

6. *Quand Maître Hauchecorne est-il mort?*

7. *Répétez, en bon français, ses derniers mots.*

8. *Quels sont les détails les plus pittoresques dans la description que Maupassant donne d'un jour de marché en Normandie?*

9. *D'après cette histoire, est-ce que les Normands méritent leur réputation d'être économes et malins?*

NOTES SUR LE TEXTE ★★
5. serments: *oaths—not " sermons."* **12.** se rongeait les sangs: *worried or fretted himself sick.* **14.** à vue d'œil: *visibly, very rapidly.* **15.** les plaisants: *the jokers, the practical jokers.* **20.** agonie: *death throes—not " agony."* **21.** 'tite = petite.

malice étant connue. Et il se sentait frappé au cœur par l'injustice du soupçon.

Alors il recommença à conter l'aventure, en allongeant chaque jour son récit, ajoutant chaque fois des raisons nouvelles, des protestations plus énergiques, des serments* plus solennels 5 qu'il imaginait, qu'il préparait dans ses heures de solitude, l'esprit uniquement occupé de l'histoire de la ficelle. On le croyait d'autant moins que sa défense était plus compliquée et son argumentation plus subtile.

— Ça, c'est des raisons d' menteux, disait-on derrière son 10 dos.

Il le sentait, se rongeait les sangs,* s'épuisait en efforts inutiles.

Il dépérissait à vue d'œil.*

Les plaisants* maintenant lui faisaient conter « la Ficelle » 15 pour s'amuser, comme on fait conter sa bataille au soldat qui a fait campagne. Son esprit, atteint à fond, s'affaiblissait.

Vers la fin de décembre, il s'alita.

Il mourut dans les premiers jours de janvier, et, dans le délire de l'agonie,* il attestait son innocence, répétant : 20

— Une 'tite* ficelle ... une 'tite ficelle ... t'nez, la voilà, m'sieu le maire.

MATEO FALCONE

par

PROSPER MÉRIMÉE

EXERCICES SUR LE TEXTE

Répondez par oui ou par non aux questions suivantes :

   1. *L'île de Corse est-elle montagneuse?*

   2. *Est-il facile de monter de Porto-Vecchio vers l'intérieur de l'île?*

   3. *Peut-on monter en trois heures jusqu'au maquis?*

   4. *Les laboureurs corses mettent-ils le feu à leurs maisons?*

   5. *Est-ce que la terre peut être fertilisée par des cendres?*

   6. *Serait-il facile de recueillir la paille qui reste dans les champs après la moisson?*

   7. *Serait-il facile de se promener dans un maquis?*

   8. *Est-ce qu'un mouflon est une espèce d'arbre ou d'arbrisseau?*

   9. *Si une personne a tué un homme, est-ce que cette personne s'est brouillée avec la justice?*

NOTES SUR LE TEXTE ★★★

1. Porto-Vecchio: *seaport near southern end of the island of Corsica.* **4.** quartiers: *blocks* (quartiers de roc = *boulders*). **6.** maquis: *dense woods.—The word was used as a name for the French underground resistance fighters during the Second World War. This story will help one to understand why the word was appropriate.* **8.** s'est brouillé: *has got into trouble.* **8.** laboureur: *(lit.) one who plows, a plowman; (freely) peasant, farmer.* **9.** fumer: *to fertilize.* **10.** tant pis: *it will be too bad.* **11.** que besoin n'est: *than need be, than necessary.* **11.** arrive que pourra: *come what may.* **14.** Les épis enlevés: *The grain (wheat) having been harvested.* **14.** la paille: *the stalks, the straw.* **15-16.** sans se consumer: *without being burned.* **16.** cépées: *shoots.* **18.** taillis fourré: *dense underbrush.* **22.** touffus: *thick, dense.* **23.** mouflons: *wild sheep.*

MATEO FALCONE

par PROSPER MÉRIMÉE

EN sortant de Porto-Vecchio* et se dirigeant au nord-ouest, vers l'intérieur de l'île, on voit le terrain s'élever assez rapidement, et, après trois heures de marche par des sentiers tortueux, obstrués par de gros quartiers* de rocs, et quelquefois coupés par des ravins, on se trouve sur le bord 5 d'un maquis* très étendu.

Le maquis est la patrie des bergers corses et de quiconque s'est brouillé* avec la justice. Il faut savoir que le laboureur* corse, pour s'épargner la peine de fumer* son champ, met le feu à une certaine étendue de bois : tant pis* si la flamme se 10 répand plus loin que besoin n'est;* arrive que pourra,* on est sûr d'avoir une bonne récolte en semant sur cette terre fertilisée par les cendres des arbres qu'elle portait.

Les épis enlevés,* car on laisse la paille,* qui donnerait de la peine à recueillir, les racines qui sont restées en terre sans se 15 consumer* poussent, au printemps suivant, des cépées* très épaisses qui, en peu d'années, parviennent à une hauteur de sept ou huit pieds. C'est cette manière de taillis fourré* que l'on nomme maquis. Différentes espèces d'arbres et d'arbrisseaux le composent, mêlés et confondus comme il plaît à 20 Dieu. Ce n'est que la hache à la main que l'homme s'y ouvrirait un passage, et l'on voit des maquis si épais et si touffus,* que les mouflons* eux-mêmes ne peuvent y pénétrer.

Si vous avez tué un homme, allez dans le maquis de Porto-Vecchio, et vous y vivrez en sûreté, avec un bon fusil, de la

EXERCICES SUR LE TEXTE

Répondez par oui ou par non aux questions suivantes :

1. *Si l'on va vivre dans le maquis, faut-il avoir un fusil?*
2. *Ceux qui vivent dans le maquis, couchent-ils souvent sur la terre?*
3. *Peut-on avoir du lait et du fromage dans le maquis?*
4. *Peut-on acheter de la poudre et des balles dans le maquis?*
5. *Est-ce que Mateo Falcone habitait le maquis?*
6. *Ses troupeaux étaient-ils toujours dans le même endroit?*
7. *Est-ce que Mateo Falcone était un des meilleurs tireurs du pays?*
8. *Est-il plus facile de tuer un mouflon avec des chevrotines qu'avec une balle?*
9. *Est-il aussi facile de viser un objet la nuit que le jour?*
10. *Est-il facile de viser un objet dans une obscurité complète?*
11. *Est-ce que Mateo avait la réputation d'être un bon ami?*
12. *Avait-il aussi la réputation d'être un ennemi dangereux?*
13. *Donnait-il de temps en temps de l'argent aux pauvres?*
14. *S'était-il marié dans la ville de Porto-Vecchio?*

NOTES SUR LE TEXTE ★★

2. capuchon: *hood.* **4-5.** si ce n'est: *except.* **8.** une demi-lieue: *half a league (1 1/4 mi.).* **13.** tout au plus: *at most.* **14.** crépus: *curly, frizzled.* **16.** revers de botte: *boot top (leathery brown).* **20.** chevrotines: *buckshot (which scatter).* **23.** trait d'adresse: *feat (example of his skill).* **25.** transparent: *transparency, transparent disk.* **26.** Il mettait en joue: *He aimed.* **31.** On le disait: *They (People) said that he was.* **34.** Corte—*one of the most picturesque towns in Corsica.* **36.** passait pour: *was considered to be, had the reputation of being.*

poudre et des balles; n'oubliez pas un manteau brun garni d'un capuchon,* qui sert de couverture et de matelas. Les bergers vous donnent du lait, du fromage et des châtaignes, et vous n'aurez rien à craindre de la justice ou des parents du mort, si ce n'est* quand il vous faudra descendre à la ville pour y 5 renouveler vos munitions.

Mateo Falcone, quand j'étais en Corse en 18 ..., avait sa maison à une demi-lieue* de ce maquis. C'était un homme assez riche pour le pays; vivant noblement, c'est-à-dire sans rien faire, du produit de ses troupeaux, que des bergers, espèces 10 de nomades, menaient paître çà et là sur les montagnes. Lorsque je le vis, deux années après l'événement que je vais raconter, il me parut âgé de cinquante ans tout au plus.* Figurez-vous un homme petit mais robuste, avec des cheveux crépus,* noirs comme le jais, un nez aquilin, les lèvres minces, les yeux grands 15 et vifs, et un teint couleur de revers de botte.*

Son habileté au tir du fusil passait pour extraordinaire, même dans son pays, où il y a tant de bons tireurs. Par exemple, Mateo n'aurait jamais tiré sur un mouflon avec des chevrotines;* mais, à cent vingt pas, il l'abattait d'une balle 20 dans la tête ou dans l'épaule, à son choix.

La nuit, il se servait de ses armes aussi facilement que le jour, et l'on m'a cité de lui ce trait d'adresse* qui paraîtra peut-être incroyable à qui n'a pas voyagé en Corse. A quatre-vingts pas, on plaçait une chandelle allumée derrière un transparent* 25 de papier, large comme une assiette. Il mettait en joue,* puis on éteignait la chandelle, et, au bout d'une minute, dans l'obscurité la plus complète, il tirait et perçait le transparent trois fois sur quatre.

Avec un mérite aussi transcendant, Mateo Falcone s'était 30 attiré une grande réputation. On le disait* aussi bon ami que dangereux ennemi : d'ailleurs serviable et faisant l'aumône, il vivait en paix avec tout le monde dans le district de Porto-Vecchio. Mais on contait de lui qu'à Corte,* où il avait pris femme, il s'était débarrassé fort vigoureusement d'un rival qui 35 passait pour* aussi redoutable en guerre qu'en amour : du

EXERCICES SUR LE TEXTE

I. Répondez par oui ou par non aux questions suivantes :

  1. *Est-il certain que Mateo ait tué un homme à Corte?*
  2. *Est-ce que Mateo aurait pu tuer son rival s'il l'avait voulu?*
  3. *Mateo et Giuseppa avaient-ils quatre enfants?*
  4. *Avaient-ils quatre gendres?*
  5. *Est-ce que Mateo était heureux d'avoir un fils?*

II. Les déclarations suivantes sont-elles exactes ou inexactes?

  1. *C'est un jour du mois de mars que Mateo a quitté sa maison.*
  2. *Il allait visiter un de ses troupeaux à Corte.*
  3. *Il voulait y aller seul.*
  4. *Fortunato s'est étendu au soleil.*
  5. *Il a entendu l'explosion d'un fusil.*
  6. *L'homme qui a paru ressemblait un peu à Mateo Falcone.*
  7. *Cet homme venait de recevoir un coup de feu dans la tête.*
  8. *Fortunato pouvait à peine le voir parce qu'il faisait encore nuit.*
  9. *Gianetto avait sauté de rocher en rocher.*
  10. *S'il n'avait pas été blessé, peut-être aurait-il pu gagner le maquis.*
  11. *Les bandits vivent en sûreté dans le maquis.*

NOTES SUR LE TEXTE ★★

1. surprit: *took ... by surprise.* **2.** était à se raser: *was in the act of shaving.—This construction stresses the fact of an action going on.* **3.** assoupie: *quieted down.* **7.** au besoin: *in case of need, in an emergency.* **8.** escopettes: *carbines (a kind of gun).* **9.** annonçait déjà d'heureuses dispositions: *already showed great promise.* **12.** clairière: *clearing.* **15.** eut ... lieu de: *had cause to, had reason to.* **19.** le caporal: *here used in special Corsican sense of a rich, influential and respected person; (freely) judge.* **26.** haillons: *rags.* **28.** la cuisse: *the thigh.* **29.** bandit: *outlaw.* **31.** voltigeurs: *light infantrymen; (freely) (military) scouts, soldiers.* **34.** le mettait hors d'état de: *(lit.) was putting him out of condition to; (freely) rendered him unable to.*

moins on attribuait à Mateo certain coup de fusil qui surprit*
ce rival comme il était à se raser* devant un petit miroir pendu
à sa fenêtre.   L'affaire assoupie,* Mateo se maria.   Sa femme
Giuseppa lui avait donné d'abord trois filles (dont il enrageait),
et enfin un fils, qu'il nomma Fortunato : c'était l'espoir de sa 5
famille, l'héritier du nom.   Les filles étaient bien mariées : leur
père pouvait compter au besoin* sur les poignards et les
escopettes* de ses gendres.   Le fils n'avait que dix ans, mais il
annonçait déjà d'heureuses dispositions.*

Un certain jour d'automne, Mateo sortit de bonne heure 10
avec sa femme pour aller visiter un de ses troupeaux dans une
clairière* du maquis.   Le petit Fortunato voulait l'accompagner, mais la clairière était trop loin; d'ailleurs, il fallait
bien que quelqu'un restât pour garder la maison; le père refusa
donc : on verra s'il n'eut pas lieu de* s'en repentir.   15

Il était absent depuis quelques heures, et le petit Fortunato
était tranquillement étendu au soleil, regardant les montagnes
bleues, et pensant que, le dimanche prochain, il irait dîner à
la ville, chez son oncle le caporal,* quand il fut soudainement
interrompu dans ses méditations par l'explosion d'une arme à 20
feu.   Il se leva et se tourna du côté de la plaine d'où partait ce
bruit.   D'autres coups de fusil se succédèrent, tirés à inter-
valles inégaux, et toujours de plus en plus rapprochés; enfin,
dans le sentier qui menait de la plaine à la maison de Mateo
parut un homme, coiffé d'un bonnet pointu comme en portent 25
les montagnards, barbu, couvert de haillons,* et se traînant avec
peine en s'appuyant sur son fusil.   Il venait de recevoir un
coup de feu dans la cuisse.*

Cet homme était un bandit,* qui, étant parti de nuit pour
aller chercher de la poudre à la ville, était tombé en route dans 30
une embuscade de voltigeurs* corses.   Après une vigoureuse
défense, il était parvenu à faire sa retraite, vivement poursuivi et tiraillant de rocher en rocher.   Mais il avait peu
d'avance sur les soldats, et sa blessure le mettait hors d'état de*
gagner le maquis avant d'être rejoint.   35

Il s'approcha de Fortunato et lui dit :

EXERCICES SUR LE TEXTE

Répondez en français aux questions suivantes :

1. *Comment ce bandit s'appelle-t-il?*
2. *Qu'est-ce qu'il demande à Fortunato de faire?*
3. *Pourquoi veut-il que Fortunato le cache vite?*
4. *Est-ce que Mateo sera de retour dans cinq minutes?*
5. *Qu'est-ce que l'homme menace de faire?*
6. *Fortunato n'a pas peur du bandit; pourquoi pas?*
7. *A quoi sert un stylet?*
8. *Pourquoi le bandit ne peut-il pas courir aussi vite qu'un petit garçon de dix ans?*
9. *Pourquoi Fortunato fait-il un saut?*
10. *Où le bandit porte-t-il l'argent qu'il a sur lui?*
11. *Pourquoi le bandit n'avait-il pas dépensé la pièce qu'il montre à Fortunato?*
12. *Où Gianetto s'est-il caché?*
13. *Comment Fortunnato l'a-t-il couvert?*
14. *Qu'a-t-il mis sur le foin au-dessus du bandit?*
15. *Pourquoi a-t-il fait cela?*
16. *Est-ce que le petit garçon a montré beaucoup de sang-froid dans cette affaire?*

NOTES SUR LE TEXTE ★★★

4. les collets jaunes: " *yellow-collars* " *(obviously, the soldiers.)* **10.** Que j'attende?: *(a verb of wishing is understood) You want me to wait?* **14.** carchera: *(a Corsican word) leather bag, pouch.* **33.** s'avisa ... de: *thought of, invented.* **33-34.** une finesse de sauvage: *a crafty trick (i.e., one that might have been invented by a savage.)*

— Tu es le fils de Mateo Falcone?

— Oui.

— Moi, je suis Gianetto Sanpiero. Je suis poursuivi par les collets jaunes.* Cache-moi, car je ne puis aller plus loin.

— Et que dira mon père si je te cache sans sa permission? 5

— Il dira que tu as bien fait.

— Qui sait?

— Cache-moi vite; ils viennent.

— Attends que mon père soit revenu.

— Que j'attende*? malédiction! Ils seront ici dans cinq 10 minutes. Allons, cache-moi, ou je te tue.

Fortunato lui répondit avec le plus grand sang-froid :

— Ton fusil est déchargé, et il n'y a plus de cartouches dans ta carchera.*

— J'ai mon stylet. 15

— Mais courras-tu aussi vite que moi?

Il fit un saut, et se mit hors d'atteinte.

— Tu n'es pas le fils de Mateo Falcone! Me laisseras-tu donc arrêter devant ta maison?

L'enfant parut touché. 20

— Que me donneras-tu si je te cache? dit-il en se rapprochant.

Le bandit fouilla dans une poche de cuir qui pendait à sa ceinture, et il en tira une pièce de cinq francs qu'il avait réservée sans doute pour acheter de la poudre. Fortunato 25 sourit à la vue de la pièce d'argent; il s'en saisit, et dit à Gianetto :

— Ne crains rien.

Aussitôt il fit un grand trou dans un tas de foin placé auprès de la maison. Gianetto s'y blottit, et l'enfant le 30 recouvrit de manière à lui laisser un peu d'air pour respirer, sans qu'il fût possible cependant de soupçonner que ce foin cachât un homme. Il s'avisa,* de plus, d'une finesse de sauvage* assez ingénieuse. Il alla prendre une chatte et ses petits, et les établit sur le tas de foin pour faire croire qu'il n'a- 35 vait pas été remué depuis peu. Ensuite, remarquant des

EXERCICES SUR LE TEXTE

Répondez en français aux questions suivantes :

1. *Qu'est-ce que Fortunato a remarqué sur le sentier?*
2. *Comment a-t-il caché ce qu'il avait remarqué?*
3. *Où s'est-il recouché?*
4. *Quelques minutes après, qui est arrivé?*
5. *Est-ce que l'adjudant était l'oncle de Fortunato? le frère? le grand-père?*
6. *Comment l'adjudant s'appelait-il?*
7. *Qu'est-ce que l'adjudant a demandé à l'enfant?*
8. *Quelle réponse l'enfant a-t-il faite?*
9. *Est-ce que Fortunato était niais?*
10. *Croyez-vous que Fortunato se moque de l'adjudant?*
11. *Qu'est-ce que le curé avait voulu savoir?*
12. *De quoi Gamba était-il certain?*
13. *Est-ce que Fortunato dormait quand Gianetto est arrivé?*
14. *Avait-il vu Gianetto?*
15. *Pourquoi n'a-t-il pas voulu le dire à son cousin?*
16. *Comment Gamba savait-il que Fortunato ne dormait pas?*

NOTES SUR LE TEXTE ✶✶✶✶✶✶✶✶✶✶✶✶✶✶✶✶✶✶✶✶✶✶✶✶✶✶✶✶

5. adjudant: *sergeant.* **9.** redouté: *feared.* **27.** tu fais le malin: *you're trying to be smart, sly.*—Faire *is here used in the sense of pretending to be, acting as if one were.*

traces de sang sur le sentier près de la maison, il les couvrit de poussière avec soin, et, cela fait, il se recoucha au soleil avec la plus grande tranquillité.

Quelques minutes après, six hommes en uniforme brun à collet jaune, et commandés par un adjudant,* étaient devant 5 la porte de Mateo. Cet adjudant était quelque peu parent de Falcone. (On sait qu'en Corse on suit les degrés de parenté beaucoup plus loin qu'ailleurs.) Il se nommait Tiodoro Gamba : c'était un homme actif, fort redouté* des bandits dont il avait déjà traqué plusieurs. 10

— Bonjour, petit cousin, dit-il à Fortunato en l'abordant; comme te voilà grandi ! As-tu vu passer un homme tout à l'heure ?

— Oh! je ne suis pas encore si grand que vous, mon cousin, répondit l'enfant d'un air niais. 15

— Cela viendra. Mais n'as-tu pas vu passer un homme, dis-moi ?

— Si j'ai vu passer un homme ?

— Oui, un homme avec un bonnet pointu en velours noir, et une veste brodée de rouge et de jaune ? 20

— Un homme avec un bonnet pointu, et une veste brodée de rouge et de jaune ?

— Oui, réponds vite, et ne répète pas mes questions.

— Ce matin, M. le curé est passé devant notre porte, sur son cheval Piero. Il m'a demandé comment papa se portait, et 25 je lui ai répondu …

— Ah! petit drôle, tu fais le malin!* Dis-moi vite par où est passé Gianetto, car c'est lui que nous cherchons; et, j'en suis certain, il a pris par ce sentier.

— Qui sait ? 30

— Qui sait ? C'est moi qui sais que tu l'as vu.

— Est-ce qu'on voit les passants quand on dort ?

— Tu ne dormais pas, vaurien; les coups de fusil t'ont réveillé.

— Vous croyez donc, mon cousin, que vos fusils font tant 35 de bruit ? L'escopette de mon père en fait bien davantage.

EXERCICES SUR LE TEXTE

Complétez chacune des phrases suivantes par quelques mots :

1. *L'adjudant est bien sûr que Fortunato ...*
2. *Il ne croit pas que Gianetto ait cherché ...*
3. *Il a remarqué que les traces de sang s'arrêtent près de ...*
4. *Il croit donc que le bandit se cache dans ... ou près de ... .*
5. *Il dit aux soldats d'entrer ... pour vois si l'homme ...*
6. *L'adjudant menace de donner au garçon ...*
7. *Il veut, dit-il, le faire ...*
8. *Gamba menace de l'emmener à ... et de le faire coucher ...*
9. *L'enfant n'a pas peur de ...*
10. *Un des soldats conseille à Gamba de ne pas ...*
11. *Dans la maison d'un Corse il n'y a que ...*
12. *Comme meubles il n'y a que ...*
13. *Le soldat qui s'approche du tas de foin ne croit pas que le bandit y soit caché parce que ...*
14. *Encore une fois Fortunato montre beaucoup de ...*
15. *Fortunato jouit de ...*

NOTES SUR LE TEXTE ★★

1. maudit garnement: *you cursed scamp, rascal, or rogue.* **4.** Il n'allait plus que d'une patte: *(cf. note to p. 43, l. 1), (lit.) he was no longer going except on one leg; (freely) he was just dragging along on one leg.—Patte, used properly only of animals, here indicates contempt for the outlaw.* **6.** en clopinant: *by limping, by hobbling along.* **8.** ricanant: *sneering.* **12.** qu'il ne tient qu'à moi: *that it rests only with me, that it is only up to me.* **15.** ricanait toujours: *not " was sneering always," but " kept on sneering " or " continued to sneer " (to laugh scornfully).* **16.** avec emphase: *not " with emphasis " but " pompously."* **18.** Bastia—*largest city and capital of Corsica, on the northeast coast.*

— Que le diable te confonde, maudit garnement!* Je
suis bien sûr que tu as vu le Gianetto. Peut-être même l'as-tu
caché. Allons, camarades, entrez dans cette maison, et voyez
si notre homme n'y est pas. Il n'allait plus que d'une patte,*
et il a trop de bon sens, le coquin, pour avoir cherché à gagner 5
le maquis en clopinant.* D'ailleurs, les traces de sang
s'arrêtent ici.

— Et que dira papa? demanda Fortunato en ricanant;*
que dira-t-il s'il sait qu'on est entré dans sa maison pendant
qu'il était sorti? 10

— Vaurien! dit l'adjudant Gamba en le prenant par l'oreille, sais-tu qu'il ne tient qu'à moi* de te faire changer de note?
Peut-être qu'en te donnant une vingtaine de coups de plat de
sabre tu parleras enfin.

Et Fortunato ricanait toujours.* 15

— Mon père est Mateo Falcone! dit-il avec emphase.*

— Sais-tu bien, petit drôle, que je puis t'emmener à Corte
ou à Bastia?* Je te ferai coucher dans un cachot, sur la
paille, les fers aux pieds, et je te ferai guillotiner si tu ne dis où
est Gianetto Sanpiero. 20

L'enfant éclata de rire à cette ridicule menace. Il
répéta :

— Mon père est Mateo Falcone.

— Adjudant, dit tout bas un des voltigeurs, ne nous brouil-
lons pas avec Mateo. 20

Gamba paraissait évidemment embarrassé. Il causait à
voix basse avec ses soldats, qui avaient déjà visité toute la
maison. Ce n'était pas une opération fort longue, car la
cabane d'un Corse ne consiste qu'en une seule pièce carrée.
L'ameublement se compose d'une table, de bancs, de coffres et 30
d'ustensiles de chasse ou de ménage. Cependant le petit
Fortunato caressait sa chatte, et semblait jouir malignement
de la confusion des voltigeurs et de son cousin.

Un soldat s'approcha du tas de foin. Il vit la chatte, et
donna un coup de baïonnette dans le foin avec négligence, et en 35
haussant les épaules, comme s'il sentait que sa précaution était

EXERCICES SUR LE TEXTE

Complétez les phrases suivantes :

1. *Fortunato ne montre pas ...*
2. *Les soldats sont sur le point de ...*
3. *Mais l'adjudant décide de ...*
4. *Il flatte l'enfant en l'appelant ...*
5. *Il dit qu'il emmènerait Fortunato, s'il n'avait pas peur de ...*
6. *Mateo punira son fils, dit Gamba, parce que Fortunato ...*
7. *Gamba promet de donner quelque chose à Fortunato si l'enfant ...*
8. *Le petit garçon conseille à l'adjudant de ...*
9. *Il sera presque impossible de trouver le bandit s'il se cache ...*
10. *L'adjudant tire de sa poche ...*
11. *Les yeux du petit garçon ...*
12. *Si Fortunato avait une belle montre, on lui demanderait ...*
13. *Fortunato pourrait répondre : ...*
14. *Si Fortunato avait une montre, il serait fier comme ...*

NOTES SUR LE TEXTE ★★

3. se donnaient au diable: *were about to give up.* **16.** jusqu'au sang: *until you bleed, until blood comes.* **17.** Savoir?: *Are you sure? Do you think so?* **22.** il faudra plus d'un luron: *it will take more than one fellow or one guy.* **25.** écus: *crowns—an obsolete silver coin which was worth three francs or sixty cents; so dix écus was six dollars.* **30.** paon: *peacock.*

ridicule.   Rien ne remua; et le visage de l'enfant ne trahit pas la plus légère émotion.

L'adjudant et sa troupe se donnaient au diable;* déjà ils regardaient sérieusement du côté de la plaine, comme disposés à s'en retourner par où ils étaient venus, quand leur chef, 5 convaincu que les menaces ne produiraient aucune impression sur le fils de Falcone, voulut faire un dernier effort et tenter le pouvoir des caresses et des présents.

— Petit cousin, dit-il, tu me parais un gaillard bien éveillé! Tu iras loin.   Mais tu joues un vilain jeu avec moi; et, si je ne 10 craignais de faire de la peine à mon cousin Mateo, le diable m'emporte! je t'emmènerais avec moi.

— Bah!

— Mais, quand mon cousin sera revenu, je lui conterai l'affaire, et, pour ta peine d'avoir menti il te donnera le fouet 15 jusqu'au sang.*

— Savoir?*

— Tu verras … Mais, tiens … sois brave garçon, et je te donnerai quelque chose.

— Moi, mon cousin, je vous donnerai un avis : c'est que, si 20 vous tardez davantage, le Gianetto sera dans le maquis, et alors il faudra plus d'un luron* comme vous pour aller l'y chercher.

L'adjudant tira de sa poche une montre d'argent qui valait bien dix écus;* et, remarquant que les yeux du petit Fortunato 25 étincelaient en la regardant, il lui dit en tenant la montre suspendue au bout de sa chaîne d'acier :

— Fripon! tu voudrais bien avoir une montre comme celle-ci suspendue à ton col, et tu te promènerais dans les rues de Porto-Vecchio, fier comme un paon;* et les gens te deman- 30 deraient : « Quelle heure est-il? » et tu leur dirais : « Regardez à ma montre. »

— Quand je serai grand, mon oncle le caporal me donnera une montre.

— Oui; mais le fils de ton oncle en a déjà une … pas aussi 35 belle que celle-ci, à la vérité… Cependant il est plus jeune que toi.

EXERCICES SUR LE TEXTE

Les déclarations suivantes sont-elles exactes ou inexactes?

1. *Gamba avait l'intention de donner une montre à Fortunato parce que le petit garçon était son cousin.*

2. *On présenta un poulet à la chatte qui était sur le tas de foin.*

3. *Fortunato croyait que l'adjudant se moquait de lui.*

4. *L'enfant se lécha les lèvres.*

5. *Fortunato dit à Gamba que sa plaisanterie était cruelle.*

6. *Il ne savait pas s'il devait avoir confiance en l'adjudant.*

7. *Il sourit de plaisir en voyant la belle montre.*

8. *L'adjudant laissa la montre toucher le nez de l'enfant.*

9. *Fortunato savait que ce serait mal d'accepter la montre de l'adjudant.*

10. *Il montrait sur son visage le trouble de son âme.*

11. *Tout à coup il saisit la montre de sa main droite.*

12. *Il la tenait dans sa main avant que l'adjudant lâchât le bout de la chaîne.*

13. *La montre brillait au soleil.*

14. *Enfin le respect dû à l'hospitalité l'avait emporté sur la convoitise.*

15. *Fortunato poussa l'adjudant vers le tas de foin.*

16. *Gamba comprit tout de suite que le bandit y était caché.*

NOTES SUR LE TEXTE ★★

3. lorgnant: *eying.* **7.** babines: *lips, chops.* **19.** Que je perde mon épaulette: *May I lose my epaulet (shoulder strap, sign of his rank).* **21.** je ne puis m'en dédire: *I can't go back on my word.*—*Note omission of* pas *after* puis, *from* pouvoir. **24.** que se livraient: *(cf. note to p. 23, l. 7) which greed and respect … were waging, or fighting; which was being waged, or fought, between.* **32.** fourbie: *polished.* **32.** toute de feu: *wholly aflame.*

L'enfant soupira.

— Eh bien, la veux-tu cette montre, petit cousin?

Fortunato, lorgnant* la montre du coin de l'œil, ressemblait à un chat à qui l'on présente un poulet tout entier. Comme il sent qu'on se moque de lui, il n'ose y porter la griffe, et de 5
temps en temps il détourne les yeux pour ne pas s'exposer à succomber à la tentation; mais il se lèche les babines* à tout moment, et il a l'air de dire à son maître : « Que votre plaisanterie est cruelle! »

Cependant l'adjudant Gamba semblait de bonne foi en 10
présentant sa montre. Fortunato n'avança pas la main; mais il lui dit avec un sourire amer :

— Pourquoi vous moquez-vous de moi?

— Par Dieu! je ne me moque pas. Dis-moi seulement où est Gianetto, et cette montre est à toi. 15

Fortunato laissa échapper un sourire d'incrédulité; et, fixant ses yeux noirs sur ceux de l'adjudant, il s'efforçait d'y lire la foi qu'il devait avoir en ses paroles.

— Que je perde mon épaulette,* s'écria l'adjudant, si je ne te donne pas la montre à cette condition! Les camarades 20
sont témoins; et je ne puis m'en dédire.*

En parlant ainsi, il approchait toujours la montre, tant, qu'elle touchait presque la joue pâle de l'enfant. Celui-ci montrait bien sur sa figure le combat que se livraient* en son âme la convoitise et le respect dû à l'hospitalité. Sa poitrine 25
nue se soulevait avec force, et il semblait près d'étouffer. Cependant la montre oscillait, tournait, et quelquefois lui heurtait le bout du nez. Enfin, peu à peu, sa main droite s'éleva vers la montre : le bout de ses doigts la toucha; et elle pesait tout entière dans sa main sans que l'adjudant lâchât pourtant le 30
bout de la chaîne ... Le cadran était azuré ... la boîte nouvellement fourbie* ..., au soleil, elle paraissait toute de feu* ... La tentation était trop forte.

Fortunato éleva aussi sa main gauche, et indiqua du pouce, par-dessus son épaule, le tas de foin auquel il était adossé. 35
L'adjudant le comprit aussitôt. Il abandonna l'extrémité de

EXERCICES SUR LE TEXTE

Trouvez les phrases suivantes dans le texte, puis traduisez-les en anglais :

1. *Il s'éloigna de dix pas du tas de foin.*
2. *... les voltigeurs se mirent aussitôt à ...*
3. *On ne tarda pas à voir le foin s'agiter ...*
4. *... il essayait de se lever en pied ...*
5. *... se tenir debout.*
6. *... lui arracha son stylet.*
7. *... couché par terre et lié comme un fagot ...*
8. *... qui s'était rapproché.*
9. *... qu'il en avait reçue ...*
10. *... n'eut pas l'air de faire attention à ...*
11. *... je ne puis marcher ...*
12. *... tout à l'heure ...*
13. *... pour que je sois plus commodément.*
14. *... les uns ... les autres ...*
15. *... tout d'un coup ...*
16. *... au détour d'un sentier ...*
17. *... ne portant qu'un fusil à la main ...*
18. *... il est indigne ...*

NOTES SUR LE TEXTE ★★

2. daim: *deer.* **3.** culbuter: *turn over, turn upside down.* **6.** refroidie: *cooled, cold.* **8.** garrotta: *tied up.* **10.** un fagot: *a bundle of sticks.* **19.** chevreuil: *roebuck, roedeer.* **20.** sois tranquille: *don't worry.*—Rester tranquille = *to be quiet physically, to remain in one's place;* être tranquille = *to be calm mentally.* **22.** Au reste: *besides, moreover, anyhow.* **23.** capote: *coat.* **26.** pour que je sois plus commodément: *so I can be more comfortable.*— *Gianetto's French is not correct!* **33.** se prélassait: *was sauntering along.*

la chaîne; Fortunato se sentit seul possesseur de la montre.
Il se leva avec l'agilité d'un daim,* et s'éloigna de dix pas du
tas de foin, que les voltigeurs se mirent aussitôt à culbuter.*

On ne tarda pas à voir le foin s'agiter; et un homme sanglant, le poignard à la main, en sortit; mais, comme il essayait 5
de se lever en pied, sa blessure refroidie* ne lui permit plus de
se tenir debout.   Il tomba.   L'adjudant se jeta sur lui et lui
arracha son stylet.   Aussitôt on le garrotta* fortement,
malgré sa résistance.

Gianetto, couché par terre et lié comme un fagot,* tourna 10
la tête vers Fortunato qui s'était rapproché.

— Fils de …! lui dit-il avec plus de mépris que de colère.

L'enfant lui jeta la pièce d'argent qu'il en avait reçue,
sentant qu'il avait cessé de la mériter; mais le proscrit n'eut pas
l'air de faire attention à ce mouvement.   Il dit avec beaucoup 15
de sang-froid à l'adjudant :

— Mon cher Gamba, je ne puis marcher; vous allez être
obligé de me porter à la ville.

— Tu courais tout à l'heure plus vite qu'un chevreuil,*
repartit le cruel vainqueur; mais sois tranquille :* je suis si 20
content de te tenir, que je te porterais une lieue sur mon dos
sans être fatigué.   Au reste,* mon camarade, nous allons te
faire une litière avec des branches et ta capote,* et à la ferme
de Crespoli nous trouverons des chevaux.

— Bien, dit le prisonnier; vous mettrez aussi un peu de 25
paille sur votre litière, pour que je sois plus commodément.*

Pendant que les voltigeurs s'occupaient, les uns à faire une
espèce de brancard avec des branches de châtaignier, les
autres à panser la blessure de Gianetto, Mateo Falcone et sa
femme parurent tout d'un coup au détour d'un sentier qui 30
conduisait au maquis.   La femme s'avançait courbée péniblement sous le poids d'un énorme sac de châtaignes, tandis
que son mari se prélassait,* ne portant qu'un fusil à la main et
un autre en bandoulière; car il est indigne d'un homme de
porter d'autre fardeau que ses armes.   35

A la vue des soldats, la première pensée de Mateo fut qu'ils

EXERCICES SUR LE TEXTE

Trouvez les phrases suivantes dans le texte, puis traduisez-les en anglais :

1. *Il jouissait d'une ...*
2. *... un particulier bien famé ...*
3. *... il était Corse et montagnard ...*
4. *... il y a peu de Corses montagnards ...*
5. *... coups de fusil, coups de stylet ...*
6. *... avait la conscience nette ...*
7. *... il se mit en posture de ...*
8. *... s'il en était besoin.*
9. *... sur-le-champ.*
10. *... qui aurait pu le gêner.*
11. *Il arma celui ...*
12. *... d'où il aurait pu faire feu à couvert.*
13. *... sur ses talons ...*
14. *... à pas comptés ...*
15. *... le doigt sur la détente.*
17. *... se trouvait parent de ...*
17. *... qu'il voulût le défendre ...*
18. *... il prit un parti fort courageux ...*
19. *... comment cela va-t-il?*
20. *... mon brave.*

NOTES SUR LE TEXTE ★★★

2. démêlés: *disputes, quarrels, difficulties.* **9.** toutefois: *nevertheless, however.—Do not confuse with* toutes les fois, *every time.* **20.** giberne: *cartridge pouch.*
23. fort en peine: *greatly embarrassed, uneasy, or worried.* **27.** qu'il voulût: *if he wanted, if he wished.—Que replaces* si, *if; in such cases a verb must be in the subjunctive.* **28.** bourres: *wads—for pushing the charge down in a muzzle-loading gun. Along with the wads, of course, would go the bullets.* **29.** une lettre à la poste—*supply* "arrive à destination," "*reaches its address.*"
29. nonobstant: *notwithstanding.*

venaient pour l'arrêter. Mais pourquoi cette idée? Mateo avait-il donc quelques démêlés* avec la justice? Non. Il jouissait d'une bonne réputation. C'était, comme on dit, un particulier bien famé; mais il était Corse et montagnard, et il y a peu de Corses montagnards qui, en scrutant bien leur 5 mémoire, n'y trouvent quelque peccadille, telle que coups de fusil, coups de stylet et autres bagatelles. Mateo, plus qu'un autre, avait la conscience nette; car depuis plus de dix ans il n'avait dirigé son fusil contre un homme; mais toutefois* il était prudent, et il se mit en posture de faire une belle défense, 10 s'il en était besoin.

— Femme, dit-il à Giuseppa, mets bas ton sac et tiens-toi prête.

Elle obéit sur-le-champ. Il lui donna le fusil qu'il avait en bandoulière et qui aurait pu le gêner. Il arma celui qu'il 15 avait à la main, et il s'avança lentement vers sa maison, longeant les arbres qui bordaient le chemin, et prêt, à la moindre démonstration hostile, à se jeter derrière le plus gros tronc, d'où il aurait pu faire feu à couvert. Sa femme marchait sur ses talons, tenant son fusil de rechange et sa giberne.* L'emploi 20 d'une bonne ménagère, en cas de combat, est de charger les armes de son mari.

D'un autre côté, l'adjudant était fort en peine* en voyant Mateo s'avancer ainsi, à pas comptés, le fusil en avant et le doigt sur la détente. 25

— Si par hasard, pensa-t-il, Mateo se trouvait parent de Gianetto, ou s'il était son ami, et qu'il voulût* le défendre, les bourres* de ses deux fusils arriveraient à deux d'entre nous, aussi sûr qu'une lettre à la poste,* et s'il me visait, nonobstant* la parenté! ... 30

Dans cette perplexité, il prit un parti fort courageux, ce fut de s'avancer seul vers Mateo pour lui conter l'affaire, en l'abordant comme une vieille connaissance; mais le court intervalle qui le séparait de Mateo lui parut terriblement long.

— Holà! eh! mon vieux camarade, criait-il, comment cela 35 va-t-il, mon brave? C'est moi, je suis Gamba, ton cousin.

EXERCICES SUR LE TEXTE

Répondez en français aux questions suivantes :

1. *Est-ce que Mateo Falcone était le cousin de l'adjudant?*
2. *Quand Mateo s'est arrêté, qu'est-ce qu'il a dit?*
3. *Que voulait-il savoir avant de parler?*
4. *Qu'est-ce que Mateo a fait pendant que l'adjudant parlait?*
5. *Gamba a dit qu'il était venu pour dire bonjour à Mateo et à Giuseppa; était-ce la vérité?*
6. *Pourquoi Giuseppa est-elle contente d'apprendre que Gianetto a été pris?*
7. *Est-ce que Mateo est heureux, lui aussi, d'apprendre cela?*
8. *Pourquoi Gianetto avait-il tué un soldat?*
9. *A qui avait-il cassé le bras?*
10. *Est-ce que tous les voltigeurs étaient des Français?*
11. *Quelle était leur nationalité?*
12. *Où Gianetto s'était-il caché?*
13. *Qui l'avait aidé à s'y cacher?*
14. *Qui avait aidé l'adjudant à le trouver?*
15. *Qu'est-ce que l'adjudant va dire à l'oncle de Fortunato?*
16. *Qu'est-ce que son oncle lui enverra?*
17. *Quand Gianetto a vu Mateo avec Gamba, a-t-il souri de plaïsir?*
18. *Qu'a-t-il fait pour montrer son mépris?*

NOTES SUR LE TEXTE ★★★

2. canon: *barrel.* **5.** Bonjour, frère = **Buon** giorno, fratello, salut ordinaire des Corses.—*Note by Mérimée.* **9.** traite: *journey, stretch; (freely) we've covered a lot of ground.* **11.** empoigner: *to seize, catch, arrest, grab.* **19.** caporal: *corporal—not the same Corsican word used on page 113.* **20.** ce n'était qu'un Français—*this facetious remark reflects the attitude of the native Corsicans towards their rulers at the time of the story.* **27.** malice: *trick.* **27.** Aussi: *So, not " also"; cf. note to p. 23, l. 23.—Although the inverted order is not used here, in the first person singular, the principle still holds good.* **30.** M. l'avocat général: *the Attorney General—the prosecuting attorney of the government.*

Mateo, sans répondre un mot, s'était arrêté, et, à mesure que l'autre parlait il relevait doucement le canon* de son fusil, de sorte qu'il était dirigé vers le ciel au moment où l'adjudant le joignit.

— Bonjour, frère,* dit l'adjudant en lui tendant la main. Il y a bien longtemps que je ne t'ai vu.

— Bonjour, frère.

— J'étais venu pour te dire bonjour en passant, et à ma cousine Pepa. Nous avons fait une longue traite* aujourd'hui; mais il ne faut pas plaindre notre fatigue, car nous avons fait une fameuse prise. Nous venons d'empoigner* Gianetto Sanpiero.

— Dieu soit loué! s'écria Giuseppa. Il nous a volé une chèvre laitière la semaine passée.

Ces mots réjouirent Gamba.

— Pauvre diable! dit Mateo, il avait faim.

— Le drôle s'est défendu comme un lion, poursuivit l'adjudant un peu mortifié; il m'a tué un de mes voltigeurs, et, non content de cela, il a cassé le bras du caporal* Chardon; mais il n'y a pas grand mal, ce n'était qu'un Français* ... Ensuite, il s'était si bien caché, que le diable ne l'aurait pu découvrir. Sans mon petit cousin Fortunato, je ne l'aurais jamais pu trouver.

— Fortunato! s'écria Mateo.

— Fortunato! répéta Giuseppa.

— Oui, le Gianetto s'était caché sous ce tas de foin là-bas; mais mon petit cousin m'a montré la malice.* Aussi* je le dirai à son oncle le caporal, afin qu'il lui envoie un beau cadeau pour sa peine. Et son nom et le tien seront dans le rapport que j'enverrai à M. l'avocat général.*

— Malédiction! dit tout bas Mateo.

Ils avaient rejoint le détachement. Gianetto était déjà couché sur la litière et prêt à partir. Quand il vit Mateo en la compagnie de Gamba, il sourit d'un sourire étrange; puis, se tournant vers la porte de la maison, il cracha sur le seuil en disant :

EXERCICES SUR LE TEXTE

Répondez en français aux questions suivantes :

1. *Pourquoi la maison de Mateo était-elle celle d'un traître?*
2. *Pourquoi Gianetto a-t-il osé insulter Mateo?*
3. *Quel geste Mateo a-t-il fait?*
4. *Savait-il que son fils avait été un traître?*
5. *Qu'est-ce que Fortunato a offert à Gianetto?*
6. *Pourquoi Gianetto n'a-t-il pas accepté ce que Fortunato lui a offert?*
7. *Qui lui a donné de l'eau?*
8. *Pourquoi voulait-il avoir les mains croisées sur la poitrine?*
9. *Quand l'a-t-on satisfait?*
10. *Combien de temps s'est écoulé avant que Mateo ait dit un mot?*
11. *Qu'est-ce que l'enfant a fait pendant ce temps?*
12. *« Tu commences bien!» a dit Mateo. Quelle est la vraie signification de ces mots?*
13. *Qu'est-ce que Fortunato a voulu faire?*
14. *Qu'est-ce que Mateo lui a ordonné de faire?*
15. *Est-ce que Fortunato a obéi?*
16. *Qui a découvert que Fortunato avait une montre?*

NOTES SUR LE TEXTE ★★

2. Il n'y avait qu'un homme décidé à …: *Only a man who had made up his mind that he was going to die would have.* **7.** accablé: *overwhelmed, crushed.* **11.** Loin de moi!: *Get away from me!* **22.** au pas accéléré: *at a quick step, at a quick march.* **28.** pour qui: *for anyone who.* **32.** Arrière de moi!: *Get away from me!*

— Maison d'un traître!

Il n'y avait qu'un homme décidé à* mourir qui eût osé prononcer le mot de traître en l'appliquant à Falcone. Un bon coup de stylet, qui n'aurait pas eu besoin d'être répété, aurait immédiatement payé l'insulte. Cependant Mateo ne 5 fit pas d'autre geste que celui de porter sa main à son front comme un homme accablé.*

Fortunato était entré dans la maison en voyant arriver son père. Il reparut bientôt avec une jatte de lait, qu'il présenta les yeux baissés à Gianetto. 10

— Loin de moi!* lui cria le proscrit d'une voix foudroyante.

Puis, se tournant vers un des voltigeurs :

— Camarade, donne-moi à boire, dit-il.

Le soldat remit sa gourde entre ses mains, et le bandit but l'eau que lui donnait un homme avec lequel il venait d'échanger 15 des coups de fusil. Ensuite il demanda qu'on lui attachât les mains de manière qu'il les eût croisées sur sa poitrine, au lieu de les avoir liées derrière le dos.

— J'aime, disait-il, à être couché à mon aise.

On s'empressa de le satisfaire, puis l'adjudant donna le 20 signal du départ, dit adieu à Mateo, qui ne lui répondit pas, et descendit au pas accéléré* vers la plaine.

Il se passa près de dix minutes avant que Mateo ouvrît la bouche. L'enfant regardait d'un œil inquiet tantôt sa mère et tantôt son père, qui, s'appuyant sur son fusil, le considérait avec 25 une expression de colère concentrée.

— Tu commences bien! dit enfin Mateo d'une voix calme, mais effrayante pour qui* connaissait l'homme.

— Mon père! s'écria l'enfant en s'avançant les larmes aux yeux comme pour se jeter à ses genoux. 30

— Mais Mateo lui cria :

— Arrière de moi!*

Et l'enfant s'arrêta et sanglota, immobile, à quelques pas de son père.

Giuseppa s'approcha. Elle venait d'apercevoir la chaîne 35 de la montre, dont un bout sortait de la chemise de Fortunato.

132

EXERCICES SUR LE TEXTE

I. Répondez en français aux questions suivantes :

1. *Quel est le nom de l'homme qui avait donné la montre à Fortunato?*
2. *Pourquoi cet homme la lui avait-il donnée?*
3. *Comment Mateo a-t-il cassé la montre?*
4. *De quoi Mateo a-t-il accusé son fils?*
5. *Est-ce que cette accusation était juste?*
6. *Est-ce que Fortunato a eu peur de son père à ce moment-là?*
7. *Qu'est-ce que Mateo a ordonné à Fortunato de faire?*
8. *Est-ce que Giuseppa savait ce que son mari allait faire?*

II. Complétez les phrases suivantes en français :

1. *Giuseppa est entrée …*
2. *Elle s'est jetée …*
3. *Mateo s'est arrêté dans …*
4. *Il a trouvé la terre …*
5. *Il a dit à Fortunato d'aller …*
6. *Il lui a ordonné de …*
7. *Fortunato a prié son père de ne pas …*
8. *En récitant des prières, l'enfant a … et a …*

NOTES SUR LE TEXTE ✶✶
12. hoquets: *hiccups, gasps.* **24.** quelque: *about, some*—quelque *is here an adverb and so invariable.*

— Qui t'a donné cette montre? demanda-t-elle d'un ton sévère.

— Mon cousin l'adjudant.

Falcone saisit la montre, et, la jetant avec force contre une pierre, il la mit en mille pièces.   5

— Femme, dit-il, cet enfant est-il de moi?

Les joues brunes de Giuseppa devinrent d'un rouge de brique.

— Que dis-tu, Mateo? et sais-tu bien à qui tu parles?

— Eh bien, cet enfant est le premier de sa race qui ait fait 10 une trahison.

Les sanglots et les hoquets* de Fortunato redoublèrent, et Falcone tenait ses yeux de lynx toujours attachés sur lui. Enfin il frappa la terre de la crosse de son fusil, puis le rejeta sur son épaule et reprit le chemin du maquis en criant à For- 15 tunato de le suivre.   L'enfant obéit.

Giuseppa courut après Mateo et lui saisit le bras.

— C'est ton fils, lui dit-elle d'une voix tremblante en attachant ses yeux noirs sur ceux de son mari, comme pour lire ce qui se passait dans son âme.   20

— Laisse-moi, répondit Mateo : je suis son père.

Giuseppa embrassa son fils et entra en pleurant dans sa cabane.   Elle se jeta à genoux devant une image de la Vierge et pria avec ferveur.   Cependant Falcone marcha quelque* deux cents pas dans le sentier et ne s'arrêta que dans un petit 25 ravin où il descendit.   Il sonda la terre avec la crosse de son fusil et la trouva molle et facile à creuser.   L'endroit lui parut convenable pour son dessein.

— Fortunato, va auprès de cette grosse pierre.

L'enfant fit ce qu'il lui commandait, puis il s'agenouilla. 30

— Dis tes prières.

— Mon père, mon père, ne me tuez pas.

— Dis tes prières! répéta Mateo d'une voix terrible.

L'enfant, tout en balbutiant et en sanglotant, récita le *Pater* et le *Credo*.   Le père, d'une voix forte, répondait *Amen!* 35 à la fin de chaque prière.

EXERCICES SUR LE TEXTE

Répondez en français aux questions suivantes :

1. *Quelles prières Fortunato a-t-il récitées?*
2. *Qu'est-ce que l'enfant a proposé de faire pour sauver la vie de Gianetto?*
3. *Que faisait Mateo pendant que son fils parlait?*
4. *Qu'est-ce que Mateo a prié Dieu de faire?*
5. *Qu'est-ce que Fortunato a essayé de faire?*
6. *Pourquoi n'en a-t-il pas eu le temps?*
7. *Où Mateo a-t-il rencontré sa femme?*
8. *Pourquoi accourait-elle?*
9. *Est-ce que Mateo avait fait un acte de justice?*
10. *Doit-on tuer tous les enfants qui trahissent?*
11. *Qui va remplacer Fortunato dans la maison de Mateo Falcone?*
12. *Le père de Fortunato a-t-il été trop cruel envers son fils?*
13. *Pouvez-vous trouver l'île de Corse sur une carte? Où se trouve-t-elle?*
14. *Quel grand homme est né en Corse?*
15. *Les personnages de ce conte s'appellent Mateo, Giuseppa, Fortunato, Gianetto, Tiodoro, etc.; à quelle langue pensez-vous en entendant ces noms?*
16. *Pourquoi les Corses ont-ils de tels noms?*
17. *Qu'est-ce que c'est que le maquis corse?*

NOTES SUR LE TEXTE ★★★

1. Sont-ce là: *Are those.* **2.** litanie: *litany—a prayer in the form of a series of invocations and supplications; in this sense, correct French usage today requires* " les litanies. " *Mérimée may have been using the word without precise meaning, simply as a long prayer.* **7.** grâce: *mercy.* **8.** qu'on fera grâce: *that they will spare, pardon, or let off.* **15.** roide: *suddenly, instantly.—May also be written* raide *but this adverb must not be confused with* raide, *an adjective which means stiff.* **24.** Qu'on dise: *Let some one tell, Send word.*

— Sont-ce là* toutes les prières que tu sais?

— Mon père, je sais encore l'*Ave Maria* et la litanie* que ma tante m'a apprise.

— Elle est bien longue, n'importe.

L'enfant acheva la litanie d'une voix éteinte.

— As-tu fini?

— Oh! mon père, grâce!* pardonnez-moi! Je ne le ferai plus! Je prierai tant mon cousin le caporal qu'on fera grâce* au Gianetto!

Il parlait encore; Mateo avait armé son fusil et le couchait en joue en lui disant :

— Que Dieu te pardonne!

L'enfant fit un effort désespéré pour se relever et embrasser les genoux de son père; mais il n'en eut pas le temps. Mateo fit feu, et Fortunato tomba roide* mort.

Sans jeter un coup d'œil sur le cadavre, Mateo reprit le chemin de sa maison pour aller chercher une bêche afin d'enterrer son fils. Il avait fait à peine quelques pas qu'il rencontra Giuseppa, qui accourait alarmée du coup de feu.

— Qu'as-tu fait? s'écria-t-elle.

— Justice.

— Où est-il?

— Dans le ravin. Je vais l'enterrer. Il est mort en chrétien; je lui ferai chanter une messe. Qu'on dise* à mon gendre Tiodoro Bianchi de venir demeurer avec nous.

HISTOIRE DE CARRÉ ET DE LERONDEAU

par

GEORGES DUHAMEL

EXERCICES SUR LE TEXTE

Laquelle des déclarations faites dans (a) et (b) est correcte?

1. *Deux hommes qui ressemblent à deux colis sont arrivés (a) au bureau de poste, (b) à un hôpital.*

2. *Ils ont été enveloppés (a) dans d'étranges appareils, (b) dans des cercueils.*

3. *Ils sont arrivés (a) ensemble, (b) l'un après l'autre.*

4. *(a) Ils avaient au moins deux mille ans. (b) Il était difficile de dire quel âge ils avaient.*

5. *(a) Ils avaient l'âge des momies. (b) Ils paraissaient être aussi vieux que des momies.*

6. *On les a mis (a) dans des draps propres, (b) dans leurs propres draps.*

7. *Enfin on a pu voir (a) qu'ils avaient deux mille ans et plus, (b) que l'un était beaucoup plus âgé que l'autre.*

8. *(a) On a appris qu'ils étaient parents. (b) Ils avaient le même air de misère.*

9. *(a) On les respectait à cause de leur grande souffrance. (b) On a appris qu'ils appartenaient à une famille royale.*

10. *Le plus jeune (a) ne prononce pas bien son nom, (b) a un nom bizarre.*

11. *En prononçant son nom, le plus jeune (a) paraît souffrir, (b) ne fait que des sons indistincts.*

NOTES SUR LE TEXTE ★★★

4. empêtrées: *entangled.* **4.** sanglées: *bound, strapped.* **10.** décortiqués: *husked, peeled.* **17.** bien portants: *in good health—obviously related to* se porter, *to be (of health).*

HISTOIRE DE CARRÉ ET DE LERONDEAU

par GEORGES DUHAMEL

ILS sont arrivés comme deux colis dans le même envoi, comme deux colis encombrants et misérables, pauvrement empaquetés et maltraités par la poste. Deux formes humaines empêtrées* de linges et de lainages, sanglées* dans d'étranges appareils dont l'un enfermait tout l'homme, comme 5 un cercueil de zinc et de fil de fer.

Ils paraissaient sans âge; ou plutôt, n'avaient-ils pas tous deux mille ans et plus, l'âge même des momies ficelées dans le fond des sarcophages?

On les a lavés, peignés, décortiqués* et déposés avec bien 10 des précautions dans des draps propres; alors on a pu voir que l'un conservait un visage de vieillard et que l'autre n'était encore qu'un enfant.

Leurs lits se font face dans la même salle grise. Dès l'entrée, on les remarque tout de suite : l'immense misère leur 15 donne un air de parenté. A côté d'eux, les autres blessés semblent heureux et bien portants.* Mais, dans ce séjour de la souffrance, ils sont les rois; leur couche est entourée d'un respect, d'un silence qui conviennent bien à la majesté.

Je m'approche du plus jeune et me penche. 20
— Comment t'appelles-tu?

Un murmure traversé d'un regard suppliant me répond. Ce que j'entends est à peu près : Mahihehondo. C'est un soupir avec des modulations.

EXERCICES SUR LE TEXTE

Les déclarations suivantes sont-elles exactes ou inexactes?

1. *Le plus jeune des blessés s'appelle Marie Lerondeau.*
2. *C'est le nom qu'il avait déjà essayé de prononcer.*
3. *On a mis l'autre blessé dans une autre salle de l'hôpital.*
4. *La voix de Carré est presque mélodieuse.*
5. *Lerondeau et Carré avaient été blessés par la même balle.*
6. *Il va être difficile ou peut-être impossible de les guérir.*
7. *Ils ont plus de raisons de vivre que de mourir.*
8. *Le médecin voudrait savoir lequel des deux va mourir le premier.*
9. *Il faudra faire des opérations.*
10. *Il faut que le couteau tue l'un ou l'autre de ces deux hommes.*
11. *Le médecin va lutter avec la mort.*
12. *Il n'est pas facile de connaître ces deux blessés.*

NOTES SUR LE TEXTE ✶✶

1. Il me faudra: *(as usual, of time) It will take me.* **2.** Marie—*not unusual for a Frenchman to have this name; cf. the name of the famous general Marie-Joseph de Lafayette.* **4.** D'entre: *From among, Out from.* **5.** au timbre brisé: *with a cracked tone.* **8.** touchés: *hit, wounded.* **10.** ambulance: *not the English " ambulance " but field hospital.* **11.** s'envenimer: *to become infected.* **13.** maître: *(here) head doctor, chief surgeon.* **15.** Il n'y a qu'à: *All one can do is.* **19.** le couteau savant: *the skillful knife.—The knife is probably a scalpel; calling it "savant" is of course a figure of speech.* **20-21.** débat: *(lit.) debate, discussion; (figuratively) contest—between the surgeon and his knife on one side and the flesh of the wounded man on the other.* **23.** mette au jour: *bring to light, reveal, expose.* **28.** Passé le réveil nauséeux: *After the nauseous awakening.—Nauseous as an aftereffect of chloroform; awakening = regaining consciousness.*

Il me faudra* plus d'une semaine pour comprendre que le nouvel enfant s'appelle Marie* Lerondeau.

Le lit d'en face est moins confus. Je vois une petite tête édentée. D'entre* les touffes de barbe sort une voix paysanne, au timbre brisé,* mais émouvant et presque mélodieux. Il y a là un homme qui s'appelle Carré.

Ils ne sont pas venus du même champ de bataille, mais ils ont été touchés* presque en même temps, et ils ont reçu la même blessure. Ils ont, tous deux, la cuisse cassée par une balle. Le hasard les a réunis dans la même ambulance* lointaine, où leurs plaies ont achevé de s'envenimer.* A compter de ce jour, ils ne se sont plus quittés, et les voilà finalement enveloppés dans le même regard bleu du maître.*

Il les contemple tous deux, et il n'a qu'un hochement de tête; vraiment, voilà de la pénible besogne! Il n'y a qu'à* se demander lequel des deux va mourir le premier, tant elles sont nombreuses pour tous deux les raisons de ne plus vivre.

L'homme à la barbe blanche les contemple en silence, et il tourne et retourne dans sa main le couteau savant.*

Il n'y aura de connaissance possible qu'après ce grave débat.* Il va falloir que l'âme s'absente, car cette heure n'est pas la sienne. Il faut maintenant que le couteau divise la chair, et mette au jour* les ravages, et fasse toute son œuvre.

Les deux camarades s'endorment donc, de cet affreux sommeil où chaque homme ressemble à son cadavre. Désormais la lutte est engagée. Nous avons refermé les mains sur ces deux corps; on ne nous les arrachera pas aisément.

Passé le réveil nauséeux,* passées les tranchantes souffrances du début, je découvre peu à peu mes nouveaux amis.

Cela demande beaucoup de temps et de patience. L'heure du pansement est propice. L'homme est nu, sur une table. On le voit tout entier, et tout entières aussi et béantes, ces grandes plaies, objets de tant d'inquiétude et d'espoir.

EXERCICES SUR LE TEXTE

Répondez par oui ou par non aux questions suivantes :

1. *Est-ce que l'après-midi est aussi favorable que le matin à la communion entre le médecin et les malades?*

2. *Carré a-t-il commencé à guérir plus vite que Lerondeau?*

3. *Est-ce que Carré est plus jeune que Lerondeau?*

4. *Est-ce que Carré commence à aimer le médecin?*

5. *Lerondeau passe-t-il son temps à chanter?*

6. *Chante-t-il bien?*

7. *Est-ce que le médecin tutoie Lerondeau?*

8. *Lerondeau aime-t-il que le médecin le tutoie?*

9. *Est-ce que le médecin tutoie tous les blessés?*

10. *Quand le médecin ne le tutoie pas, Lerondeau est-il triste?*

11. *Aime-t-il que le médecin l'appelle monsieur Lerondeau?*

12. *Est-ce que le médecin lui dira: « Taisez-vous, monsieur! » s'il est raisonnable?*

13. *Est-ce que Lerondeau crie quelquefois au moment du pansement?*

14. *Est-ce que Carré a bientôt montré qu'il était un homme?*

15. *Porte-t-on Carré et Lerondeau à la salle des pansements sur des brancards?*

NOTES SUR LE TEXTE ★★★

5. a pris ... de l'avance: *has gone ahead.*   **6.** emmaillotté: *wrapped, swathed.*
7. hébétude: *dullness, torpor.*   **12.** Faut pas: *(the author represents the manner of talking of uneducated people) Mustn't.*   **14.** son petit nom: *his given name, Christian name.*—One may say also " prénom. "   **23.** sage—*this word has two distinct meanings, depending upon its context: (1) good, well-behaved; (2) wise.*   **26.** j'ai dû—*this tense of* devoir *has two different meanings: (1) I must have, I probably have; (2) I had to.*   **27.** sur l'heure: *immediately.*
28. toutefois—*cf. note to p. 127, l. 9.*   **30.** Monsieur tout court: *simply Monsieur, Monsieur and nothing else.*

L'après-midi n'est pas moins favorable à la communion, mais c'est autre chose.   Le calme est survenu et ces deux êtres ont cessé d'être uniquement une jambe douloureuse, et une bouche qui crie.

Carré a pris tout de suite de l'avance.* Il a fait un véri- 5
table bond.   Alors que Lerondeau semble encore emmaillotté* dans une hébétude* plaintive, Carré, déjà, m'enveloppe d'un regard affectueux et profond.   Il me dit :

— Il faut faire tout ce qu'il faut.

Lerondeau ne sait encore que chanter une phrase à peine 10
articulée :

— Faut pas* me faire de mal!

Dès que j'ai pu distinguer et comprendre les paroles de l'enfant, je l'ai appelé par son petit nom.* Je lui dis :

— Comment vas-tu, Marie?   15

Ou bien :

— Je suis content de toi, Marie.

Cette familiarité lui convient, autant que le tutoiement. Il a bien deviné que je tutoie seulement ceux qui souffrent beaucoup et que j'aime avec prédilection.   Alors, je lui dis : 20
« Marie, ta plaie est bien belle aujourd'hui. » Et tout le monde, dans l'hôpital, l'appelle également Marie.

Quand il n'est pas sage,* je dis :

— Vous n'êtes pas raisonnable, Lerondeau!

Et, tout de suite, ses yeux se remplissent de larmes.   Cer- 25
tain jour j'ai dû* recourir à « Monsieur Lerondeau! » et il a eu un tel chagrin que je me suis rétracté sur l'heure …* Il se retient toutefois* de gourmander son infirmier et de crier trop fort au pansement, car il sait que le jour où je lui dirai : « Taisez-vous, Monsieur! » — Monsieur tout court,* — nos 30
relations seront des plus tendues.

Dès les premiers jours, Carré a montré qu'il était un homme. Comme j'entrais dans le vestibule de la salle de pansements, j'ai trouvé les deux amis couchés côte à côte, sur des brancards

EXERCICES SUR LE TEXTE

Répondez en français aux questions suivantes :

1. *De quoi Carré a-t-il parlé un jour à Lerondeau?*
2. *Où Carré et Lerondeau étaient-ils à ce moment-là?*
3. *Qu'est-ce que Carré avait sorti de sous sa couverture?*
4. *A quoi pensait-on en voyant le visage de Lerondeau?*
5. *Pourquoi le médecin est-il sorti à ce moment-là du vestibule de la salle des pansements?*
6. *Lequel des deux malades se montrait le plus courageux la plupart du temps?*
7. *Pourquoi Carré doit-il rester par terre quelque temps?*
8. *Qu'est-ce qu'il fait, en attendant son tour?*
9. *A quoi se prépare-t-il?*
10. *Quand il n'est pas sûr de sa préparation, que dit-il au médecin?*
11. *Peut-il toujours parvenir à dominer ses souffrances?*
12. *Que fait-il pour ne pas hurler comme les autres?*
13. *La première fois que la chose est arrivée, quelle phrase a-t-il répétée?*
14. *Pendant combien de temps a-t-il répété la même phrase?*
15. *Pourquoi chante-t-il?*

NOTES SUR LE TEXTE ★★★

3. chevrotante: *tremulous, quivering.* **8.** au ras du sol: *(lit.) level with the ground; (freely) down on the floor.* **16.** à tort et à travers: *indiscriminately, at random.* **17.** se recueille: *concentrates his thoughts, communes with himself, meditates.* **23.** minable: *pitiable, weak.* **23.** réduit: *diminished, shrunken.*

posés par terre.   Carré avait sorti un bras décharné de sous
sa couverture et faisait à Marie un véritable discours sur le
courage et l'espoir... J'écoutais cette voix chevrotante,* je
regardais ce visage édenté, illuminé d'un sourire, et je sentais
quelque chose de curieux se gonfler dans ma gorge, pendant 5
que Lerondeau battait des paupières comme un enfant que
l'on gronde.   Alors je suis sorti, parce que cela se passait entre
eux, au ras du sol,* et que ça ne me regardait pas, moi qui
suis un personnage bien portant et qui vis debout.

Carré a, depuis, prouvé qu'il avait le droit d'enseigner le 10
courage au petit Lerondeau.

Lorsqu'on l'apporte au pansement, il reste par terre, avec
les autres, en attendant son tour, et il parle peu.   Il regarde
gravement autour de lui, et sourit quand ses yeux rencontrent
les miens.   Il n'est pas fier, mais il n'est pas de ceux qui lient 15
conversation à tort et à travers.*   On n'est pas ici pour plaisanter, mais pour souffrir, et Carré se recueille* pour souffrir
aussi bien que possible.

Quand il n'est pas sûr de sa préparation, il me prévient et
me dit : 20

—Je n'ai pas toutes mes forces aujourd'hui.

Le plus souvent, « il a toutes ses forces »; mais il est si
maigre, si minable,* si réduit* devant l'immense devoir, qu'il
est parfois obligé de battre en retraite.   Il le fait avec honneur,
avec grandeur.   Il vient de dire : « Le genou me fait bien 25
mal », et sa phrase s'achève presque dans un cri.   Alors, sentant qu'il va hurler comme les autres, Carré se met à chanter.

La première fois que la chose est arrivée, je ne comprenais
pas très bien ce qui se passait.   Il répétait sans cesse la même
phrase : « Oh! la douleur du genou! »   Et, peu à peu, j'ai senti 30
que cette lamentation devenait une vraie musique et, pendant
cinq grandes minutes, Carré a improvisé une chanson terrible,
admirable et déchirante sur « la douleur du genou »!   Depuis,
il en a pris l'habitude et il se met brusquement à chanter dès
qu'il ne se sent plus maître de son silence.

EXERCICES SUR LE TEXTE

Traduisez en anglais les phrases suivantes :

1. *Il a recours à de vieux airs.*
2. *Je préfère ne pas regarder son visage.*
3. *D'ailleurs, j'ai pour ne le pas regarder une bonne excuse.*
4. *Il faut manier sa jambe avec un monde de précautions.*
5. *Une heure plus tard, lorsque je prêterai l'oreille, je l'entendrai s'exercer à chanter.*
6. *Ce matin il n'y avait plus qu'à se fermer les oreilles.*
7. *Carré a regardé le visiteur, en plissant profondément son front.*
8. *Le monsieur a regardé Carré avec des yeux humides.*
9. *Plus il le regardait, plus Carré souriait.*
10. *Carré n'a pas de bonnes dents; j'en suis malheureux.*
11. *Il faut de bonnes dents quand on a la cuisse brisée.*
12. *Lerondeau enfonce dans la viande une mâchoire bien armée.*
13. *Il mord avec une énergie animale.*
14. *Il semble s'accrocher à quelque chose de résistant.*
15. *D'ailleurs, Carré aime mieux fumer.*

NOTES SUR LE TEXTE ★★★

4. fort à faire: *a lot to do, much to do.*   **7-8.** à plusieurs reprises: *several times, repeatedly.*   **15.** il n'y avait plus qu'à faire vite: *(the* ne, *verb,* plus que *construction) the only thing left to do was to act fast, all I could do was to act fast.* **15.** voilà qu': *it happened just then that.*   **22.** crispées: *clenched, contracted.* **24.** chicots: *stumps (of old teeth).*   **30.** mangerait bien: *would like to eat, would gladly eat.*

Entre ses inventions, il a recours à de vieux airs; je préfère ne pas regarder son visage quand il commence : « Il n'est ni beau ni grand, mon verre. » D'ailleurs, j'ai, pour ne le pas regarder, l'excuse d'avoir fort à faire* avec cette jambe qui me tourmente passablement, et qu'il faut manier avec un monde 5 de précautions.

Je fais « tout ce qu'il faut faire » et, profondément, à plusieurs reprises,* j'introduis la brûlante teinture d'iode. Carré l'éprouve; aussi lorsque, passant une heure plus tard près de son coin, je prêterai l'oreille, je l'entendrai s'exercer d'une 10 voix tremblante et mélodieuse à chanter lentement sur ce thème : « Il m'a mis de la teinture d'iode. »

Carré est fier de montrer du courage.

Il semblait, ce matin, si privé de ses forces qu'il n'y avait plus qu'à faire vite* et à se fermer les oreilles. Mais voilà qu'un* 15 étranger est entré dans la salle. Carré a tourné légèrement la tête, il a vu le visiteur et, en plissant profondément son front, il a entonné :

« Il n'est ni beau ni grand, mon verre! »

Le monsieur l'a regardé avec des yeux humides, et, plus il 20 le regardait, plus Carré souriait, souriait, en serrant les bords de la table de ses deux mains crispées.*

Lerondeau a de bonnes dents solides. Carré n'a que de noirs chicots.* J'en suis malheureux, car il faut de bonnes dents quand on a la cuisse brisée. 25

Lerondeau n'est encore qu'un moribond, mais un moribond qui mange. Il enfonce dans la viande une mâchoire bien armée; il mord avec une énergie animale et semble s'accrocher à quelque chose de résistant.

Carré, lui, mangerait bien*; mais que faire, avec de vieilles 30 racines?

— D'ailleurs, ajoute-t-il, je n'ai jamais été bien carnivore.

Alors il aime mieux fumer. Pour son éternelle vie sur le dos, il a inventé de placer contre sa poitrine un couvercle de

148

EXERCICES SUR LE TEXTE

Trouvez dans le texte les expressions françaises qui traduisent les mots entre parenthèses :

1. *La cendre des cigarettes tombe* (in it).
2. *Carré fume* (neatly).
3. (It is not enough) *de vouloir vivre.*
4. *Il faut* (go about it) (in the right way) (in order to succeed in it).
5. (As soon as) *il est sur la table, il regarde* (around him).
6. (If there is no answer), *il répète ce qu'il a demandé.*
7. *Une infirmière* (takes his head) (with both hands).
8. *Quand il* (does not find any), *il hurle.*
9. *Il est* (on a strong table).
10. *Impossible de lui prouver qu'il* (ought to have no fear).
11. *Il crie,* (his forehead covered with perspiration).
12. *Je désigne quelqu'un* (to hold his hands).
13. *Ceux qui sont pauvres* (have only one).
14. *Quand la douleur* (is exhausted), (he shakes his head).

NOTES SUR LE TEXTE ★★★

7. de la belle façon: *in the right way.*   **7.** s'en tirer—*cf. notes to p. 71, ll. 6-7, and p. 75, l. 33; here the meaning is " to succeed in it."*   **10.** fouler: *to press.*
17. Il faut: *There must be, He must have.*   **18.** vas = vais—*cf. note to p. 143, l. 12.*   **24.** à peu près: *(usually) almost, nearly, approximately; (here) more or less.*   **26.** pauvres: *lacking in resources.*   **29.** pince: *forceps.*   **20.** Au fort: *At the height, At the worst point, At the climax.*

boîte en carton; la cendre des cigarettes tombe là-dedans, et Carré fume, sans bouger, proprement.

Je regarde cette cendre, cette fumée, cette figure jaune, émaciée, et je songe avec chagrin qu'il ne suffit pas de vouloir vivre, mais qu'il faut avoir des dents.

Tout le monde ne sait pas souffrir, et, quand on sait, faut-il encore s'y prendre de la belle façon* pour s'en tirer* avec honneur.   Dès qu'il est sur la table, Carré regarde autour de lui, et il demande :

— N'y aura-t-il personne pour me fouler* sur la tête, aujourd'hui?

S'il n'y a pas de réponse, il répète avec un peu d'angoisse :

— Qui donc va me fouler sur la tête aujourd'hui?

Alors une infirmière s'approche, lui prend la tête à deux mains, et appuie... Je peux commencer : dès qu'on « lui foule sur la tête », Carré est bon.

Lerondeau n'a pas la même pratique.   Il faut* des mains dans ses mains.   Quand il n'en trouve pas, il hurle : « Je vas* tomber. »

Impossible de lui prouver qu'il est sur une table solide et qu'il ne doit avoir aucune crainte.   Il cherche des mains à saisir, et crie, la sueur au front : « Je sens bien que je vas tomber. »   Alors je désigne quelqu'un pour lui tenir les mains, car on ne peut pas souffrir à peu près,* au hasard ...

Chacun a ses cris, à l'heure du pansement.   Ceux qui sont pauvres* n'en ont qu'un, un cri simple qui sert à tous.

Carré a beaucoup de cris, bien variés, et il ne dit pas la même chose pour le moment où l'on enlève les compresses et pour le moment où l'on passe la pince.*

Au fort* de l'épreuve, il s'exclame :

— Oh! la douleur du genou!

Puis, quand la douleur s'épuise, il hoche la tête et répète :

— Oh! le malheureux genou!

Quand la cuisse entre en scène, il s'exaspère :

EXERCICES SUR LE TEXTE

Répondez en français aux questions suivantes :

1. *Qu'est-ce que Carré répète de seconde en seconde?*
2. *Où sont les plaies de Carré?*
3. *Quels sont quelques-uns des cris de Carré?*
4. *Comment Lerondeau apprend-il les cris de Carré?*
5. *Est-ce que Carré crie à haute voix ou à voix basse?*
6. *Pourquoi Lerondeau pousse-t-il les mêmes cris que Carré?*
7. *Pourquoi dit-il qu'il ne pousse pas les mêmes cris que Carré?*
8. *Pourquoi le médecin n'a-t-il pas répété sa question?*
9. *Avant la guerre, est-ce que Lerondeau vivait à la campagne ou dans une ville?*
10. *Ressemblait-il aux paysans de* La Ficelle?
11. *Travaillait-il bien avant la guerre?*
12. *Pourquoi le médecin ne l'a-t-il jamais vu debout?*
13. *Qu'est-ce que Lerondeau a fait sur le champ de bataille?*
14. *Pourquoi est-il difficile de découvrir tout ce que Lerondeau a fait?*

NOTES SUR LE TEXTE ★★★

4. qu'a-t-il donc: *(idiom) what's the matter with it.* **5.** halète: *pants.*
7. ce qu': *(here) how.* **10.** en fait de cris: *in the matter of cries, in regard to cries.* **11.** il retient: *he retains (in his memory), he remembers.* **15.** il s'en donnait à pleine gorge: *he was letting himself go at the top of his lungs.* **20.** Je fais pas—*the omission of ne with pas is one of the most common phenomena of popular speech; to call attention in these notes to all examples of it would be useless repetition.* **22.** piqûres: *pricks, stings.* **26.** J'étais dur au travail: *I was a hard worker, I worked hard.* **28.** calé: *wedged.* **32.** au feu: *under fire, at the front.* **36.** babiller: *chatter, prattle.*

— C'est cette cuisse, maintenant!

Et il redit cela, sans arrêt, de seconde en seconde. Alors on passe à la plaie survenue sous le talon, et Carré commence :

— Mais qu'a-t-il donc,* ce pauvre talon?

Enfin quand il est las de chanter, il halète* doucement, 5 régulièrement :

— Ils ne savent pas ce qu'*il me fait mal, ce misérable genou... Ils ne savent pas ce qu'il me fait mal...

Lerondeau, qui n'est et ne sera jamais qu'un petit garçon à côté de Carré, est fort pauvre en fait de cris.* Mais, comme 10 il entend son ami se plaindre, il retient* ses cris et les lui emprunte. Je l'entends donc qui commence :

— Oh! le pauvre genou... Ils ne savent pas ce qu'il me fait mal ...

Un matin où il s'en donnait à pleine gorge,* je lui ai de- 15 mandé sérieusement :

— Pourquoi fais-tu les mêmes cris que Carré?

Marie n'est qu'un paysan, mais il m'a montré une figure réellement offensée :

— Ce n'est pas vrai! Je fais pas* les mêmes cris que lui ... 20

Je n'ai rien ajouté, car il n'y a pas d'âmes si rudes qu'elles soient insensibles à certaines piqûres.*

Marie m'a raconté sa vie et sa campagne. Comme il n'est pas très éloquent, cela ne fait qu'un murmure confus où revient sans cesse la même protestation : 25

— J'étais dur au travail,* vous savez, dur comme une bête.

Et je ne peux pas imaginer qu'il y a eu un Marie Lerondeau, qui était un jeune gars bien portant, fermement calé* entre les manches de la charrue. Je ne connais qu'un homme couché, et j'ai même du mal à me représenter la taille et l'as- 30 pect qu'il aura quand on pourra le mettre debout ...

Marie a fait très bien son devoir au feu* : « Il est resté seul avec les voitures, et, quand il s'est trouvé blessé, les Allemands lui ont flanqué de grands coups de bottes » ... Voilà les plus sûrs résultats de mon enquête. 35

Lerondeau, par moments, cesse de babiller* et regarde au

EXERCICES SUR LE TEXTE

Répondez par oui ou par non aux questions suivantes :

1. *Est-ce que Lerondeau a toujours vécu sur le dos?*
2. *Avait-il été courageux pendant la bataille?*
3. *Est-ce que tout le monde sait qu'il a été courageux?*
4. *Est-ce que le médecin veut que tout le monde le sache?*
5. *Le médecin le dit-il aux étrangers?*
6. *Est-ce que Lerondeau explique son cas aux étrangers?*
7. *Lerondeau est-il fier d'avoir montré du courage?*
8. *Rougit-il à cause de l'admiration des étrangers?*
9. *Est-ce que son orgueil l'empêche de souffrir pendant le pansement?*
10. *Est-ce que Carré a été blessé au cours de sa première bataille?*
11. *A-t-il reçu un coup de fusil?*
12. *Nie-t-il en avoir reçu un?*
13. *Aurait-il été brave s'il avait vu le feu plusieurs fois?*
14. *A-t-il perdu tout son courage, en entrant à l'hôpital?*
15. *S'est-il avancé seul à travers un champ de betteraves?*
16. *Tous ses camarades ont-ils été blessés en même temps?*
17. *Est-il retourné à la tranchée tout de suite après avoir été blessé?*
18. *Comptait-il être transporté à un hôpital tout de suite?*
19. *L'a-t-on ramassé tout de suite?*
20. *Faisait-il beau cette nuit-là?*

NOTE SUR LE TEXTE ★★★

4. Faut-il que j'aie eu de la bravoure: *Mustn't I have been brave, Mustn't I have had courage or nerve.*

plafond, car c'est là qu'est le lointain et l'horizon des gens qui vivent sur le dos.   Après un silence long et léger, il me regarde de nouveau et répète :

— Faut-il que j'aie eu de la bravoure* pour rester seul avec les voitures !

A coup sûr, Lerondeau a eu de la bravoure, et je veux qu'on le sache.   Quand il vient des étrangers, pendant le pansement, je leur montre Marie, tout prêt à gémir, et j'explique :

— C'est Marie ! Vous savez, Marie Lerondeau !   Il a la jambe cassée, mais c'est un homme qui a eu bien de la bravoure : il est resté seul avec les voitures !

Les étrangers hochent la tête d'admiration, et Marie se retient de crier.   Il rougit un peu et son cou se gonfle à cause de l'orgueil.   Avec les yeux, il fait un petit signe, comme pour dire : « Mais oui, seul, tout seul avec les voitures ! »   Et, pendant ce temps, le pansement se trouve à peu près achevé.

Il faut que le monde entier sache que Marie est resté seul avec les voitures.   Je me suis promis d'épingler ce témoignage sur la pension du gouvernement.

Carré n'a vu le feu qu'une fois, et, tout de suite, il a reçu un coup de fusil.   Il en demeure contrarié, car il avait une bonne provision de courage, et c'est entre les murs d'un hôpital qu'il lui faut la gaspiller.

Il s'est avancé à travers un immense champ de betteraves, et il a couru, avec les autres, au-devant d'un fin brouillard blanc.   Tout à coup, crac ! il est tombé : il avait la cuisse brisée.   Il est tombé parmi les feuilles grasses, sur la terre toute gonflée d'eau.

Peu après, son sergent est repassé et lui a dit :

— Nous retournons à la tranchée, on viendra vous prendre plus tard.

Carré a dit simplement :

— Mettez-moi mon sac sous la tête.

Le soir approchait; il s'est gravement préparé à passer la nuit parmi les betteraves.   Et il y a passé la nuit, seul avec

EXERCICES SUR LE TEXTE

Laquelle des déclarations faites dans (a) et (b) est correcte?

1. *(a) Carré a bien fait de garder du courage pour l'hôpital. (b) Carré n'avait plus besoin de courage à l'hôpital.*

2. *(a) Il est facile de rester courageux pendant les pansements successifs. (b) Il est naturel de perdre son courage pendant les opérations successives.*

3. *(a) Aujourd'hui Carré est tout prêt à bien souffrir. (b) Aujourd'hui Carré a peu de chose à faire.*

4. *(a) Il a perdu son courage tout de suite. (b) Il n'a pas le temps de montrer tout son courage.*

5. *(a) Carré trouvera demain le courage qu'il n'a pas utilisé aujourd'hui. (b) Il est possible que Carré ne soit pas aussi brave demain qu'il l'est aujourd'hui.*

6. *(a) La souffrance de Carré va durer longtemps. (b) L'âme ne peut pas aider le corps à souffrir.*

7. *(a) Carré fait penser à un nageur qui fait de son mieux pour durer à la surface de la mer. (b) Carré ressemble à un nageur qui n'a pas assez d'énergie pour rester à la surface de la mer.*

8. *(a) A cause de sa jambe empoisonnée, il semble que Carré n'ait pas longtemps à vivre. (b) Il semble que Carré ait déjà perdu sa jambe empoisonnée.*

NOTES SUR LE TEXTE ★★

8. au grand complet: *in full measure, 100 per cent full.* **23.** et non plus: *not " no longer"; after a negative,* non plus = *neither, or nor ... either.* **25.** perdue jusqu'aux moelles: *ruined, attacked, infected to the very marrow.* **31.** tranche: *cuts short—i.e., settles the matter.* **34.** rogner: *cut off.*

une petite pluie froide, à réfléchir, sérieusement, jusqu'au matin.

C'est bien heureux que Carré ait gardé tant de courage pour l'hôpital, car il en a grand besoin. Les opérations successives, les pansements, tout cela tarit les sources les plus généreuses. 5

Carré est apporté sur la table, et je sens dans son regard une résolution presque joyeuse. Aujourd'hui, « il a toutes ses forces au grand complet* ».

Mais j'ai justement peu de chose à faire, peu de souffrances à imposer. A peine a-t-il eu le temps de froncer les sourcils 10 que, déjà, la minute est venue de refermer l'appareil.

Alors Carré fait un sourire trop grand pour sa face amaigrie, et il s'exclame :

— Déjà fini? Déjà fini? Remettez de l'éther, que ça pique au moins, que ça pique! 15

Il sait, Carré, il sait que le courage non utilisé aujourd'hui ne vaudra peut-être plus rien demain.

Et demain, et les jours suivants, Carré devra sans cesse faire appel à ces réserves d'âme, qui aident le corps à souffrir, en attendant les bonnes grâces de la nature. 20

Le nageur abandonné en pleine mer mesure son énergie et s'efforce de tous ses muscles pour durer à la surface. Mais que faire, mon Dieu! s'il n'y a pas de terre à l'horizon, et non plus* au delà de l'horizon?

Cette jambe perdue jusqu'aux moelles* semble peu à peu 25 dévorer l'homme qui la possède, et nous la contemplons avec angoisse, et le maître aux cheveux blancs fixe sur elle deux petits yeux bleu-clair, accoutumés à évaluer les choses de la vie, et qui, cependant, hésitent, hésitent …

A mots voilés, je parle à Carré de l'encombrante jambe 30 empoisonnée. Il montre un rire sans dents, et tranche,* pour sa part, d'un seul coup :

— Si c'est donc qu'elle gêne, la malheureuse, il faudra bien la rogner.*

EXERCICES SUR LE TEXTE

Les déclarations suivantes sont-elles exactes ou inexactes?

1. *Il paraît qu'on se décidera à couper la jambe envenimée de Carré.*
2. *Lerondeau glisse doucement vers la mort.*
3. *Lerondeau est toujours entouré de coussins.*
4. *Il a l'air d'un navire qui entre dans le port du Havre.*
5. *Même couché sur le dos, il semble de plus en plus léger.*
6. *Son corps est de plus en plus robuste.*
7. *Le médecin lui dit quelquefois d'être courageux et d'essayer d'être énergique.*
8. *Il comprend très bien ce que c'est que l'énergie.*
9. *La gouttière de zinc ne vaut plus rien.*
10. *Marie veut que le médecin la jette dans un coin.*
11. *Il aime beaucoup la nouvelle gouttière solide et confortable.*
12. *Il l'aime beaucoup mieux que la vieille loque de zinc.*
13. *Pour lui ce changement de gouttière est une chose importante.*
14. *Il lui faut peu de temps pour s'habituer à la nouvelle gouttière.*
15. *Chez Carré, l'âme est plus forte que le corps.*
16. *Parfois il a l'air d'être sur le point de mourir.*

NOTES SUR LE TEXTE ★★
3. la gouttière: *splint, cradle.* **8.** la bête: *the animal part, the body.* **15.** Nom de Dieu: *By God—an energetic oath!* **26.** loque: *(lit.) rag, tatter; (here) castoff.* **32.** N'était son regard: *Were it not for his eyes, his look.* **22.** précocement: *(lit.) precociously; (here) prematurely.*

Avec cet assentiment, on s'y décidera sans doute.

Cependant, Lerondeau glisse doucement vers le salut.

Couché sur le dos, maintenu dans les linges et la gouttière,* emprisonné par les coussins, il a quand même l'air d'un navire que la marée va mettre à flot dès l'aurore.

Il engraisse et, fait surnaturel, semble cependant de plus en plus léger. Il apprend à ne plus gémir, non que son âme fragile se hausse, mais parce que la bête* est mieux nourrie et plus robuste.

Il a d'ailleurs une conception sommaire de l'énergie. Dès que j'entends son premier cri, dans la salle moite où l'on fait son pansement, je le réconforte du regard, et dis :

— Sois courageux, Marie! Tâche d'être énergique!

Alors il plisse le front, fait une grimace et demande :

— C'est-il qu'il faut que je dise Nom de Dieu?*

La gouttière de zinc dans laquelle repose l'informe jambe de Marie a fini par s'altérer, s'oxyder, se couper aux plis; aussi ai-je décidé de la changer.

Je la retire, la considère et la jette dans un coin. Marie suit mes gestes d'un regard affolé. Pendant que j'applique la nouvelle gouttière, solide et confortable, mais différente d'aspect, il jette à l'ancienne un regard éloquent qui s'emplit de larmes véritables et abondantes.

Ce changement est une petite chose; mais, dans la vie des malades, il n'y a pas de petites choses.

Lerondeau pleurera pendant deux jours sa vieille loque* de zinc, et il faudra bien du temps pour qu'il cesse de considérer avec méfiance le nouvel appareil, et pour qu'il oublie de lui adresser ces critiques amères et minutieuses que, seul, un « connaisseur » peut comprendre ou inventer.

Carré, cependant, ne parvient pas à entraîner la carcasse dans le bel élan de son âme. N'était son regard* et sa voix mouillée, tout, en son corps, sent précocement* le cadavre.

EXERCICES SUR LE TEXTE

Traduisez en anglais les phrases suivantes :

1. *Il a l'air de haler une épave.*
2. *De temps en temps ses chants douloureux fléchissent.*
3. *J'ai dû faire son pansement en présence de Marie.*
4. *Il s'agissait bien d'une leçon de courage.*
5. *Carré s'est mis à se plaindre.*
6. *Il a abandonné la partie avec désespoir.*
7. *Carré a continué à se plaindre, comme quelqu'un qui a toute honte bue.*
8. *Lerondeau m'appelle d'un clignement d'œil.*
9. *Puis il se tait.*
10. *Oh! il va mal.*
11. *Il sait ce que c'est que des escarres.*
12. *Il en a de semblables lui-même.*
13. *Ses escarres, à lui, guériront.*
14. *Ses nerfs sont ébranlés.*
15. *Dès les premiers gestes, il prélude par des soupirs.*

NOTES SUR LE TEXTE ★★

2. haler une épave: *to be towing a wreck.* **4.** chavirent: *capsize, are upset, fall into*— the author is carrying on his nautical metaphor. **5.** le vagissement: *wailing, lamentation.* **10.** chancelé: *faltered, staggered.* **12.** abandonnant la partie: *abandoning the game, giving up the struggle.* **16.** qui a toute honte bue: *who has lost all sense of shame* (bue = *past participle of* boire). **23.** escarres: *scabs (on wounds).* **30.** cela ne vaut rien à Marie: *(lit.) that is worth nothing for Marie; (freely) it does not do Marie any good, it is not good for Marie.* **32.** préventions: *prejudices, suppositions*—i.e., he anticipates that the worst is going to happen to him.

A travers les jours d'hiver et les longues nuits sans repos, il a l'air de haler une épave.*

Il tire ... avec ses chants douloureux et ses mots vaillants qui, maintenant, fléchissent et, souvent, chavirent* dans le vagissement.*   5

J'ai dû faire son pansement en présence de Marie.   L'abondance du travail et l'exiguïté de l'endroit m'y forçaient.   Marie était grave et attentif comme lorsqu'on prend une leçon.   Il s'agissait bien d'une leçon de courage et de patience.   Mais, tout à coup, le maître a chancelé.*   Au milieu du pansement, 10 Carré a desserré les lèvres, et il s'est mis à se plaindre, malgré lui, sans mesure et sans retenue, abandonnant la partie* avec désespoir.

Lerondeau écoutait, plein d'inquiétude; et Carré, sachant que Marie écoutait, continuait à se plaindre, comme quelqu'un 15 qui a toute honte bue.*

Lerondeau m'appelle d'un clignement d'œil.   Il dit :
— Carré! ...
Et puis il se tait.
Je l'interroge et l'encourage silencieusement.   Il répète : 20
— Carré!
Et il ajoute :
— J'ai vu ses escarres!*   Mon Dieu!   Oh! il va mal ...
Lerondeau retient très bien les mots du langage médical. Il sait ce que c'est que des escarres.   Et il a vu les escarres de 25 Carré.   Il en a de semblables sous le siège et sous le talon; mais la larme qui grossit dans le coin de son œil est bien pour Carré.

Et puis, il sait, il sent que ses escarres, à lui, guériront.

Mais cela ne vaut rien à Marie* d'entendre crier autrui 30 avant que son tour ne soit venu.

Il arrive sur la table avec toutes sortes de préventions.* Ses nerfs sont ébranlés, particulièrement irritables.

Dès les premiers gestes, il prélude par des soupirs, et des

EXERCICES SUR LE TEXTE

Répondez en français aux questions suivantes :

1. *Quand Marie crie: « Malheureux! » de qui parle-t-il?*
2. *Il n'avait plus crié depuis longtemps; pourquoi crie-t-il maintenant?*
3. *Comment crie-t-il?*
4. *A-t-il raison de crier si fort?*
5. *D'habitude, comment le médecin essaie-t-il de le calmer?*
6. *Maintenant, qu'est-ce qu'il ordonne à Marie de faire?*
7. *De quel ton lui parle-t-il?*
8. *Qu'est-ce qui fait trembler la salle?*
9. *Quel effet la voix du médecin a-t-elle sur Marie?*
10. *Pourquoi une dame regarde-t-elle le médecin avec stupeur?*
11. *Est-ce que le médecin réussit à empêcher Marie de crier?*
12. *Comment le médecin met-il fin à cette scène?*
13. *Quelle dame est venue à l'hôpital?*
14. *Pourquoi lui a-t-on montré Carré?*
15. *Comment l'a-t-elle regardé?*
16. *Comment l'a-t-il regardée?*
17. *De quoi lui a-t-elle parlé?*

NOTES SUR LE TEXTE ★★★

10. je grossis … la voix: *I enlarge, swell, raise … my voice.* **11-12.** à coup sûr sans réplique: *which most certainly permits no reply.* **13-14.** champignon de mousse: *delicate mushroom.* **18.** refoule: *forces back, suppresses.* **24.** au moins duchesse—M. Duhamel likes to contrast the noble simplicity of "les martyrs," who are humble men, with the superficial affectation of representatives of higher social levels. His usual tone concerning the latter is ironical. This is true both of the duchess and of the old general who comes next.

« Malheureux! Malheureux! », ce qui est sa façon naïve et habituelle de s'apitoyer sur son infortune. Et puis, tout à coup, il crie, comme il n'avait plus crié depuis longtemps. Il crie avec une espèce d'ivresse, il ouvre la bouche largement, et crie de toute la force de sa poitrine, de toute la force aussi, 5 semble-t-il, de son visage qui rougit et entre en sueur. Il crie injustement, au moindre frôlement, d'une façon incohérente et désordonnée.

Alors, cessant de l'exhorter au calme avec de douces et compatissantes paroles, je grossis tout à coup la voix* et or- 10 donne à l'enfant de se taire, sur un ton sévère, à coup sûr sans réplique ...*

L'émotion de Marie tombe tout à coup, comme un champignon de mousse* dans lequel on a mis le doigt. La salle tremble encore de mon ordre impérieux. Une bonne dame, 15 qui ne comprend pas tout de suite, me regarde avec stupeur.

Mais Marie, rouge et craintif, refoule* cependant la souffrance indue. Et, tant que dure le pansement, je lui contiens fortement l'âme pour l'empêcher de souffrir en vain, comme 20 d'autres lui serrent et lui maintiennent les poignets.

Et puis, tout à coup, c'est fini. Je lui montre un sourire fraternel qui détend son front comme un arc.

Une dame, qui est au moins duchesse,* est venue rendre visite aux blessés. Elle exhalait un si violent et si suave par- 25 fum qu'elle ne pouvait certainement pas sentir l'odeur de la douleur qui règne ici.

On lui a montré Carré comme un des plus intéressants spécimens de la maison. Et elle le considérait avec un sourire curieux et flétri, auquel les fards conservaient une beauté. 30

Elle a fait à Carré quelques réflexions patriotiques pleines d'allusions touchant sa conduite au feu ... Et Carré a cessé de contempler la fenêtre pour regarder la dame avec un étonnement respectueux.

Et puis elle a demandé à Carré ce qu'elle pourrait bien lui

EXERCICES SUR LE TEXTE

Répondez par oui ou par non aux questions suivantes :

1. *Est-ce que la duchesse aurait pu donner à Carré toutes les richesses du monde?*
2. *La réponse de Carré est-elle celle d'un vieux paysan français?*
3. *Croyez-vous que Carré se moque de la duchesse?*
4. *La duchesse a-t-elle cru que Carré voulait la faire rire?*
5. *La duchesse a-t-elle continué à s'intéresser à Carré?*
6. *Est-ce que le vieillard vient voir Carré très souvent?*
7. *La mère de Carré est-elle très vieille?*
8. *Est-ce que Carré a beaucoup de parents?*
9. *Est-ce qu'une dépêche ferait peur à la mère de Carré?*
10. *Le vieillard ôte-t-il ses bottes?*
11. *Est-ce que Carré a mal à la gorge?*
12. *Le vieillard est-il médecin?*
13. *A-t-on coupé la jambe de Carré?*
14. *Est-ce que Carré a failli mourir?*
15. *A-t-il été facile de l'empêcher de mourir?*
16. *Carré a-t-il fait un voyage difficile?*
17. *Le médecin a-t-il cru que Carré était mort?*
18. *Est-ce que l'âme de Carré était angoissée?*

NOTES SUR LE TEXTE ★★

18. bigarrée: *many-colored, variegated.* **22.** en soufflant: *panting, puffing.* **22-23.** le képi chargé d'or—*the caps of French officers are literally heavy with gold braid.* **33.** jamais plus: *ever again.*

apporter pour lui faire plaisir.   Son geste promettait toutes les richesses du monde.

Carré a fait, à son tour, un beau sourire; il a réfléchi, et il a dit modestement :

— Un petit bout de veau avec des pommes nouvelles.   5

La belle dame a cru qu'il fallait rire.   A coup sûr, j'ai senti que sa curiosité à l'égard de Carré venait de diminuer brusquement.

Un vieillard vient parfois visiter Carré.   Il s'arrête devant le lit et prononce avec une figure glacée des paroles pleines 10 d'une bienveillance diffuse :

— Qu'on lui donne tout ce qu'il demande … Qu'on envoie une dépêche à sa famille …

Carré proteste timidement : « Pourquoi donc une dépêche? Je n'ai que ma pauvre bonne femme de mère; ça va lui faire 15 une frayeur … »

Le petit vieillard sort de ses bottes luisantes comme une plante bigarrée* d'un vase double.

Carré tousse, d'abord pour se donner une contenance, puis parce que la cruelle bronchite en profite pour le secouer.   20

Alors le vieil homme s'incline, et toutes ses médailles pendent de sa poitrine.   Il s'incline en soufflant,* sans quitter le képi chargé d'or,* et, avec autorité, il applique sur le cœur de Carré une oreille sourde.

La jambe de Carré a été sacrifiée.   Elle est partie tout 25 entière, laissant une triste plaie immense au ras du tronc.

C'est une chose bien étonnante que ce qui reste de Carré ne soit pas parti avec la jambe.

Il y a eu une rude journée.

O vie! ô âme!   Comme vous tenez à cette carcasse dé- 30 labrée!   O petite lueur à la surface de l'œil!   Vingt fois je vous ai vue vous éteindre et renaître.   Et vous étiez trop angoissée, trop faible, trop désespérée, pour pouvoir jamais plus* refléter autre chose qu'angoisse, faiblesse et désespoir.

EXERCICES SUR LE TEXTE

Traduisez en anglais les phrases suivantes :

1. *Je vais m'asseoir à côté de Lerondeau.*
2. *Marie aime bien les cigarettes.*
3. *Il aime que je vienne m'asseoir à côté de lui.*
4. *On frappe sur un banc pour prier un ami de s'y poser.*
5. *Depuis que Marie m'a raconté sa vie, il n'a plus grand'chose à me dire.*
6. *Il croque les gâteaux dont sa tablette est chargée.*
7. *De temps en temps, Marie se reprend à rire.*
8. *Vous n'êtes pas si pressé, on peut causer encore un brin.*
9. *La jambe de Lerondeau demeure raccourcie d'une douzaine de centimètres.*
10. *Voilà ce qu'il en est pour nous.*
11. *Quand Marie a été mieux, il s'est appuyé sur son coude.*
12. *Il a compris davantage l'importance de son infirmité.*
13. *Il faudra une très grosse semelle.*
14. *C'est pas une semelle, qu'il faudra, c'est un petit banc.*

NOTES SUR LE TEXTE ★★★

17. il se reprend à: *he begins again to.* **21.** une bonne douzaine de centimètres—*1 centimeter = c. 2/5 inch; therefore 12 centimeters = between 4 1/2 and 5 inches.*

Pendant la longue après-midi, je vais m'asseoir, entre deux lits, à côté de Lerondeau. Je lui offre des cigarettes, et nous causons. Cela signifie que nous ne disons rien, ou si peu de chose … Mais pour causer avec Lerondeau, il n'est pas nécessaire de parler.

Marie aime bien les cigarettes, mais il aime surtout que je vienne m'asseoir à côté de lui un bout de temps. Quand je passe dans la salle, il frappe d'une façon engageante sur son drap, comme on frappe sur un banc pour prier un ami de s'y poser.

Depuis qu'il m'a raconté sa vie et sa campagne, il n'a plus grand'chose à me dire. Il prend les gâteaux dont sa tablette est chargée, et il les croque d'un air content. — Moi, voyez, me dit-il, je mange tout le temps.

Et il rit.

S'il s'arrête de manger pour fumer, il rit encore. Puis il y a un bon silence. De temps en temps, Marie me regarde, et il se reprend à* rire. Et quand je me lève pour m'en aller, il me dit : « Oh! vous n'êtes pas si pressé, on peut causer encore un brin. »

La jambe de Lerondeau a été si fort éprouvée qu'elle demeure raccourcie d'une bonne douzaine de centimètres.* Voilà ce qu'il en est pour nous, qui la regardons d'en haut …

Mais, pour Lerondeau qui ne l'a vue que de loin, en élevant un peu la tête au-dessus de la table, pendant le pansement, il n'a perçu qu'une faible différence de longueur entre ses deux jambes.

Il a dit philosophiquement :

— Elle est plus courte, mais avec une bonne semelle …

Quand Marie a été mieux, il s'est appuyé sur son coude, et il a compris davantage l'importance de son infirmité.

— Il faudra une très grosse semelle, a-t-il observé.

Maintenant que Lerondeau peut s'asseoir, il juge aussi, de haut, l'étendue des dommages; mais il est joyeux de sentir reflamber la vie, et il conclut avec enjouement :

— C'est pas une semelle, qu'il faudra, c'est un petit banc.

EXERCICES SUR LE TEXTE

I. Dites en français :

1. *Carré's soul will have to remain alone; everything betrays it.*
2. *Carré no longer listens to everything that one says to him.*
3. *He complains often.*
4. *He talks to us about death.*
5. *He cannot make up his mind.*
6. *He must suffer a little longer.*
7. *In the darkness I approach the bed.*
8. *He says suddenly, "How white your teeth are!"*

II. Répondez par oui ou par non aux questions suivantes :

1. *Est-ce que la santé de Carré s'améliore de plus en plus?*
2. *A-t-il été nécessaire de lui couper les deux jambes?*
3. *Est-ce que ses bras restent sains et vigoureux?*
4. *S'exprime-t-il de temps en temps comme un enfant?*
5. *Quitte-t-il souvent l'hôpital?*
6. *Semble-t-il parfois qu'il voie la mort?*
7. *A-t-il reçu la récompense de sa souffrance?*
8. *A-t-il beaucoup souffert?*
9. *A-t-il souffert sans espoir?*
10. *Est-ce que sa souffrance va être complètement oubliée?*

NOTES SUR LE TEXTE ★★

3. roide: *stiff—here an adjective; could have been written* raide.   **29.** vierge: *pure, unsoiled.*   **30.** suaire: *shroud.*

Mais Carré va mal, très mal.

Cette âme robuste devra donc rester seule, car tout la trahit.

Il y avait une jambe intacte.   Elle est maintenant roide* et gonflée ...

Il y avait des bras sains et courageux.   Voilà l'un d'eux 5 dévoré d'abcès ...

Il n'écoute plus tout ce qu'on lui dit.   Il ne répond plus à ce qu'on lui demande.   Il est souvent absent d'une mystérieuse absence.

Lui qui aimait un si fier langage, il s'exprime et se plaint 10 avec des mots et des cris d'enfant.

Parfois, il remonte des profondeurs et parle.

Il nous entretient de la mort avec une lucide imagination qui ressemble à de l'expérience.

Parfois, il la voit ... Et, pour la voir, ses pupilles s'élargis- 15 sent brusquement.

Mais il ne veut pas, il ne peut pas se décider.

Il lui faut encore souffrir un peu plus.

Dans l'ombre, je m'approche du lit.   Son souffle est si léger que, tout à coup, pris d'inquiétude, j'écoute, la bouche ouverte. 20

Alors Carré montre soudain ses yeux.

Va-t-il soupirer, crier?   Non!   Il fait encore un sourire et dit tout à coup :

— Que vous avez les dents blanches ...

Puis il rêve, comme s'il mourait.   25

Avais-tu rêvé pareil martyre, ô frère, alors que tu poussais la charrue sur ton petit bout de terre brune?

Te voici, agonisant d'une agonie de cinq mois, enfoui dans ce linge, vierge* même des récompenses que l'on donne ...

Il faut que ta poitrine, il faut que ton suaire* soient vierges 30 de la moindre des récompenses que l'on donne, Carré!

Il faut que tu aies souffert sans but et sans espoir.

Mais je ne veux pas que toute ta souffrance se perde dans l'abîme.   Et c'est pourquoi je la raconte très exactement.

EXERCICES SUR LE TEXTE

Traduisez en français :

Carré and Lerondeau arrived at the hospital like two packages poorly wrapped. We washed them and placed them, with many precautions, between clean sheets. Then we were able to see that Carré was an old man and that Lerondeau was a young fellow.

They did not come from the same battlefield but they had received the same wound; both had a thigh broken by a bullet.

At first Carré gets ahead. He is brave. In order not to cry out, he sings! He repeats: "The pain of my knee! The pain of my knee!" He is proud to show his courage. Lerondeau is only a little boy beside Carré. But he had also done his duty under fire.

In order to save his life, it was necessary to cut off Carré's leg. In spite of (Malgré) that, he died. The doctor was able to cure Lerondeau, who was able at last to leave the hospital.

The world must not forget the suffering of Carré and of Lerondeau. That is (Voilà) why Duhamel wrote this story.

NOTES SUR LE TEXTE ★★★
7. par la suite: *later on.*   **13.** tachées de son: *freckled.*

On a descendu Lerondeau dans le jardin. Je l'y trouve campé sur une chaise longue, avec un petit képi posé devant l'œil, à cause du premier soleil de printemps.

Il parle un peu, il fume beaucoup, il rit davantage.

Je regarde sa jambe; mais, lui, ne la regarde guère; il ne 5 la sent plus.

Et il l'oubliera plus complètement par la suite,* et il finira par vivre comme s'il était naturel à l'homme de vivre avec un membre roide et déformé.

Oublie ta jambe, oublie ton martyre, Lerondeau! Mais il 10 ne faut pas que l'univers l'oublie.

Et je laisse Marie au soleil, avec une belle teinte rose toute nouvelle sur ses joues tachées de son.*

Carré est mort au petit matin. Lerondeau nous quittera demain.

LA TROISIÈME SYMPHONIE

SYMPHONIE

par

GEORGES DUHAMEL

EXERCICES SUR LE TEXTE

Répondez en français aux questions suivantes :

1. *Quelle est la nationalité de Spät?*
2. *Où le descend-on tous les matins?*
3. *Quel effet son entrée produit-elle toujours?*
4. *Y a-t-il d'autres blessés allemands à l'hôpital?*
5. *Tous les Allemands ressemblent-ils à Spät?*
6. *Que font les autres Allemands?*
7. *Depuis combien de temps Spät est-il à l'hôpital?*
8. *Parle-t-il assez bien le français?*
9. *Peut-il se faire comprendre en français?*
10. *Pourquoi montre-t-il presque toujours un visage glacial?*
11. *Qui déteste-t-il?*
12. *Pourquoi déteste-t-il les personnes que vous venez de nommer?*
13. *Spät souffre comme tous les blessés, n'est-ce pas? Crie-t-il souvent?*
14. *Pourquoi réprime-t-il son désir naturel de crier?*

NOTES SUR LE TEXTE ★★

1-2. le vice-feldwebel: *(German) master sergeant.* **5.** ... amènent à composition: *render more friendly; (freely) whose reserve is broken down by good treatment.* **8.** maints: *many.* **25.** en rien: *not ... in any way, in no way.* **25.** geignait: *used to moan (from geindre).*

LA TROISIÈME SYMPHONIE

par GEORGES DUHAMEL

TOUS les matins, les brancardiers descendaient le vice-feldwebel* Spät à la salle des pansements, et son entrée y jetait toujours un certain froid.

Il y a des blessés allemands que les bons traitements, la souffrance, ou d'autres mobiles amènent à composition* et qui acceptent ce qu'on fait pour eux avec une certaine reconnaissance. Ce n'était pas le cas de Spät. Pendant des semaines, nous avions fait maints* efforts pour l'arracher à la mort, puis pour adoucir ses souffrances, sans qu'il témoignât la moindre satisfaction, ni nous adressât le plus sommaire remerciement.

Il savait quelque peu de français, qu'il utilisait strictement pour ses besoins matériels, pour dire par exemple : « Un peu plus de coton sous le pied, Monsieur ! » ou encore : « Y a-t-il fièvre, ce jour ? »

A part cela, il nous montrait toujours le même visage glacial, le même regard pâle, dur, bordé de cils décolorés. A de certains indices, nous pouvions deviner que cet homme était intelligent et instruit; mais il restait visiblement dominé par une haine vivace et par un étroit souci de sa dignité.

Il souffrait avec courage, et comme quelqu'un qui applique son amour-propre à réprimer les plus légitimes réactions de la chair blessée. Je ne me souviens guère de l'avoir entendu crier, ce qui m'aurait d'ailleurs semblé fort naturel et n'aurait en rien* modifié mon opinion sur Monsieur Spät. Il geignait*

EXERCICES SUR LE TEXTE

Répondez en français aux questions suivantes :

1. *Est-ce que Spät avait été bûcheron?*
2. *Pourquoi l'a-t-on endormi un jour?*
3. *Qu'est-ce qu'il a demandé au chirurgien de ne pas faire?*
4. *Quelle était son attitude quand il s'est réveillé?*
5. *Quelle était son attitude habituelle?*
6. *Qui aimait à siffloter entre les dents?*
7. *Quand cette personne éprouve-t-elle le besoin de siffler entre les dents?*
8. *Un matin le chirurgien s'est mis à siffler; qu'est-ce qu'il était en train de faire?*
9. *Qu'est-ce qu'il regardait?*
10. *Pourquoi a-t-il levé les yeux?*
11. *Pourquoi ne reconnaissait-il pas le visage de Spät?*
12. *De quoi le visage de Spät était-il animé?*
13. *Qu'est-ce que l'auteur sifflait?*
14. *Quel pont venait d'être tendu entre le Français et l'Allemand?*
15. *Quel abîme avait séparé le Français et l'Allemand?*
16. *Combien de temps ce pont a-t-il duré?*

NOTES SUR LE TEXTE ★★

1. le "han!" sourd: *the muffled or dull " uh "—imitation of hard breathing after exertion.* **1-2.** d'un bûcheron qui abat la cognée: *of a woodcutter who brings down his ax.* **3.** débrider: *open (wounds).* **7.** compassée: *formal, stiff.* **21.** détendue: *relaxed.* **25.** sensible: *sensitive.*

seulement, avec le « han! » sourd* d'un bûcheron qui abat la cognée.*

Un jour, nous avions dû l'endormir pour débrider* les plaies de sa jambe; il était devenu très rouge et avait dit, d'un ton presque suppliant : « Pas couper, Monsieur, n'est-ce pas? 5 Pas couper! » Dès le réveil, il avait retrouvé tout aussitôt son attitude hostile et compassée.*

A la longue, j'avais cessé de croire que ses traits fussent jamais capables d'exprimer autre chose que cette animosité contenue. Je fus détrompé dans une circonstance imprévue. 10

Le fait de siffloter entre les dents traduit, chez moi, comme chez beaucoup d'autres personnes, une certaine préoccupation. C'est peut-être inconvenant, mais j'éprouve souvent le besoin de siffler entre mes dents et surtout quand je m'applique à de sérieuses besognes. 15

Un matin donc, j'achevais le pansement du feldwebel Spät en sifflotant distraitement je ne sais quoi. Je ne regardais que sa jambe et ne m'occupais guère de son visage, quand j'eus tout à coup la sensation curieuse que le regard qu'il fixait sur moi venait de changer de nature, et je levai les yeux. 20

Certes, une chose extraordinaire se passait : détendue,* animée d'une sorte de chaleur et de contentement, la figure de l'Allemand souriait, souriait, et je ne la reconnaissais plus. Je ne pouvais croire qu'avec les traits qu'il nous montrait d'habitude il eût pu improviser ce visage-là, qui était sensible* et 25 confiant.

— Dites, Monsieur, murmura-t-il, c'est troisième symphonie, n'est-ce pas? Vous, comment dire … sifflez, c'est le mot?

D'abord, je m'arrêtai de siffler. Je répondis ensuite : « Oui! je crois que c'est la troisième symphonie », puis je 30 demeurai silencieux et troublé.

Par-dessus l'abîme, un frêle pont venait d'être tendu soudain.

La chose dura quelques secondes, et j'y rêvais encore quand je sentis de nouveau tomber sur moi une ombre glaciale, irré- 35 vocable, qui était le regard adversaire de Monsieur Spät.

CONTE DE NOËL

par

FRANÇOIS MAURIAC

EXERCICES SUR LE TEXTE

Les déclarations suivantes sont-elles exactes ou non?

1. *D'habitude, aux récréations, les écoliers poussent des piaillements.*
2. *Quelques écoliers venaient d'être enfermés dans la cour de leur école.*
3. *Les écoliers allaient être obligés de faire une promenade dans la brume.*
4. *Les écoliers avaient déjà marché environ quinze kilomètres.*
5. *Ceux qui allaient rester à l'école mettaient des pantoufles.*
6. *Les autres commençaient à sortir.*
7. *Moi, j'attendais derrière la porte de ma chambre.*
8. *Chaque année on nous faisait attendre, puis on nous laissait entrer dans une chambre où il y avait une crèche.*

NOTES SUR LE TEXTE ★★

1. platane: *plane tree.* **4.** les piaillements: *shrill cries, screeches, yells.*
5. récréations: *recesses.* **10.** les pensionnaires—*pupils who have board and lodging in a French school, as in American boarding schools, are called* pensionnaires *or* internes; *those who have only lunch at school, as in American country-day schools, are* demi-pensionnaires. **13.** bagne: *prison.—Undoubtedly some French boys and girls like to go to school, but it is traditional in French literature for authors to emphasize the confinement of the boarding school.* **14.** quignon: *chunk, hunk (of bread).* **17.** chambre à donner: *(a provincial expression) guest room, spare room.* **22.** veilleuse: *night light, small lamp.*

CONTE DE NOËL

par FRANÇOIS MAURIAC

I

UN maigre platane* qui cherchait l'air dominait les hauts murs de la cour où nous venions d'être lâchés. Mais ce jour-là, au coup de sifflet de M. Garouste, nous ne poussâmes pas les piaillements* habituels de nos récréations.* C'était la veille de la Nativité, on nous avait 5 condamnés à une promenade dans la brume et dans la boue de la banlieue, et nous nous sentions aussi fatigués que peuvent l'être des garçons de sept ans qui ont une quinzaine de kilomètres dans les jambes.

Les pensionnaires* mettaient leurs pantoufles. Le trou- 10 peau des demi-pensionnaires tournés vers la sortie attendaient de voir apparaître celui ou celle qui viendrait les chercher, pour les délivrer du bagne* quotidien. Je mordais sans grand appétit dans un quignon,* absent déjà par le cœur, occupé du mystère de cette soirée où j'allais pénétrer et dont les rites 15 étaient immuables. On nous ferait attendre derrière la porte de la chambre à donner* le temps d'allumer les bougies de la crèche … Maman nous crierait : « Vous pouvez entrer! » Nous nous précipiterions dans cette pièce qui ne prenait vie que cette nuit-là. Les minuscules flammes nous attireraient 20 vers ce petit monde de bergers et de bêtes pressés autour d'un enfant. La veilleuse* allumée à l'intérieur du château crénelé

EXERCICES SUR LE TEXTE

Dans chacune des phrases suivantes il y a un mot qui n'est pas correct; remplacez ce mot par un mot correct:

1. *Une étable est son logement, un peu de paille est sa cachette.*
2. *Derrière la crèche il y aurait un paquebot pour chacun de nous.*
3. *Déjà j'imaginais les ténèbres de la chambre habitée.*
4. *Avant de s'endormir, l'enfant jette un premier coup d'œil sur ses souliers.*
5. *Ses souliers assistaient, dans les cendres du chemin, au mystère.*
6. *Le sommeil est un goût qu'un enfant n'évite pas.*
7. *Tout à coup une clameur se leva dans un angle de la cour.*
8. *Les longues bouches du petit Jean de Blaye le vouaient à cette persécution.*

NOTES SUR LE TEXTE ★★★

1. Hérode—*Herod, the ruler of Judaea who is accused of having ordered the massacre of children.* **1-2.** papier d'emballage froissé: *crumpled wrapping-paper.* **3.** défendue: *forbidden.* **3-4.** le cantique adorable: cantique = hymn; *(here) Christmas carol.—The stanza quoted comes from the popular carol which begins:* "Il est né le divin enfant. " **13.** à l'entour: *around, round about.* **14.** aucun voleur ne se retenait plus de respirer: *no thief was holding his breath.—Because there were now people in the room; when the room was deserted, the child could imagine such things.* **19.** à bout ferré: *tipped with iron.* **22.** surprendre: *(here) to solve, discover.* **30.** le vouaient à: *doomed him to.* **33.** Lord Fauntleroy—" *Little Lord Fauntleroy* " *was the hero of a novel with that title, published in 1866, by Frances Hodgson Burnett. He was notable for his picturesque dress, charming English manners, and long curls.* **34.** Saint Nicolas—*the allusion shows that this popular magazine for children, published in both London and New York from 1872 on, was read also in France.*

d'Hérode,* au sommet d'une montagne faite avec du papier
d'emballage froissé,* nous donnerait l'illusion d'une fête mystérieuse et défendue.* Nous chanterions à genoux le cantique
adorable* :

Une étable est son logement,   5
Un peu de paille est sa couchette,
Une étable est son logement,
Pour un Dieu, quel abaissement!

L'abaissement de Dieu nous pénétrerait le cœur ... Derrière la crèche, il y aurait un paquet pour chacun de nous et 10
une lettre où Dieu lui-même aurait écrit notre péché dominant.

Déjà j'imaginais, à l'entour,* les ténèbres de la chambre
inhabitée : aucun voleur ne se retenait plus de respirer* derrière les rideaux à grands ramages de l'alcôve et des fenêtres. 15
Aux murs, les portraits des personnes mortes, du fond de leur
éternité, écoutaient nos frêles voix. Et puis commencerait la
nuit où, avant de s'endormir, l'enfant jette un dernier coup
d'œil sur ses souliers à bout ferré,* les plus grands qu'il possède, — ceux qui assistent, dans les cendres de la cheminée, 20
au mystère, qu'à chaque Noël j'essayais vainement de surprendre;* mais le sommeil est un gouffre qu'un enfant n'évite
pas.

Ainsi je vivais d'avance cette soirée bénie, la tête tournée
vers la porte où allait apparaître bientôt ma bonne. Le jour 25
baissait. Bien qu'il ne fût pas quatre heures, j'attendais, espé-
rant qu'elle serait en avance. Tout à coup une clameur
s'éleva dans un angle de la cour. Tous les enfants se précipi-
tèrent en criant : « Oh! la fille! Oh! la fille! » Les longues
boucles du petit Jean de Blaye le vouaient à* cette persécu- 30
tion. Ses boucles étaient odieuses à nos crânes tondus. Moi
seul je les admirais, mais en secret, beaucoup parce qu'elles me
rappelaient celles du petit Lord Fauntleroy* dont j'adorais
l'histoire telle qu'elle avait paru dans le *Saint Nicolas** de l'année 1887. Si l'envie me prenait de m'attendrir et de pleurer,

EXERCICES SUR LE TEXTE

I. Remplacez, dans chacune des phrases suivantes, les mots entre parenthèses par d'autres mots pris dans le texte et ayant la même signification :

1. *Les autres enfants (ne savaient pas) que Jean de Blaye ressemblait (à Lord Fauntleroy).*

2. *Je fus (surpris) de ce que (la foule) ne criait pas seulement « la fille! » mais (aussi) d'autres mots.*

3. *Je m'approchai, (ayant peur) d'attirer sur moi l'attention du chef.*

4. *Campagne (avait une tête de plus que nous).*

5. *Il (possédait) une force presque divine.*

6. *L'autre (s'était remis à) hurler.*

7. *Maman (dit toujours la vérité).*

8. *Il (me vit) et (m'adressa la parole).*

II. Répondez en français aux questions suivantes :

1. *Quel effet l'image du petit Lord Fauntleroy a-t-elle toujours eu sur le narrateur?*

2. *Pourquoi le narrateur n'a-t-il pas aidé Jean de Blaye?*

3. *Pourquoi les enfants avaient-ils peur de Campagne?*

4. *Qu'est-ce que Campagne voulait forcer Jean de Blaye à avouer?*

5. *Est-ce que Jean de Blaye était lâche ou courageux?*

NOTES SUR LE TEXTE ★★★

13. l'ennemi juré: *(lit.) the sworn enemy; i.e., the constant tormentor.* **14.** Il était en retard de deux ans: *he was two years behind (i.e., behind his natural grade in school).* **14-15.** nous dépassait tous de la tête: *was a head taller than all of us.* **20.** le petit Jésus—*generally speaking, young French children believe that it is the Christ child and not Santa Claus who comes down the chimney with Christmas presents. (In some parts of France, children receive presents on December 6, St. Nicholas' Day, instead of at Christmas.)*

il me suffisait de regarder l'image qui représentait le petit Lord
dans les bras de sa mère, et de lire au-dessous la légende :
« Oui, elle avait toujours été sa meilleure, sa plus tendre
amie … »   Mais les autres enfants ne possédaient pas le *Saint
Nicolas* de 1887; ils ignoraient que Jean de Blaye ressem- 5
blait au petit Lord et ils le persécutaient; et moi, lâche
parce que je me sentais si faible, je demeurais un peu à
distance.

Pourtant, ce jour-là, je fus étonné de ce que la meute ne
criait pas seulement : « la fille! la fille! » mais encore d'autres 10
mots que je ne compris pas d'abord.   Je m'approchai en longeant le mur, craignant d'attirer sur moi l'attention du chef,
le persécuteur, l'ennemi juré* de Jean de Blaye.   Il s'appelait
Campagne, il était en retard de deux ans* et nous dépassait
tous de la tête,* un vrai géant à nos yeux, doué d'une force 15
presque divine.   Les enfants entouraient donc Jean de Blaye
et criaient :

— Il le croit! Il le croit! Il le croit!

— Que croit-il donc? demandai-je à un camarade.

— Il croit que c'est le petit Jésus* qui descend par la che- 20
minée …

Sans comprendre, j'interrogeai : « Eh bien? » Mais l'autre
avait recommencé de hurler avec les loups.   Je m'approchai
encore : Campagne serrait les poignets du petit de Blaye, après
l'avoir poussé contre le mur.   25

— Le crois-tu, oui ou non?

— Tu me fais mal!

— Avoue et je te lâcherai …

Alors le petit de Blaye prononça d'une voix haute et ferme,
comme un martyr qui confesse sa foi :   30

— Maman me l'a dit, maman ne peut pas mentir.

— Vous entendez! cria Campagne.   La maman de Mademoiselle ne peut pas mentir!

Au milieu de nos rires serviles, Jean de Blaye répétait :
« Maman ne ment pas, maman ne m'a pas trompé … »   A 35
ce moment il m'aperçut et m'interpella :

EXERCICES SUR LE TEXTE

Répondez par oui ou par non aux questions suivantes :

1. *Est-ce que le narrateur était un enfant courageux?*
2. *Les enfants se sont-ils séparés parce qu'un des maîtres s'approchait?*
3. *Est-ce qu'un valet de chambre accompagnait toujours Jean de Blaye quand il rentrait chez lui?*
4. *Est-ce qu'un valet de chambre accompagnait aussi Frontenac?*
5. *Frontenac avait-il peur de Campagne?*
6. *Jean de Blaye avait-il reçu le jouet qu'il avait demandé?*
7. *Frontenac avait-il demandé une boîte à outils?*
8. *Est-ce que Frontenac savait qu'on avait acheté ses jouets dans un magasin?*
9. *Jean de Blaye est-il absolument certain que sa mère ne lui avait pas donné les jouets?*
10. *Si on dort, peut-on voir celui qui apporte des jouets?*
11. *Si on ne dort pas, peut-on être sûr de le voir?*
12. *Est-ce que les enfants voulaient avoir les bonbons qu'ils voyaient dans les devantures des magasins?*

NOTES SUR LE TEXTE ★★★

1. Frontenac—*this character (here a child of seven) evidently represents Mauriac himself.* **4.** C'était pour me payer sa tête: *(a common locution) I said so to make fun of him; I was trying to get a rise out of him.* **7.** gibernes: *school bags.* **13.** trouble: *confusion, embarrassment.* **26.** il n'y aurait qu'à: *we would have only to.* **32.** le Cours des Fossés—*name of an avenue in Bordeaux, the city in which Mauriac was born and brought up; for Cours, cf. note to p. 55, l. 13.* **32-33.** Des lampes à acétylène: *gas lamps.—In Mauriac's childhood, gas lamps were generally used for street lighting in both Europe and America.*

— Mais toi, Frontenac,* tu sais bien que c'est vrai. Nous en avons parlé tout à l'heure en promenade !

Campagne se tourna vers moi, et sous son œil cruel de chat, je balbutiai : « C'était pour me payer sa tête …* » Sept ans : l'âge de la faiblesse, de la lâcheté. M. Garouste s'approcha, à ce moment; déjà la bande se dispersait. Nous allâmes décrocher nos pardessus et nos gibernes.*

Dans la rue, Jean de Blaye me rattrapa. Le valet de chambre qui l'accompagnait faisait route volontiers avec ma bonne.

— Tu sais bien que c'est vrai … mais tu as eu peur de Campagne, dis ? C'est parce que tu as eu peur ?

J'éprouvais un grand trouble.* Je protestai que je n'avais pas eu peur de Campagne … Non, je ne savais pas si c'était vrai ou faux … Au fond, ça n'avait pas beaucoup d'importance, pourvu que nous recevions le jouet que nous avions demandé … Mais comment le petit Jésus savait-il que Jean avait envie de soldats de plomb, d'une boîte à outils, et moi d'une écurie et d'une ferme ? … Pourquoi les jouets venaient-ils du *Magasin Universel ?*

— Qui te l'a dit ?

— L'année dernière, j'ai vu les étiquettes …

Jean de Blaye répéta : « En tout cas puisque maman me l'a dit … » et je le sentais troublé.

— Écoute, dis-je, si nous voulions absolument ne pas dormir, il n'y aurait qu'à* rallumer la bougie, prendre un livre, ou bien s'installer dans le fauteuil près de la cheminée, pour être sûr d'être réveillé lorsqu'il viendrait …

— Maman dit que si on ne dort pas, on l'empêche de venir …

Les magasins luisaient sur les trottoirs trempés de brume. Des baraques encombraient le Cours des Fossés.* Des lampes à acétylène* éclairaient des bonbons roses qui nous faisaient envie parce qu'ils étaient de trop mauvaise qualité pour que nous en achetions.

— Nous pourrions faire semblant de dormir …

EXERCICES SUR LE TEXTE

I. Répondez par oui ou par non aux questions suivantes :

1. *Jean de Blaye croit-il qu'on puisse tromper le petit Jésus?*
2. *Est-ce que Frontenac croit qu'ils puissent tromper leurs mères?*
3. *Jean et Frontenac allaient-ils passer ensemble les vacances du jour de l'An?*
4. *Frontenac va essayer de ne pas s'endormir; est-ce que Jean de Blaye, lui aussi, va essayer de ne pas s'endormir?*
5. *Est-ce que Jean de Blaye ressemblait de loin à une jeune fille?*
6. *Était-ce vraiment un grand garçon?*

II. Répondez en français aux questions suivantes :

1. *Dans quelle ville le narrateur de cette histoire demeurait-il quand il était enfant?*
2. *Dans quelle partie de cette ville était la maison de ses parents?*
3. *Qu'est-ce que l'enfant pouvait entendre la veille de Noël?*
4. *Où est-ce que l'enfant s'imaginait être?*
5. *Quels objets de sa chambre ressemblaient à des animaux?*
6. *En avait-il peur?*
7. *Pourquoi ne voulait-il pas s'endormir?*
8. *Qui est entré dans sa chambre?*
9. *Comment l'enfant a-t-il reconnu la personne qui est entrée?*
10. *Comment l'enfant a-t-il essayé de tromper sa mère?*

NOTES SUR LE TEXTE ★★

3. elle s'y laissera prendre: *she'll be fooled.* **15.** la Tour Pey-Berland—*a fifteenth-century bell tower standing near the Cathedral and named after an archbishop.* **24.** Mowgli—*hero of Kipling's* The Jungle Book *(1894).* **27.** tant j'avais la sensation: *to such a degree did I have the sensation.*

— Il saura bien que nous faisons semblant, puisqu'il sait tout …

— Oui, mais si c'est maman, elle s'y laissera prendre.*

Jean de Blaye répéta : « Ce n'est pas maman! » Nous avions atteint le coin de la rue où nous devions nous séparer 5 jusqu'à la fin des vacances du jour de l'An, car Jean partait le lendemain pour la campagne. Je le suppliai d'essayer de ne pas dormir; pour moi j'étais résolu à demeurer les yeux ouverts. Nous nous raconterions ce que nous aurions vu … Il me promit qu'il essayerait. Je le suivis des yeux. Pendant quelques se- 10 condes, je vis les longues boucles de fille sauter sur ses épaules; et puis sa petite ombre s'effaça dans le brouillard du soir.

II

Notre maison était proche de la cathédrale. Le soir de Noël, la grosse cloche de la Tour Pey-Berland,* le bourdon, 15 emplissait la nuit d'un grondement énorme. Mon lit deve- nait pour moi la couchette d'un bateau et la tempête de sons me portait, me berçait dans son orage. La veilleuse vacillante peuplait la chambre de fantômes qui m'étaient familiers. Les rideaux de la fenêtre, la table, mes vêtements en désordre sur 20 un fauteuil n'entouraient plus mon lit d'un cercle menaçant : j'avais apprivoisé ces fauves. Ils protégeaient mon sommeil, comme le peuple de la jungle veillait sur celui de l'enfant Mowgli.*

Je ne risquais pas de m'endormir : le bourdon m'aidait à 25 me tenir en éveil. Mes doigts s'accrochaient aux barreaux du lit tant j'avais la sensation* d'être livré corps et âme à une bonne tempête qui ne me voulait pas de mal. Maman poussa la porte. Mes paupières étaient closes, mais au bruit soyeux de sa robe, je la reconnus. Si c'était elle qui déposait les 30 jouets autour de mes souliers, ce devrait être le moment, me disais-je, avant qu'elle partît pour la messe de minuit. Je m'appliquai à respirer comme un enfant endormi. Maman se

EXERCICES SUR LE TEXTE

I. Répondez en français aux questions suivantes :

1. *Qu'est-ce que l'enfant a fait quand sa mère s'est penchée sur lui?*
2. *L'enfant veut voir le petit Jésus; que faut-il qu'il fasse pour que le petit Jésus vienne?*
3. *Faut-il voir le petit Jésus pour l'aimer?*
4. *Pourquoi ne le voit-on pas le dimanche à l'église?*
5. *Pourquoi l'enfant a-t il pu le voir à l'église?*
6. *La mère est sortie de la chambre; où allait-elle?*
7. *Pourquoi y allait-elle à ce moment-là?*
8. *Après le départ de sa mère, qu'est-ce que l'enfant a fait tout d'abord?*
9. *Pourquoi a-t-il fait cela?*
10. *Ses souliers étaient entre des chenets; où étaient ces chenets?*
11. *Par où le son du bourdon entrait-il dans la chambre?*
12. *Qu'est-ce que c'est qu'un bourdon?*
13. *Qu'est-ce que l'enfant s'attendait à voir dans la cheminée?*
14. *Qu'est-ce qui s'est passé dans la cheminée?*
15. *Est-ce que l'enfant voyait en réalité ou seulement croyait voir une lumière surnaturelle sur ses souliers?*

II. Traduisez en anglais :

1. *Comment veux-tu qu'il vienne si tu ne dors pas?*
2. *Tu ne te fâcheras pas?*
3. *Ce n'est pas une nuit à garder les yeux ouverts.*
4. *C'est en dormant que tu le verras le mieux.*

NOTES SUR LE TEXTE ✶✶✶

15. enfin: *anyhow.* **18.** ne t'avise pas de: *don't take it into your head to, be sure not to.* **22.** tison: *coal, ember.* **22.** chenets: *andirons.* **23.** suie: *soot.* **27.** espaces lactés: *milky spaces—suggested by Milky Way.*

pencha et je sentis son souffle.   Ce fut plus fort que toutes mes
résolutions : je jetai brusquement mes bras autour de son cou
et me serrai contre elle avec une espèce de fureur.   « Oh! le
fou! le fou! » répétait-elle à travers ses baisers.

— Comment veux-tu qu'il vienne si tu ne dors pas?   Dors, 5
Yves, mon chéri, dors, mon garçon aimé; dors, mon petit
enfant …

— Maman, je voudrais le voir!

— Il veut qu'on l'aime sans l'avoir vu … Tu sais bien qu'à
la messe, au moment où il descend sur l'autel, tout le monde 10
baisse la tête …

— Maman, tu ne te fâcheras pas, eh bien, une fois, je n'ai
pas baissé la tête, j'ai regardé, je l'ai vu …

— Comment?   Tu l'as vu?

— Oui! enfin …* un petit bout d'aile blanche …   15

— Ce n'est pas une nuit à garder les yeux ouverts.   C'est
en dormant que tu le verras le mieux.   Quand nous
reviendrons de l'église, ne t'avise pas* d'être encore
éveillé …

Elle referma la porte, son pas s'éloigna.   J'allumai la 20
bougie et me tournai vers la cheminée où mourait un dernier
tison.*   Les souliers étaient là entre les chenets,* au bord de
ce carré ténébreux, de cette trappe ouverte sur de la suie* et
de la cendre.   C'était par là que la grande voix du bourdon
s'engouffrait, emplissait ma chambre d'un chant terrible qui, 25
avant de m'atteindre, avait erré au-dessus des toits, dans ces
espaces lactés* où se confondent, la nuit de Noël, des milliers
d'anges et d'étoiles.   Ce qui m'aurait surpris, ce n'eût pas été
l'apparition d'un enfant dans le fond obscur de l'âtre, mais au
contraire qu'il ne se passât rien.   Et, d'ailleurs, il se passait 30
quelque chose : mes deux souliers encore vides, ces pauvres
gros souliers mêlés à ma vie quotidienne, prenaient tout à coup
un aspect étrange, irréel; comme s'ils eussent été posés là presque en dehors du temps, comme si les souliers d'un petit garçon
pouvaient tout à coup être touchés par une lumière venue du 35
monde qu'on ne voit pas.   Si proche était le mystère que je

EXERCICES SUR LE TEXTE

I. Répondez en français aux questions suivantes :

1. *L'enfant avait allumé une bougie; pourquoi l'a-t-il soufflée?*
2. *Après quelque temps, une personne est entrée dans la chambre; pourquoi l'enfant croyait-il que c'était sa mère?*
3. *Dans quelle partie de la chambre cette personne est-elle allée d'abord?*
4. *Savez-vous ce qu'elle y a fait?*
5. *A quel moment précis l'enfant s'est-il endormi?*

II. Traduisez en anglais :

1. *Je me dis que ce devait être maman.*
2. *Je n'avais pas assisté à la messe de minuit.*
3. *Mes frères avaient dû recevoir la petite hostie.*
4. *Je chaussai les souliers qui n'étaient plus maintenant que de pauvres petits souliers ordinaires.*
5. *Les enfants criaient et se poursuivaient.*
6. *Il me tardait de lui dire le secret que j'avais surpris.*
7. *J'essayais d'imaginer les mots dont il faudrait me servir pour qu'il me comprît.*
8. *Peut-être ne saurais-je pas de longtemps ce qu'il avait vu durant sa nuit de veille.*

NOTES SUR LE TEXTE ★★

18. je sombrai: *I sank.* **21.** la rentrée—*the usual word for the reopening of schools after any vacation period.* **23.** les sabots d'un ânon: *the hoofs of a young ass.—In connection with human beings,* sabot = *wooden shoe.* **24.** pataugeaient: *were splashing.* **24.** les flaques: *the puddles.* **26.** cohue: *crowd, mass, throng.* **27-28.** Il me tardait de: *(idiom) I was impatient to, I was anxious to.*

soufflai la bougie pour ne pas effaroucher le peuple invisible
de cette nuit entre les nuits.

Si le temps me parut court, ce fut sans doute que j'étais
suspendu hors du temps. Quelqu'un poussa la porte et je
fermai les yeux. Au bruit soyeux de la robe, au froissement 5
des papiers, je me dis bien que ce devait être maman. C'était
elle et ce n'était pas elle; il me semblait plutôt que quelqu'un
avait pris la forme de ma mère. Durant cette inimaginable
messe de minuit à laquelle je n'avais pas assisté, je savais que
maman et mes frères avaient dû recevoir la petite hostie et 10
qu'ils étaient revenus, comme je les avais vus faire si souvent,
les mains jointes et les yeux tellement fermés que je me de-
mandais toujours comment ils pouvaient retrouver leurs chai-
ses. Bien sûr, c'était maman qui, après s'être attardée autour
de la cheminée, s'approchait de mon lit. Mais Lui vivait en 15
elle; je ne les séparais pas l'un de l'autre : ce souffle dans mes
cheveux venait d'une poitrine où Dieu reposait encore. Ce
fut à ce moment précis que je sombrai* à la fois dans les bras
de ma mère et dans le sommeil.

III

Le matin de la rentrée,* je chaussai les souliers qui avaient
participé au miracle et qui n'étaient plus maintenant que de
pauvres petits souliers ferrés comme les sabots d'un ânon* et
qui pataugeaient* dans les flaques* de la cour, autour du
maigre platane, en attendant que huit heures aient sonné. 25
Dans la cohue* des enfants qui criaient et qui se poursuivaient,
je cherchais en vain les boucles de fille de Jean de Blaye. Il
me tardait de* pouvoir lui dire le secret que j'avais surpris ...
Quel secret? J'essayais d'imaginer les mots dont il faudrait
me servir pour qu'il me comprît. 30
Les boucles de Jean de Blaye demeuraient invisibles. Peut-
être était-il malade? Peut-être ne saurais-je pas de longtemps
ce que lui-même avait vu durant sa nuit de veille? En en-

EXERCICES SUR LE TEXTE

I. Complétez chacune des phrases suivantes en y ajoutant des phrases ou des mots choisis dans le texte :

1. *Mes yeux se fixaient sur la place qu'il occupait ...*
2. *Je ne l'aurais pas reconnu sans ...*
3. *Ce qui m'étonnait, c'était ...*
4. *Ses cheveux étaient assez longs pour qu'il pût ...*
5. *A dix heures je partis à ...*
6. *L'enfant s'assit sur ...*
7. *Je regardais de loin, songeant que je ne verrais plus ...*
8. *Tu t'es imaginé vraiment que j'étais ...*
9. *Il m'assura qu'il ...*
10. *Il avait mis un genou à terre pour ...*

II. Traduisez en anglais les phrases que vous venez de compléter.

NOTES SUR LE TEXTE ★★

1. étude: *study hall, classroom.* **5.** dégagé: *sure of himself.* **6.** Il était tondu de moins près: *(lit.) He was sheared less closely; (freely) His hair was less closely cut.* **12.** comme si c'eût été ... chevelure—*obvious allusion to Samson, who lost his strength when his hair was cut.* **13.** laissa le champ libre: *(lit.) left the field free, left a clear field; (freely) gave a wide berth.* **19.** Tu as tenu parole?: *You kept your word?* **20.** bougonna: *grumbled, muttered.* **25.** On n'est plus des gosses: *We're no longer kids.* **30.** décollées—*his hair having been cut, his ears now stuck out from his head.* **30-31.** en ailes de Zéphyr: *like Zephyr's wings.—In Greek mythology, Zephyrus was a young man, with wings, who personified the west wind.* **32.** Elle avait blagué: *(almost slang) She had been fooling? She had been kidding?* **33.** me dévisagea: *stared at me, stared me in the face.*

trant dans l'étude,* mes yeux se fixèrent sur la place qu'il
occupait d'habitude. Un enfant étranger y était assis, un
enfant sans boucles. Je ne compris pas d'abord que c'était
lui. Je ne l'aurais pas reconnu sans son œil bleu qu'il leva
vers moi; ce qui m'étonnait surtout, c'était son air dégagé,* 5
délivré. Il était tondu de moins près* que ses camarades. Le
coiffeur lui avait laissé les cheveux assez longs pour qu'il pût
se faire une raie sur le côté gauche.

A dix heures, dès que nous fûmes lâchés dans la cour, je
partis à sa recherche et le trouvai dressé comme un petit David 10
devant le grand Campagne, comme si c'eût été sa faiblesse et
non sa force qu'il eût perdue avec sa chevelure.* Campagne
déconcerté laissa le champ libre* à l'enfant qui s'assit sur une
marche du perron pour chausser des patins à roulettes. Je
regardais de loin, n'osant m'approcher, songeant avec une 15
vague détresse que je ne verrais plus jamais luire au soleil ni
danser sur les épaules de Jean de Blaye les boucles du petit
Lord Fauntleroy! Je me décidai enfin :

— Eh bien? Tu as tenu parole?* Tu es resté éveillé?

Il bougonna,* sans relever la tête : « Tu t'es imaginé vrai- 20
ment que je croyais … que j'étais assez bête? » Et comme je
reprenais : « Mais rappelle-toi … il n'y a pas quinze jours … »
il se pencha un peu plus sur ses patins, m'assura qu'il avait
fait semblant, qu'il se payait notre tête :

— A huit ans, tout de même! On n'est plus des gosses.* 25

Comme il parlait toujours sans me regarder, je ne pus plus
retenir la question brûlante :

— Mais alors? Ta maman t'avait trompé?

Il avait mis un genou à terre pour serrer les courroies des
patins. Le sang envahit ses oreilles décollées,* en ailes de 30
Zéphyr.* J'insistais lourdement :

— Dis, de Blaye, ta maman … Alors? Elle avait blagué?*

Il se redressa d'un coup et me dévisagea.* Je revois encore
ce petit visage maussade et rouge, ces lèvres serrées. Il passa
la main sur sa tête comme s'il y cherchait les boucles disparues, 35
et souleva une épaule :

EXERCICES SUR LE TEXTE

Les déclarations suivantes sont-elles exactes ou non?

1. *D'habitude l'auteur passait la Noël avec sa famille en province.*

2. *Une seule fois, dans sa jeunesse, il l'a passée à Paris.*

3. *Bien qu'il fût à Paris, il entendit clairement la grosse cloche de la Tour Pey-Berland.*

4. *Le son de la cloche était plus fort que celui des violons des musiciens.*

5. *A vrai dire le son de cette cloche venait de sa mémoire.*

6. *L'auteur savait bien qu'il n'aurait pas dû se laisser entraîner dans les cabarets.*

7. *Ses compagnons se rappelaient, eux aussi, leur enfance.*

8. *Bien que l'auteur fût encore jeune, son enfance lui semblait être dans un passé lointain.*

9. *En réalité son enfance était si récente qu'il sentait encore la brûlure des bougies.*

10. *L'auteur n'avait aucune excuse de passer la nuit de Noël dans les « boîtes » de Paris.*

NOTES SUR LE TEXTE ★★★

8. me fuyait: *was avoiding me.* **12.** en province parmi les miens—"en province" *means anywhere and everywhere in France, outside Paris;* "les miens" = *my relatives, members of my family.* **14.** la guerre—*the First World War, 1914-18.* **17.** "boîtes": *night clubs.* **20.** tziganes—*Hungarian gypsies who used to play in cabarets.* **21.** Ce sont ... trahir—*i.e., it is in such moments that one is perfectly sure he is betraying his own best character.* **32.** poète—*another autobiographical detail; Mauriac published a volume of poems when he was twenty-four years old.*

— Elle ne me blaguera plus.

Je répondis presque malgré moi que nos mères ne nous avaient pas menti, que tout était vrai, que j'avais vu … Il m'interrompit :

— Tu as vu ? C'est vrai ? Eh bien, moi aussi, j'ai vu !   5

Là-dessus, il fila sur ses patins et jusqu'à la fin de la récréation, ne cessa de rouler autour du platane. Je compris qu'il me fuyait.* Depuis ce jour-là, nous ne fûmes plus amis. L'année suivante, ses parents quittèrent Bordeaux, et je ne sus pas ce qu'il était devenu.   10

IV

Il m'est arrivé une seule fois, dans ma jeunesse, de ne pas vivre la sainte Nuit en province parmi les miens.* Une seule fois, ce devait être très peu d'années avant la guerre.* Je me laissai entraîner dans les cabarets. J'ai oublié leurs noms, 15 mais je me souviens de mon affreuse tristesse. Dans cette atmosphère de « boîtes »,* le bourdon de la tour Pey-Berland grondait en moi avec plus de puissance que sur les toits de la ville où je suis né. Il couvrait de sa voix terrible les violons des tziganes.* Ce sont de ces moments de la vie, où on a la 20 certitude de trahir.* Mes compagnons ne trahissaient pas, parce qu'ils n'avaient pas à choisir. Peut-être quelques-uns avaient-ils eu une enfance pareille à la mienne, mais ils l'avaient oubliée. J'étais le seul dans cette odeur de nourritures et dans le vacarme des refrains idiots à recomposer en imagina- 25 tion, au milieu des ténèbres de la chambre à donner, cet îlot merveilleux de la crèche; seul à me souvenir du vieux cantique qui exprime l'abaissement, l'humilité de Dieu. Bien que je fusse encore en pleine jeunesse, ces bougies vacillaient dans le lointain d'un passé si reculé que je croyais avoir mille ans. Et 30 pourtant je sentais leur brûlure. Non, je n'avais aucune excuse, parce que j'étais poète* et qu'un poète est un cœur en qui rien ne finit. Où avais-je traîné, où avais-je osé traîner, cette nuit-là, mon enfance qui ne m'avait pas quitté ?

EXERCICES SUR LE TEXTE

I. Traduisez en anglais :

1. *Je buvais pour perdre conscience de mon crime.*
2. *Plus je buvais, plus je m'éloignais de mes camarades.*
3. *Je ne doutais pas que ce ne fût lui.*
4. *On n'aurait pas dû te couper tes boucles.*
5. *Tu me prends pour un autre, bien sûr!*
6. *Je me sens si peu moi-même, ce soir.*
7. *Mon frère aîné s'appelait Jean.*
8. *Ce n'était donc là que ce petit frère dont Jean me parlait autrefois.*
9. *Comment avais-je pu me tromper?*
10. *Ça me rappelle une histoire.*

II. Les déclarations suivantes sont-elles exactes ou non?

1. *J'avais commis un crime véritable.*
2. *Je quittai mes camarades parce que je n'aimais pas leurs rires.*
3. *Jean de Blaye était si près de moi que j'aurais pu lui toucher le visage.*
4. *On avait coupé les boucles du jeune homme à qui je parlais.*
5. *Je m'étais trompé; ce n'était pas Jean.*
6. *C'était un homme dont je n'avais jamais entendu parler.*
7. *Philippe était le frère aîné de Jean de Blaye.*
8. *Les yeux de Jean et de Philippe étaient de la même couleur.*

NOTES SUR LE TEXTE ★★★

7. juché: *perched.* **8.** pervenche—*in* La Maison *(p. 31, l. 12)* des pervenches *were the actual flowers, periwinkles or myrtles; here the word indicates the color of that flower, blue.* **13.** pâteuse: *pasty, thick.*

Je buvais pour perdre conscience de mon crime. Plus je buvais, plus je m'éloignais de mes camarades. Mais ils me gênaient avec leurs rires. Je quittai la table et me dirigeai vers le bar, dans un retrait où la lumière était plus douce. Je m'y accoudai, on me servit un whisky. A ce moment où je pensais à un petit garçon nommé Jean de Blaye, j'aperçus Jean de Blaye lui-même, juché* sur un tabouret à côté de moi. Je ne doutai pas que ce ne fût lui. Le même œil de pervenche* que je regardais luire au-dedans de moi éclairait l'usure de cette jeune face que ma main aurait pu toucher. Je lui dis :

— On n'aurait pas dû te couper tes boucles.

Il ne parut pas étonné, mais me demanda d'une voix un peu pâteuse :* « Quelles boucles ? »

— Celles qu'on t'a coupées pendant les vacances de Noël, en 1898.

— Tu me prends pour un autre, bien sûr ! mais ça n'a pas d'importance ... Je me sens si peu moi-même, ce soir !

— Et moi je sais que tu es de Blaye.

— Comment connais-tu mon nom ?

Je poussai un soupir, je me sentais délivré : c'était lui ! c'était bien lui ! Je lui pris la main :

—Jean, tu te rappelles le platane ?

Il rit :

— Le platane ? quel platane ? Et puis, tu sais, je ne me nomme pas Jean mais Philippe. Mon frère aîné s'appelait Jean ... Tu me prends pour lui, peut-être ?

Quelle douleur ! ce n'était donc là que ce petit frère dont Jean de Blaye me parlait autrefois ... Comment avais-je pu m'y tromper ? Philippe avait un visage sans lumière. Il me dit tout à coup :

— Ses boucles ... les boucles de Jean ... Ça me rappelle une histoire ...

Il me raconta que dans la chambre de leur mère, sur la commode, il y avait un coffret en argent, fermé à clef. Jean assurait à Philippe que c'était un trésor. Ils en rêvaient, mais leur mère ne voulait pas le leur montrer, elle leur interdisait

EXERCICES SUR LE TEXTE

Répondez en français aux questions suivantes :

1. *Lequel de ses deux enfants la mère de Jean de Blaye aimait-elle le plus?*

2. *De quel coffret Jean de Blaye a-t-il forcé la serrure?*

3. *Pourquoi a-t-il ouvert le coffret?*

4. *Qu'est-ce qu'il y a trouvé?*

5. *Qu'a-t-il fait de ce qu'il y a trouvé?*

6. *Pourquoi Jean n'aurait-il pas dû ouvrir le coffret?*

7. *Pourquoi n'aurait-il pas dû brûler ce qu'il a trouvé dedans?*

8. *Jean, dit son frère, a forcé d'autres serrures; pouvez-vous deviner pourquoi?*

9. *Philippe parle de « toutes ces histoires.» De quelle sorte d'histoires parle-t-il?*

10. *Quel genre de vie Jean a-t-il mené?*

11. *Où Jean est-il mort?*

12. *Quand le narrateur est rentré à son logis, c'était l'aube. Le matin de quel jour?*

13. *Est-ce que le narrateur était ivre?*

14. *Qu'est-ce qu'il avait bu?*

15. *A quoi pensait-il en rentrant chez lui?*

NOTES SUR LE TEXTE ★★

9. écumer: *to foam (with anger), to seethe.* **15.** Saïgon—*capital of what was Cochin China, part of French Indo-China, now capital of South Vietnam.* **16.** faire-part: *announcement—abbreviation of* " lettres de faire-part, " *sent out to tell of a birth, marriage, or death.* **21.** un enfant perdu: *(freely) a black sheep.* **30—31.** Il existe des ivresses lucides: *There are states of intoxication during which one's mind is clear.*

d'ouvrir le coffret. Elle et Jean se heurtaient toujours, toujours dressés l'un contre l'autre. « Elle l'aimait plus que moi, disait Philippe. Et au fond je crois bien qu'elle n'aimait que lui ... Mais quelque chose les séparait, je ne sais quoi ... Un jour Jean a forcé la serrure du coffret ... la première serrure 5 qu'il ait forcée, mais non la dernière, hélas! Le trésor, c'était ses boucles d'enfant, crois-tu? On aurait dit des cheveux de mort. Jean eut alors une de ses fureurs ... Tu sais ce qu'il pouvait devenir dans ces moments-là. Il cessa d'écumer* quand il vit brûler dans la cheminée ses vieilles boucles. Le 10 soir, ma mère... Je ne sais pourquoi je te raconte ces choses...» Il se remit à boire. Je songeais : « Il parle de son frère au passé. » Pourtant je savais d'avance la réponse que recevrait ma question posée d'une voix indifférente : « Il est mort? »

— L'année dernière, à l'hôpital de Saïgon ...* Il y a eu un 15 avis dans les journaux, mais on n'a pas envoyé de faire-part* ... Tu penses! après toutes ces histoires, après la vie qu'il avait menée ...

J'aurais pu demander : « Quelle vie? » Je préférai dire : « Oui, oui ... je sais ... » et je savais en effet que Jean avait 20 fini comme un mauvais garçon, comme un enfant perdu.*

Je me souviens d'être revenu à pied vers mon logis d'étudiant. Des platanes maigres s'étiraient au-dessus de leur grille, au-dessus de l'asphalte souillée, et baignaient leurs branches dans le brouillard de l'aube. Beaucoup de monde traînait 25 encore dans les rues. Je revois ce groupe de garçons hissant dans un taxi rouge une femme saoule. Très loin de ce désordre d'une nuit de réveillon, mes yeux cherchaient au-dessus des toits les espaces glacés peuplés d'anges que le bourdon de la tour Pey-Berland avait dû éveiller. Il existe des ivresses 30 lucides.* En même temps que je me sentais soulevé, non par les souvenirs de mon enfance, mais par mon enfance elle-même, vivante et présente en moi, je reconstituais avec une aisance miraculeuse l'histoire de Jean de Blaye. Si je suis né poète, c'est cette nuit-là que je devins romancier, ou du moins que

EXERCICES SUR LE TEXTE

I. Traduisez en anglais littéraire le passage de la page 201 (lignes 3 à 22) où le narrateur développe le plan du roman qu'il compte écrire.

II. Lisez à haute voix :

1. *Les portraits des personnes mortes, du fond de leur éternité, écoutaient nos frêles voix.*

2. *La veilleuse vacillante peuplait la chambre de fantômes qui m'étaient familiers.*

3. *Des platanes maigres ... baignaient leurs branches dans le brouillard de l'aube.*

III. Trouvez dans ce conte de François Mauriac huit ou dix phrases semblables, remarquables par leur style poétique.

15-16. qui l'avait mis au monde: *(a common locution) who had brought him into the world, who had given birth to him.* **18.** sous sa coupe: *under her domination, under her thumb.* **21-22.** inavouables: *unavowable, shameful.* **25.** en habit: *in evening clothes, in a dress suit.* **26.** la boutonnière encore fleurie: *with a flower still in my buttonhole (of lapel).*

j'ai pris conscience de ce don, de ce pouvoir. Je marchais
d'un pas rapide, léger, entraîné par la puissance de ma créa-
tion. Je tenais les deux bouts de ce destin : un petit garçon
aux cheveux de fille qui porte dans son cœur une exigence
sauvage, une puissance de passion toute concentrée sur sa   5
mère, et puis cet homme presque enfant qui agonise sur un lit
d'hôpital, à Saïgon.

Je recréais l'écolier pour qui la parole maternelle avait une
valeur sacrée. Je voyais son regard au moment où il découvrit qu'elle était capable de mentir; je mettais l'accent sur les   10
boucles coupées : leur retranchement avait marqué la fin de
sa dévotion filiale ... Ici finissait le prologue de mon roman et
j'entrais dans le vif du sujet : ce jeune mâle et cette mère
dressés l'un contre l'autre. La scène du coffret en devenait le
centre : Jean de Blaye haïssait dans celle qui l'avait mis au   15
monde* cette obstination à faire revivre l'enfant qu'il n'était
plus, à le tenir prisonnier de son enfance pour le garder plus
sûrement sous sa coupe.* A peine l'homme commençait-il de
poindre en lui que déjà la lutte tournait au tragique : la première amitié, le premier amour, la première nuit où il ne   20
rentra pas, les demandes d'argent, les compagnies inavouables,* le premier délit grave ...

Je me trouvai devant ma porte. Le jour blanchissait mon
balcon. Les cloches annonçaient la messe de l'aurore. Malgré mon désir de sommeil, je m'assis à ma table, en habit,*   25
la boutonnière encore fleurie,* je pris une plume et une page
blanche, tant j'avais peur d'oublier les idées qui m'étaient
venues! Un romancier venait de naître et ouvrait les yeux
sur ce triste monde.

LE PROVERBE

par

MARCEL AYMÉ

EXERCICES SUR LE TEXTE

Répondez en français aux questions suivantes :

1. *Quel était le sentiment des membres de la famille Jacotin envers M. Jacotin?*
2. *Est-ce que M. Jacotin était juste ou injuste?*
3. *Quand comptait-il annoncer à sa famille une heureuse nouvelle? Quelle nouvelle?*
4. *Sa femme lui faisait peu d'honneur. Pourquoi?*
5. *Depuis combien de temps la tante Julie demeurait-elle chez les Jacotin?*
6. *Ses deux filles dépensaient-elles plus d'argent qu'elles n'en gagnaient?*
7. *Qu'est-ce qu'elles achetaient?*

NOTES SUR LE TEXTE ★★

1. suspension: *hanging lamp.* **3.** la pâture: *food, fodder, grub.—This word is usually used of food for animals.* **4.** l'humeur: *not good humor but mood, temper.* **10-11.** les palmes académiques—*a decoration consisting of silver palms on a purple ribbon, which is awarded by the Minister of Public Education for distinguished service in cultural fields. It is sometimes awarded to Americans.* **13.** prendre la parole: *to speak, to begin a speech.* **18.** lui faisaient si peu d'honneur: *were so little to his credit, did so little for his reputation.* **18.** auprès de: *(here) among.* **19.** en faisant valoir: *by making the most of, by emphasizing.* **23.** à cinq cents francs—*as it was published in 1943, the action of this story may be supposed to antedate the Second World War, in which case five hundred francs would possibly equal twenty dollars.* **35.** à l'échancrure: *at the neck openings of their dresses; (freely) at their throats.*

LE PROVERBE

par MARCEL AYMÉ

DANS la lumière de la suspension* qui éclairait la
cuisine, M. Jacotin voyait d'ensemble la famille
courbée sur la pâture* et témoignant, par des regards obliques, qu'elle redoutait l'humeur* du maître. La
conscience profonde qu'il avait de son dévouement et de son 5
abnégation, un souci étroit de justice domestique, le rendaient
en effet injuste et tyrannique, et ses explosions d'homme sanguin, toujours imprévisibles, entretenaient à son foyer une
atmosphère de contrainte qui n'était du reste pas sans l'irriter.

Ayant appris dans l'après-midi qu'il était proposé pour les 10
palmes académiques,* il se réservait d'en informer les siens à
la fin du dîner. Après avoir bu un verre de vin sur sa dernière
bouchée de fromage, il se disposait à prendre la parole,* mais
il lui sembla que l'ambiance n'était pas telle qu'il l'avait sou-
haitée pour accueillir l'heureuse nouvelle. Son regard fit len- 15
tement le tour de la table, s'arrêtant d'abord à l'épouse dont
l'aspect chétif, le visage triste et peureux lui faisaient si peu
d'honneur* auprès de* ses collègues. Il passa ensuite à la tante
Julie qui s'était installée au foyer en faisant valoir* son grand
âge et plusieurs maladies mortelles et qui, en sept ans, avait 20
coûté sûrement plus d'argent qu'on n'en pouvait attendre de
sa succession. Puis vint le tour de ses deux filles, dix-sept et
seize ans, employées de magasin à cinq cents francs* par mois,
pourtant vêtues comme des princesses, montres-bracelets, épin-
gles d'or à l'échancrure,* des airs au-dessus de leur condition,

206

EXERCICES SUR LE TEXTE

Traduisez en anglais les phrases suivantes :

1. *On se demandait où passait l'argent.*
2. *Le vin fit flamber sa large face.*
3. *Son regard s'abaissa sur son fils Lucien.*
4. *Depuis le début du repas, Lucien s'efforçait de passer inaperçu.*
5. *Je te soupçonne de n'avoir pas la conscience bien tranquille.*
6. *Il n'espérait nullement détourner les soupçons.*
7. *Le père eût été déçu de ne pas trouver l'effroi dans les yeux de son fils.*
8. *Pichon m'avait dit qu'il passerait me prendre à deux heures.*
9. *Depuis avant-hier son oncle se sentait des douleurs du côté du foie.*
10. *Ne te mêle pas du foie des autres.*

et on se demandait où passait l'argent, et on s'étonnait.   M.
Jacotin eut soudain la sensation atroce qu'on lui dérobait son
bien,* qu'on buvait la sueur de ses peines* et qu'il était ridiculement bon.   Le vin lui monta un grand coup à la tête* et
fit flamber sa large face déjà remarquable au repos par sa   5
rougeur naturelle.

Il était dans cette disposition d'esprit lorsque son regard
s'abaissa sur son fils Lucien, un garçon de treize ans qui, depuis
le début du repas, s'efforçait de passer inaperçu.   Le père
entrevit quelque chose de louche* dans la pâleur du petit   10
visage.   L'enfant n'avait pas levé les yeux, mais se sentant
observé, il tortillait avec ses deux mains un pli de son tablier
noir* d'écolier.

— Tu voudrais bien le déchirer? jeta le père d'une voix
qui s'en promettait.*   Tu fais tout ce que tu peux pour le   15
déchirer?

Lâchant son tablier, Lucien posa les mains sur la table.
Il penchait la tête sur son assiette sans oser chercher le réconfort d'un regard de ses sœurs et tout abandonné au malheur
menaçant.   20

—Je te parle, dis donc.*   Il me semble que tu pourrais
bien me répondre.   Mais je te soupçonne de n'avoir pas la
conscience bien tranquille.

Lucien protesta d'un regard effrayé.   Il n'espérait nullement détourner les soupçons, mais il savait que le père eût été   25
déçu de ne pas trouver l'effroi dans les yeux de son fils.

— Non, tu n'as sûrement pas la conscience tranquille.
Veux-tu me dire ce que tu as fait cet après-midi?

— Cet après-midi, j'étais avec Pichon.   Il m'avait dit qu'il
passerait me prendre* à deux heures.   En sortant d'ici, on a   30
rencontré Chapusot qui allait faire des commissions.   D'abord,
on a été chez le médecin pour son oncle qui est malade.   Depuis avant-hier, il se sentait des douleurs du côté du foie …*

Mais le père comprit qu'on voulait l'égarer sur de l'anec-
dote* et coupa :   35

— Ne te mêle donc pas du foie des autres.   On n'en fait

EXERCICES SUR LE TEXTE

Laquelle des déclarations faites dans (a) et (b) est correcte?

1. *M. Jacotin (a) souffre de temps en temps, (b) souffrait à ce moment-là.*

2. *Lucien avait vu (a) brûler une maison, (b) une maison qui avait brûlé.*

3. *Lucien avait passé toute la journée (a) à faire ses devoirs, (b) à s'amuser.*

4. *Lucien avait travaillé (a) le mercredi soir, (b) le vendredi soir.*

5. *Il est évident que M. Jacotin (a) s'intéresse, (b) ne s'intéresse pas, à l'éducation de son fils.*

6. *M. Jacotin était (a) d'une humeur violente, (b) d'une humeur douce.*

7. *Les deux jeunes filles (a) faisaient semblant de ne pas s'intéresser à l'affaire, (b) ne s'intéressaient pas à l'affaire.*

8. *Mme Jacotin (a) aurait aidé son fils s'il y avait eu une scène pénible, (b) ne voulait pas voir une scène pénible.*

9. *M. Jacotin (a) ne voulait pas manquer l'occasion de parler des palmes académiques, (b) n'en aurait pas parlé si Julie n'en avait pas parlé.*

10. *Quand M. Jacotin parle des enfants de la tante Julie, il en parle (a) avec sincérité, (b) avec ironie.*

11. *Quand Julie sortit de la cuisine, Lucien (a) la suivit, (b) la vit sortir.*

NOTES SUR LE TEXTE ★★

1. On n'en fait pas tant: *(freely) You're not so much concerned.* **4.** l'avenue Poincaré—*probably* avenue Raymond Poincaré, *which runs from the* Place du Trocadéro *to the* Place Victor Hugo. *If the family lived near that avenue, it was in one of the better residential sections of Paris.* **6.** jeudi—*French school-children are free on Thursdays and not on Saturdays.* **9.** qui suspendait tous les souffles: *(freely) which made the others hold their breath.* **18.** hargne: *bad temper.* **18.** Par politique: *As a matter of policy.* **23.** mue: *moved.*

pas tant* quand c'est moi qui souffre.   Dis-moi plutôt où tu
étais ce matin.

— J'ai été voir avec Fourmont la maison qui a brûlé l'autre
nuit dans l'avenue Poincaré.*

— Comme ça, tu as été dehors toute la journée?   Du matin 5
jusqu'au soir?   Bien entendu, puisque tu as passé ton jeudi*
à t'amuser, j'imagine que tu as fait tes devoirs?

Le père avait prononcé ces dernières paroles sur un ton
doucereux qui suspendait tous les souffles.*

— Mes devoirs? murmura Lucien.   10

— Oui, tes devoirs.

— J'ai travaillé hier soir en rentrant de classe.

— Je ne te demande pas si tu as travaillé hier soir.   Je te
demande si tu as fait tes devoirs pour demain.

Chacun sentait mûrir le drame et aurait voulu l'écarter, 15
mais l'expérience avait appris que toute intervention en pareille
circonstance ne pouvait que gâter les choses et changer en
fureur la hargne* de cet homme violent.   Par politique,* les
deux sœurs de Lucien feignaient de suivre l'affaire distraitement, tandis que la mère, préférant ne pas assister de trop près 20
à une scène pénible, fuyait vers un placard.   M. Jacotin lui-
même, au bord de la colère, hésitait encore à enterrer la nouvelle des palmes académiques.   Mais la tante Julie, mue* par
de généreux sentiments, ne put tenir sa langue.

— Pauvre petit, vous êtes toujours après lui.   Puisqu'il 25
vous dit qu'il a travaillé hier soir.   Il faut bien qu'il s'amuse
aussi.

Offensé, M. Jacotin répliqua avec hauteur :

— Je vous prierai de ne pas entraver mes efforts dans l'éducation de mon fils.   Étant son père, j'agis comme tel et j'en- 30
tends le diriger selon mes conceptions.   Libre à vous, quand
vous aurez des enfants, de faire leurs cent mille caprices.

La tante Julie, qui avait soixante-treize ans, jugea qu'il
y avait peut-être de l'ironie à parler de ses enfants à venir.
Froissée à son tour, elle quitta la cuisine.   Lucien la suivit 35
d'un regard ému et la vit un moment dans la pénombre de la

EXERCICES SUR LE TEXTE

I. Traduisez en français les mots anglais entre parenthèses :

1. M. Jacotin *(had said nothing)* qui justifiât *(such a departure)*.
2. M. Jacotin *(complained)* de la perfidie de sa famille.
3. Ses filles *(had begun to clear)* la table.
4. *(I am still waiting for)* ta réponse.
5. Lucien *(shrugged his shoulders)* en signe d'ignorance.
6. *(You had a week to do it.)*
7. Tu auras passé tout ton jeudi *(loitering and idling away your time)*.
8. *(Birds of a feather flock together.)*

II. Quels sont les mots français qui traduisent les expressions suivantes ?

1. *dining room*
2. *electric-light switch*
3. *homework*
4. *French lesson (written)*
5. *youngster*
6. *speech*
7. *last Friday*
8. *duffer (dunce)*

NOTES SUR LE TEXTE ★★

1. cherchant à tâtons: *groping for.* **3.** prit toute la famille à témoin: *called upon the entire family to take note.* **5.** passer pour un malotru: *to be considered a boor, to look like a boor.* **13.** se jeta à l'eau: *plunged in.* **16.** entreprendre: *attack, go after.* **19.** saugrenue: *absurd, ridiculous.* **20.** Je le moudrais: *(lit.) I would grind him; (freely) I could crush him, kill him, mow him down.* **32.** le plus fort: *the worst of it is.* **34.** cancres: *dunces, duffers,* "*morons.*" **35-36.** Qui se ressemble s'assemble—*this French proverb is equivalent to* "*Birds of a feather flock together.*"

salle à manger luisante de propreté, cherchant à tâtons* le
commutateur. Lorsqu'elle eut refermé la porte, M. Jacotin
prit toute la famille à témoin* qu'il n'avait rien dit qui justifiât un tel départ et il se plaignit de la perfidie qu'il y avait à
le mettre en situation de passer pour un malotru.* Ni ses 5
filles, qui s'étaient mises à desservir la table, ni sa femme, ne
purent se résoudre à l'approuver, ce qui eût peut-être amené
une détente. Leur silence fut un nouvel outrage. Rageur, il
revint à Lucien :

— J'attends encore ta réponse, toi. Oui ou non, as-tu fait 10
tes devoirs ?

Lucien comprit qu'il ne gagnerait rien à faire traîner les
choses et se jeta à l'eau.*

— Je n'ai pas fait mon devoir de français.

Une lueur de gratitude passa dans les yeux du père. Il y 15
avait plaisir à entreprendre* ce gamin-là.

— Pourquoi, s'il te plaît ?

Lucien leva les épaules en signe d'ignorance et même
d'étonnement, comme si la question était saugrenue.*

— Je le moudrais,* murmura le père en le dévorant du 20
regard.

Un moment, il resta silencieux, considérant le degré d'ab-
jection auquel était descendu ce fils ingrat qui, sans raison
avouable et apparemment sans remords, négligeait de faire
son devoir de français.   25

— C'est donc bien ce que je pensais, dit-il, et sa voix se mit
à monter avec le ton du discours. Non seulement tu con-
tinues, mais tu persévères. Voilà un devoir de français que
le professeur t'a donné vendredi dernier pour demain. Tu
avais donc huit jours pour le faire et tu n'en as pas trouvé le 30
moyen. Et si je n'en avais pas parlé, tu allais en classe sans
l'avoir fait. Mais le plus fort,* c'est que tu auras passé tout
ton jeudi à flâner et à paresser. Et avec qui ? avec un Pichon,
un Fourmont, un Chapusot, tous les derniers, tous les cancres*
de la classe. Les cancres dans ton genre. Qui se ressemble 35
s'assemble.* Bien sûr que l'idée ne te viendrait pas de t'amu-

EXERCICES SUR LE TEXTE

Répondez en français aux questions suivantes :

  1. *Pourquoi Béruchard est-il toujours un des meilleurs élèves de la classe?*
  2. *Pourquoi M. Jacotin n'admire-t-il pas le père de Béruchard?*
  3. *Pourquoi M. Jacotin voudrait-il avoir un fils comme Béruchard?*
  4. *Qu'est-ce que Lucien faisait pendant que son père parlait?*
  5. *Selon son père, quand est-ce que Lucien aurait dû faire son devoir de français?*
  6. *Qu'est-ce que Lucien ne sait pas reconnaître?*
  7. *Sur qui M. Jacotin comptera-t-il quand il s'arrêtera de travailler?*
  8. *Pourquoi M. Jacotin n'a-t-il pas eu les avantages d'une bonne éducation?*

NOTES SUR LE TEXTE ★★

6. places—*in French schools, pupils are regularly ranked from the top down, in order to motivate them to try to improve their relative standing.* **9.** moins bien noté: *less well esteemed, less well thought of.* **14.** de choses et d'autres: *of one thing and another.* **14.** il n'en mène pas large: *he doesn't cut much of a figure, he's pretty small potatoes.* **15.** N'empêche: *No matter, Just the same, For all that.* **15.** vient à: *not " comes to " but " happens to."* **16.** prend le dessus: *gets the upper hand, comes out on top.* **20.** rafle tous les prix: *makes a clean sweep of all the prizes.—The father refers to the numerous prizes for excellence in various fields of study which are awarded in French schools at the end of each year.* **22.** avec des airs qui n'en sont pas: *(a rare idiom) as if you weren't interested, with that vacant look on your face.* **22-23.** si tu veux = veux-tu. **24.** voyou: *hoodlum.* **26.** pour deux sous de cœur—*cf. note to p. 85, l. 36.* **28.** reconnaître: *be grateful, be thankful.* **28.** Autrement que ça: *If that weren't so, Otherwise.*

ser avec Béruchard. Tu te croirais déshonoré d'aller jouer avec un bon élève. Et d'abord, Béruchard n'accepterait pas, lui. Béruchard, je suis sûr qu'il ne s'amuse pas. Et qu'il ne s'amuse jamais. C'est bon pour toi. Il travaille, Béruchard. La conséquence, c'est qu'il est toujours dans les premiers. Pas 5 plus tard que la semaine dernière, il était trois places* devant toi. Tu peux compter que c'est une chose agréable pour moi qui suis toute la journée au bureau avec son père. Un homme pourtant moins bien noté* que moi. Qu'est-ce que c'est que Béruchard? je parle du père. C'est l'homme travailleur, si 10 on veut, mais qui manque de capacités. Et sur les idées politiques, c'est bien pareil que sur la besogne. Il n'a jamais eu de conceptions. Et Béruchard, il le sait bien. Quand on discute de choses et d'autres,* devant moi, il n'en mène pas large.* N'empêche,* s'il vient à* me parler de son gamin qui est tou- 15 jours premier en classe, c'est lui qui prend le dessus* quand même. Je me trouve par le fait dans une position vicieuse. Je n'ai pas la chance, moi, d'avoir un fils comme Béruchard. Un fils premier en français, premier en calcul. Un fils qui rafle tous les prix.* Lucien, laisse-moi ce rond de serviette 20 tranquille. Je ne tolérerai pas que tu m'écoutes avec des airs qui n'en sont pas.* Oui ou non, m'as-tu entendu? ou si tu veux* une paire de claques pour t'apprendre que je suis ton père. Paresseux, voyou,* incapable! Un devoir de français donné depuis huit jours! Tu ne me diras pas que si tu avais 25 pour deux sous de cœur* ou si tu pensais au mal que je me donne, une pareille chose se produirait. Non, Lucien, tu ne sais pas reconnaître.* Autrement que ça,* ton devoir de français, tu l'aurais fait. Le mal que je me donne, moi, dans mon travail. Et les soucis et l'inquiétude. Pour le présent et 30 pour l'avenir. Quand j'aurai l'âge de m'arrêter, personne pour me donner de quoi vivre. Il vaut mieux compter sur soi que sur les autres. Un sou, je ne l'ai jamais demandé. Moi, pour m'en tirer, je n'ai jamais été chercher le voisin. Et je n'ai jamais été aidé par les miens. Mon père ne m'a 35 pas laissé étudier. Quand j'ai eu douze ans, en apprentissage.

EXERCICES SUR LE TEXTE

Répondez en français aux questions suivantes :

1. *Qu'est-ce que M. Jacotin a été obligé de faire quand il était jeune?*
2. *Pourquoi Lucien doit-il être heureux?*
3. *Qu'est-ce qui se passe chez M. Jacotin quand il n'est pas à la maison?*
4. *Quelle bonne nouvelle M. Jacotin a-t-il enfin annoncée à sa famille?*
5. *Pourquoi M. Jacotin allait-il recevoir les palmes académiques?*
6. *En entendant les mots « palmes académiques », quelle vision Mme Jacotin a-t-elle eue?*
7. *Pourquoi Mme Jacotin n'a-t-elle pas félicité son mari?*

NOTES SUR LE TEXTE ✶✶

1. par tous les temps: *in all kinds of weather.* **1-2.** engelures: *chilblains.* **2-3.** tu te prélasses—*cf. p. 125, l. 33; here the meaning is rather " you take things easy."* **5.** Fainéant: *Do-nothing, Loafer.* **5.** sagouin: *(lit.) a kind of monkey; (freely) a slovenly fellow, lazybones.* **7.** Les Burgraves—*a Romantic drama by Victor Hugo, the failure of which in 1843 marks the end of the Romantic movement in the theater.* **10.** tout ce qui s'ensuit: *(lit.) all that results from that, all that follows; (freely) all sorts of things like that.* **17.** apostrophe: *a rather pompous word for discourse, speech.* **22.** bénévole: *honorary.* **22.** solfège: *solfeggio—" application of the sol-fa syllables to the tones of the scale ... or an exercise in using sol-fa syllables " (Webster's Dictionary).* **23.** l'U.N.S.P.— *initials of a fictitious organization, perhaps " Union Nationale de Solfège et de Philharmonie." The author's irony should be apparent in this pompous designation as well as in the nature of M. Jacotin's services which are to be rewarded by " les palmes académiques."* **25.** fit surgir: *caused to arise, caused to appear, conjured up, evoked.* **27.** à califourchon: *astride, straddling.* **28.** cocotier: *coconut palm.* **33.** injure: *insult.*

Tirer la charrette et par tous les temps.* L'hiver, les engelures,* et l'été, la chemise qui collait sur le dos. Mais toi, tu
te prélasses.* Tu as la chance d'avoir un père qui soit trop
bon. Mais ça ne durera pas. Quand je pense. Un devoir
de français. Fainéant,* sagouin!* Soyez bon, vous serez 5
toujours faible. Et moi tout à l'heure qui pensais vous mener
tous, mercredi prochain, voir jouer *Les Burgraves.** Je ne me
doutais pas de ce qui m'attendait en rentrant chez moi.
Quand je ne suis pas là, on peut être sûr que c'est l'anarchie.
C'est les devoirs pas faits et tout ce qui s'ensuit* dans toute la 10
maison. Et, bien entendu, on a choisi le jour ...
    Le père marqua un temps d'arrêt. Un sentiment délicat,
de pudeur et de modestie, lui fit baisser les paupières.
    — Le jour où j'apprends que je suis proposé pour les pal-
mes académiques. Oui, voilà le jour qu'on a choisi. 15
    Il attendit quelques secondes l'effet de ses dernières paroles.
Mais, à peine détachées de la longue apostrophe,* elles semblaient n'avoir pas été comprises. Chacun les avait enten-
dues, comme le reste du discours, sans en pénétrer le sens.
Seule, Mme Jacotin, sachant qu'il attendait depuis deux ans 20
la récompense de services rendus, en sa qualité de trésorier
bénévole,* à la société locale de solfège* et de philharmonie
(l'U. N. S. P.*), eut l'impression que quelque chose d'important venait de lui échapper. Le mot de palmes académiques
rendit à ses oreilles un son étrange mais familier, et fit surgir* 25
pour elle la vision de son époux coiffé de sa casquette de musicien honoraire et à califourchon* sur la plus haute branche
d'un cocotier.* La crainte d'avoir été inattentive lui fit enfin
apercevoir le sens de cette fiction poétique et déjà elle ouvrait
la bouche et se préparait à manifester une joie déférente. Il 30
était trop tard. M. Jacotin, qui se délectait amèrement de
l'indifférence des siens, craignit qu'une parole de sa femme ne
vînt adoucir l'injure* de ce lourd silence et se hâta de la prévenir.
    — Poursuivons, dit-il avec un ricanement douloureux. Je 35
disais donc que tu as eu huit jours pour faire ce devoir de

EXERCICES SUR LE TEXTE

Complétez chacune des phrases suivantes :

1. *M. Jacotin aimerait savoir ...*
2. *Il demande à Lucien de lui dire ...*
3. *La tante Julie revient dans la cuisine parce qu'elle veut savoir ...*
4. *La patience manqua à M. Jacotin parce qu'il ...*
5. *La tante Julie avait été recueillie chez M. Jacotin par ...*
6. *Le ton de la tante Julie aurait dû être différent parce qu'elle parlait ...*
7. *La vieille femme tomba ...*
8. *Il y eut dans la cuisine ...*
9. *Les sœurs de Lucien et leur mère évitaient de ...*
10. *M. Jacotin regrettait ...*
11. *Il ne s'est pas excusé parce que ...*
12. *Il parla à Lucien d'une voix ...*

NOTES SUR LE TEXTE ★★★

6. somma: *(lit.) summoned, called upon; (freely) yelled at.* **8.** la mine défaite: *looking exhausted, looking dishevelled.* **9.** Qu'est-ce qu'il y a?: *(a common idiom) What's the matter?* **11.** Le malheur voulut: *Luck would have it.* **13.** Au plus fort de: *At the highest point of, At the climax of, At the peak of.* **15-16.** un calcul charitable—*delightfully ironical! M. Jacotin had balanced what it would cost to support Aunt Julie against what he hoped to inherit from her.* **16-17.** en passe: *on his way to, about to.* **19.** cinq lettres—*a way to avoid speaking a very coarse word.* **20.** béa: *opened her mouth wide, gaped.* **23.** bouillottes: *kettles.* **25.** s'affairaient: *busied themselves, bustled.*

français. Oui, huit jours. Tiens, j'aimerais savoir depuis quand Béruchard l'a fait. Je suis sûr qu'il n'a pas attendu huit jours, ni six, ni cinq. Ni trois, ni deux. Béruchard, il l'a fait le lendemain. Et veux-tu me dire ce que c'est que ce devoir ?

Lucien, qui n'écoutait pas, laissa passer le temps de ré- 5
pondre. Son père le somma* d'une voix qui passa trois portes et alla toucher la tante Julie dans sa chambre. En chemise de nuit et la mine défaite,* elle vint s'informer.

— Qu'est-ce qu'il y a ?* Voyons, qu'est-ce que vous lui faites, à cet enfant ? Je veux savoir, moi. 10

Le malheur voulut* qu'en cet instant M. Jacotin se laissât dominer par la pensée de ses palmes académiques. C'est pourquoi la patience lui manqua. Au plus fort de* ses colères, il s'exprimait habituellement dans un langage décent. Mais le ton de cette vieille femme recueillie chez lui par un 15
calcul charitable* et parlant avec ce sans-gêne à un homme en passe* d'être décoré, lui parut une provocation appelant l'insolence.

— Vous, répondit-il, je vous dis cinq lettres.*

La tante Julie béa,* les yeux ronds, encore incrédules, et 20
comme il précisait ce qu'il fallait entendre par cinq lettres, elle tomba évanouie. Il y eut des cris de frayeur dans la cuisine, une longue rumeur de drame avec remuement de bouillottes,* de soucoupes et de flacons. Les sœurs de Lucien et leur mère s'affairaient* auprès de la malade avec des paroles de compas- 25
sion et de réconfort, dont chacune atteignait cruellement M. Jacotin. Elles évitaient de le regarder, mais quand par hasard leurs visages se tournaient vers lui, leurs yeux étaient durs. Il se sentait coupable et, plaignant la vieille fille, regrettait sincèrement l'excès de langage auquel il s'était laissé aller. 30
Il aurait souhaité s'excuser, mais la réprobation qui l'entourait si visiblement durcissait son orgueil. Tandis qu'on emportait la tante Julie dans sa chambre, il prononça d'une voix haute et claire :

— Pour la troisième fois, je te demande en quoi consiste 35
ton devoir de français.

EXERCICES SUR LE TEXTE

Traduisez en anglais :

1. *Rien ne sert de courir, il faut partir à point.*
2. *Je ne vois pas ce qui t'arrête là-dedans.*
3. *La serviette de classe de Lucien gisait dans un coin de la cuisine.*
4. *Il se mit à sucer son porte-plume.*
5. *Je vois que tu y mets de la mauvaise volonté.*
6. *J'attendrai toute la nuit s'il le faut.*
7. *Lucien lui vit un air de quiétude qui le désespéra.*
8. *Ses sœurs, après avoir couché la tante Julie, commençaient à ranger la vaisselle dans le placard.*
9. *Si attentives fussent-elles à ne pas faire de bruit, il se produisait des heurts.*
10. *La mère venait de laisser tomber une casserole de fer.*
11. *Laissez-le tranquille et allez vous coucher.*
12. *La vaisselle est finie.*

NOTES SUR LE TEXTE ★★★

2-3. "Rien ne sert de courir, il faut partir a point."—*This proverb is the first line and the moral of La Fontaine's version of one of Aesop's well-known fables, The Hare and the Tortoise, in which the Hare, over-confident and starting late, is beaten in a race by the plodding Tortoise. La Fontaine wrote his fables in the seventeenth century and by writing them, unwittingly provided French schoolteachers with a great deal of good material.* **4.** Et alors?: *So what?* **5.** opina d'un hochement de tête: *nodded assent.* **10.** un cahier de brouillon: *a notebook for writing first drafts or rough copies of exercises or themes, like a workbook or scratch-pad.* **12.** Si lentement qu'il eût écrit: *However slowly he had written.* **14.** buté: *obstinate, stubborn.* **16.** A ton aise: *As you will, Suit yourself.* **30.** évier: *sink.* **31.** carrelage: *tiled floor.* **32-33.** agaçant: *annoying, irritating.* **34.** foire: *(lit.) fair; (figuratively) hubbub, racket.*

— C'est une explication, dit Lucien. Il faut expliquer le proverbe : « Rien ne sert de courir, il faut partir à point. »*

— Et alors?* Je ne vois pas ce qui t'arrête là-dedans.

Lucien opina d'un hochement de tête,* mais son visage 5 était réticent.

— En tous cas, file me chercher tes cahiers, et au travail. Je veux voir ton devoir fini.

Lucien alla prendre sa serviette de classe qui gisait dans un coin de la cuisine, en sortit un cahier de brouillon* et 10 écrivit au haut d'une page blanche : « Rien ne sert de courir, il faut partir à point. » Si lentement qu'il eût écrit,* cela ne demanda pas cinq minutes. Il se mit alors à sucer son porte-plume et considéra le proverbe d'un air hostile et buté.*

— Je vois que tu y mets de la mauvaise volonté, dit le père. 15 A ton aise.* Moi, je ne suis pas pressé. J'attendrai toute la nuit s'il le faut.

En effet, il s'était mis en position d'attendre commodé-ment. Lucien, en levant les yeux, lui vit un air de quiétude qui le désespéra. Il essaya de méditer sur son proverbe : 20 « Rien ne sert de courir, il faut partir à point. » Pour lui, il y avait là une évidence ne requérant aucune démonstration, et il songeait avec dégoût à la fable de La Fontaine : *Le Lièvre et la tortue.* Cependant, ses sœurs, après avoir couché la tante Julie, commençaient à ranger la vaisselle dans le placard et, 25 si attentives fussent-elles à ne pas faire de bruit, il se produisait des heurts qui irritaient M. Jacotin, lui semblant qu'on voulût offrir à l'écolier une bonne excuse pour ne rien faire. Sou-dain, il y eut un affreux vacarme. La mère venait de laisser tomber sur l'évier* une casserole de fer qui rebondit sur le 30 carrelage.*

— Attention, gronda le père. C'est quand même aga-çant.* Comment voulez-vous qu'il travaille, aussi, dans une foire* pareille? Laissez-le tranquille et allez-vous-en ailleurs. La vaisselle est finie. Allez vous coucher. 35

Aussitôt les femmes quittèrent la cuisine. Lucien se sentit

EXERCICES SUR LE TEXTE

I. Traduisez en anglais :

1. *La mort à l'aube.*
2. *Tout à l'heure.*
3. *Lucien s'attendrit.*
4. *Le père fit le tour de la table.*
5. *Tantôt ... tantôt ...*
6. *Son gamin marche droit et ira loin.*
7. *Il vaut mieux faire appel à la raison d'un enfant.*
8. *Il crut pouvoir se montrer généreux.*

II. Répondez en français aux questions suivantes :

1. *Quand Lucien s'est mis à pleurer, comment son père lui a-t-il parlé?*
2. *De qui M. Jacotin avait-il honte?*
3. *Où est-ce que M. Jacotin s'est assis?*
4. *Pourquoi secoue-t-il son fils de temps en temps?*
5. *Quelle habitude M. Béruchard a-t-il?*
6. *Est-ce que M. Jacotin pourrait battre un enfant?*
7. *Qu'est-ce que M. Jacotin décide de faire?*

NOTES SUR LE TEXTE ★★★

1. livré à: *abandoned to.* **3.** ça t'avance bien: *(ironical) that will do you a lot of good.* **3.** Gros bête, va!: *You stupid boy!* **4.** bourrue: *rough, surly, gruff.* **6.** racheter: *redeem, atone for.* **7.** mansuétude: *gentleness, mildness.* **13.** si je te secoue: *if I shake you up, if I "bawl you out."* **13-14.** ton bien: *your own good.* **17-18.** où je pense: *(freely) where you can imagine.* **18.** martinet: *whip.* **18.** nerf de bœuf: *lash.* **21.** bien sûr: *of course.* **32.** à peu de frais: *cheaply, at a slight cost, easily.* **34.** si je ne mets pas la main à la pâte—*equivalent to " if I don't put my shoulder to the wheel," " if I don't give you a boost, give you a helping hand."*

livré à* son père, à la nuit, et songeant à la mort à l'aube sur
un proverbe, il se mit à pleurer.

— Ça t'avance bien,* lui dit son père. Gros bête, va!*

La voix restait bourrue,* mais avec un accent de compas-
sion, car M. Jacotin, encore honteux du drame qu'il avait   5
provoqué tout à l'heure, souhaitait racheter* sa conduite par
une certaine mansuétude* à l'égard de son fils. Lucien perçut
la nuance, il s'attendrit et pleura plus fort. Une larme tomba
sur le cahier de brouillon, auprès du proverbe. Ému, le père
fit le tour de la table en traînant une chaise et vint s'asseoir à   10
côté de l'enfant.

— Allons, prends-moi ton mouchoir et que ce soit fini. A
ton âge, tu devrais penser que si je te secoue,* c'est pour ton
bien.* Plus tard, tu diras : « Il avait raison. » Un père qui
sait être sévère, il n'y a rien de meilleur pour l'enfant. Béru-   15
chard, justement, me le disait hier. C'est une habitude, à lui,
de battre le sien. Tantôt c'est les claques ou son pied où je
pense,* tantôt le martinet* ou bien le nerf de bœuf.* Il ob-
tient de bons résultats. Sûr que son gamin marche droit et
qu'il ira loin. Mais battre un enfant, moi, je ne pourrais pas,   20
sauf bien sûr* comme ça une fois de temps en temps. Chacun
ses conceptions. C'est ce que je disais à Béruchard. J'estime
qu'il vaut mieux faire appel à la raison de l'enfant.

Apaisé par ces bonnes paroles, Lucien avait cessé de pleurer
et son père en conçut de l'inquiétude.   25

— Parce que je te parle comme à un homme, tu ne vas
pas au moins te figurer que ce serait de la faiblesse ?

— Oh! non, répondit Lucien avec l'accent d'une conviction profonde.

Rassuré, M. Jacotin eut un regard de bonté. Puis, consi-   30
dérant d'une part le proverbe, d'autre part l'embarras de son
fils, il crut pouvoir se montrer généreux à peu de frais* et dit
avec bonhomie :

— Je vois bien que si je ne mets pas la main à la pâte,* on
sera encore là à quatre heures du matin. Allons, au travail.

EXERCICES SUR LE TEXTE

Laquelle des déclarations faites dans (a) et (b) est correcte?

1. *D'abord le sujet du devoir de français paraît à M. Jacotin (a) facile, (b) difficile.*

2. *Bientôt il lui paraît (a) ridicule, (b) difficile.*

3. *Plusieurs fois il relit (a) le proverbe, (b) le devoir.*

4. *Lucien attend la suite (a) avec inquiétude, (b) avec confiance.*

5. *M. Jacotin est nerveux (a) parce que Lucien approuve de ce qu'il a dit, (b) parce que son prestige est en jeu.*

6. *Le maître avait dit aux élèves (d) de résumer, (b) de ne pas résumer, une fable de La Fontaine.*

7. *Si Lucien n'avait pas parlé de cette fable, M. Jacotin (a) n'y aurait pas pensé, (b) aurait évité d'y penser.*

8. *Le maître avait dit aux élèves (a) de penser à La Fontaine, (b) de trouver un autre exemple.*

9. *Le maître leur avait dit (a) d'expliquer le proverbe, (b) de résumer Le Lièvre et la tortue.*

10. *Enfin M. Jacotin trouve (a) la matière d'un excellent devoir, (b) un journal qu'il avait lu le matin même.*

11. *Une nation qui se prépare à la guerre depuis longtemps (a) s'efforce de rattraper son retard, (b) est prête quand survient la guerre.*

NOTES SUR LE TEXTE ✳✳✳✳✳✳✳✳✳✳✳✳✳✳✳✳✳✳✳✳✳✳✳✳✳✳✳✳✳✳✳✳✳✳✳✳✳✳✳

4. à force d'être: *by dint of being, by reason of being; (freely) because it was so.*
27-28. sous-titre: *subtitle, sub-headline.*

Nous disons donc : « Rien ne sert de courir, il faut partir à point. » Voyons. Rien ne sert de courir ...

Tout à l'heure, le sujet de ce devoir de français lui avait paru presque ridicule à force d'être* facile. Maintenant qu'il en avait assumé la responsabilité, il le voyait d'un autre œil. 5 La mine soucieuse, il relut plusieurs fois le proverbe et murmura:

— C'est un proverbe.

— Oui, approuva Lucien qui attendait la suite avec une assurance nouvelle.

Tant de paisible confiance troubla le cœur de M. Jacotin. 10 L'idée que son prestige de père était en jeu le rendit nerveux.

— En vous donnant ce devoir-là, demanda-t-il, le maître ne vous a rien dit?

— Il nous a dit : surtout, évitez de résumer *Le Lièvre et la tortue*. C'est à vous de trouver un exemple. Voilà ce qu'il a dit. 15

— Tiens, c'est vrai, fit le père. *Le Lièvre et la tortue*, c'est un bon exemple. Je n'y avais pas pensé.

— Oui, mais c'est défendu.

— Défendu, bien sûr, défendu. Mais alors, si tout est défendu ... 20

Le visage un peu congestionné, M. Jacotin chercha une idée ou au moins une phrase qui fût un départ. Son imagination était rétive. Il se mit à considérer le proverbe avec un sentiment de crainte et de rancune. Peu à peu, son regard prenait la même expression d'ennui qu'avait eue tout à l'heure 25 celui de Lucien.

Enfin, il eut une idée qui était de développer un sous-titre* de journal, « La Course aux armements », qu'il avait lu le matin même. Le développement venait bien : une nation se prépare à la guerre depuis longtemps, fabriquant canons, 30 tanks, mitrailleuses et avions. La nation voisine se prépare mollement, de sorte qu'elle n'est pas prête du tout quand survient la guerre et qu'elle s'efforce vainement de rattraper son retard. Il y avait là toute la matière d'un excellent devoir.

Le visage de M. Jacotin, qui s'était éclairé un moment, se 35 rembrunit tout d'un coup. Il venait de songer que sa religion

EXERCICES SUR LE TEXTE

Répondez en français aux questions suivantes :

1. *Pourquoi M. Jacotin ne pouvait-il pas écrire un devoir sur « la Course aux armements »?*

2. *Regrettait-il de ne pas pouvoir utiliser ce sujet-là?*

3. *Regrettait-il beaucoup de ne pas faire partie d'un parti réactionnaire?*

4. *S'il avait fait partie d'un parti réactionnaire, qu'est-ce qu'il aurait pu faire?*

5. *Pourquoi Lucien ne pensait-il plus au proverbe?*

6. *Pourquoi le temps semblait-il long à Lucien?*

7. *Qu'est-ce que M. Jacotin a continué à chercher?*

8. *Que voulait-il oublier?*

9. *Il était sur le point de renoncer à écrire le devoir, n'est-ce pas? Pourquoi n'y a-t-il pas renoncé?*

10. *Est-ce que Lucien réfléchissait au proverbe?*

11. *Pourquoi M. Jacotin a-t-il ri?*

12. *Est-ce qu'il était heureux d'avoir trouvé quelque chose?*

NOTES SUR LE TEXTE ★★

1. sa religion politique: *his political faith, his political principles.*—Whatever the time of the action of this story may be—cf. note to p. 205, l. 23—the author is thinking here of the late 1930's, when the nation which had been preparing for war for a long time was Germany, under Hitler (since 1933), and the neighboring nation was France, under the leadership of the Socialist Léon Blum. When the Second World War broke out in 1939, France tried " to run " but had not " started in time." **4.** il se laissa effleurer: *(lit.)* he let himself be grazed; *(freely)* he let himself be slightly affected. **5.** inféodé: *attached.* **5.** parti réactionnaire— i.e., the conservative rightist party, which later formed the Vichy government under Marshal Pétain. Obviously M. Jacotin's political faith was with " the left " or the Socialists. **10.** déchargé: *released, freed.* **17.** soudée: *soldered, firmly joined.* **21.** Alors qu': *When.*

politique* ne lui permettait pas de choisir un exemple aussi
tendancieux. Il avait trop d'honnêteté pour humilier ses
convictions, mais c'était tout de même dommage. Malgré
la fermeté de ses opinions, il se laissa effleurer* par le regret
de n'être pas inféodé* à un parti réactionnaire,* ce qui lui   5
aurait permis d'exploiter son idée avec l'approbation de sa
conscience. Il se ressaisit en pensant à ses palmes académiques, mais avec beaucoup de mélancolie.

Lucien attendait sans inquiétude le résultat de cette médi-
tation. Il se jugeait déchargé* du soin d'expliquer le pro-   10
verbe et n'y pensait même plus. Mais le silence qui s'éterni-
sait lui faisait paraître le temps long. Les paupières lourdes,
il fit entendre plusieurs bâillements prolongés. Son père, le
visage crispé par l'effort de la recherche, les perçut comme
autant de reproches et sa nervosité s'en accrut. Il avait beau   15
se mettre l'esprit à la torture, il ne trouvait rien. La course
aux armements le gênait. Il semblait qu'elle se fût soudée*
au proverbe et les efforts qu'il faisait pour l'oublier lui en im-
posaient justement la pensée. De temps en temps, il levait
sur son fils un regard furtif et anxieux.   20

Alors qu'*il n'espérait plus et se préparait à confesser son
impuissance, il lui vint une autre idée. Elle se présentait
comme une transposition de la course aux armements dont
elle réussit à écarter l'obsession. Il s'agissait encore d'une
compétition, mais sportive, à laquelle se préparaient deux   25
équipes de rameurs, l'une méthodiquement, l'autre avec une
affectation de négligence.

— Allons, commanda M. Jacotin, écris.

A moitié endormi, Lucien sursauta et prit son porte-plume.

— Ma parole, tu dormais?   30

— Oh! non. Je réfléchissais. Je réfléchissais au proverbe.
Mais je n'ai rien trouvé.

Le père eut un petit rire indulgent, puis son regard devint
fixe et, lentement, il se mit à dicter :

— Par cette splendide après-midi d'un dimanche d'été,

EXERCICES SUR LE TEXTE

I. Traduisez en français les mots et les phrases suivants :

1. *a comma (fem.)*
2. *in reality*
3. *eyes half-closed*
4. *another proverb*
5. *I say !*
6. *He finally went to sleep.*
7. *I'll wait until you have finished.*
8. *Strike while the iron is hot.*
9. *It would be better if I got up early tomorrow.*

II. Répondez en français aux questions suivantes :

1. *Quels sont les jolis objets verts qui se balancent mollement au gré des flots de la Marne?*
2. *Quels sont les longs bras dont ces objets-là sont munis?*
3. *Pourquoi M. Jacotin cesse-t-il de dicter?*
4. *Que veut dire la phrase: « écrire d'une plume abondante »?*
5. *A quelle heure M. Jacotin a-t-il fini d'écrire?*
6. *Que veut-il que Lucien fasse?*
7. *A quoi Lucien doit-il faire attention?*
8. *Pourquoi Lucien propose-t-il de se lever de bonne heure le lendemain?*
9. *Quel autre proverbe intéresse maintenant M. Jacotin?*
10. *Si M. Jacotin avait eu le temps, qu'est-ce qu'il aurait pu faire?*

NOTES SUR LE TEXTE ★★

3. munis de: *provided with.*   **6.** la Marne—*a river which empties into the Seine not far from Paris.*   **12.** A tâtons—*cf. p. 211, l. 1.*   **14.** plus commode: *easier.*   **17-18.** commode: *convenient.*   **24.** posément: *slowly and carefully.*
33. non plus: *either—usual meaning after a negative; cf. note to p. 155, l. 23.*
33. pousser: *urge.*   **35.** je me fais fort: *I'm confident I could, I'm sure I'd be able.*

virgule, quels sont ces jolis objets verts à la forme allongée,
virgule, qui frappent nos regards ? On dirait de loin qu'ils
sont munis de* longs bras, mais ces bras ne sont autre chose
que des rames et les objets verts sont en réalité deux canots
de course qui se balancent mollement au gré des flots de la 5
Marne.*

Lucien, pris d'une vague anxiété, osa lever la tête et eut
un regard un peu effaré. Mais son père ne le voyait pas, trop
occupé à polir une phrase de transition qui allait lui permettre
de présenter les équipes rivales. La bouche entr'ouverte, les 10
yeux mi-clos, il surveillait ses rameurs et les rassemblait dans
le champ de sa pensée. A tâtons,* il avança la main vers le
porte-plume de son fils.

— Donne. Je vais écrire moi-même. C'est plus commode*
que de dicter. 15

Fiévreux, il se mit à écrire d'une plume abondante. Les
idées et les mots lui venaient facilement, dans un ordre commode* et pourtant exaltant, qui l'inclinait au lyrisme. Il se
sentait riche, maître d'un domaine magnifique et fleuri. Lucien regarda un moment, non sans un reste d'appréhension, 20
courir sur son cahier de brouillon la plume inspirée et finit par
s'endormir sur la table. A onze heures, son père le réveilla
et lui tendit le cahier.

— Et maintenant, tu vas me recopier ça posément.*
J'attends que tu aies fini pour relire. Tâche de mettre la 25
ponctuation, surtout.

— Il est tard, fit observer Lucien. Je ferais peut-être mieux
de me lever demain de bonne heure ?

— Non, non. Il faut battre le fer pendant qu'il est chaud.
Encore un proverbe, tiens. 30

M. Jacotin eut un sourire gourmand et ajouta :

— Ce proverbe-là, je ne serais pas en peine de l'expliquer
non plus.* Si j'avais le temps, il ne faudrait pas me pousser*
beaucoup. C'est un sujet de toute beauté. Un sujet sur lequel je me fais fort* d'écrire mes douze pages. Au moins, 35
est-ce que tu le comprends bien ?

EXERCICES SUR LE TEXTE

I. Traduisez en anglais les phrases suivantes :

1. *Lucien se ressaisit.*
2. *Le professeur expliqua ce qu'il aurait fallu faire.*
3. *Il m'est arrivé souvent de blâmer la sécheresse de vos développements.*
4. *Vous êtes resté constamment en dehors du sujet.*
5. *Je n'aime pas le ton que vous avez cru devoir adopter.*
6. *C'est le modèle de ce qu'il ne fallait pas faire.*
7. *Lucien était blessé dans son amour-propre.*

II. Répondez en français aux questions suivantes :

1. *Qu'est-ce que M. Jacotin veut savoir?*
2. *De quoi Lucien a-t-il peur?*
3. *Comment se tire-t-il d'affaire?*
4. *Quand le professeur a-t-il rendu les devoirs?*
5. *Quel élève avait écrit le meilleur devoir?*
6. *Pourquoi le devoir de Lucien est-il différent de ceux qu'il avait déjà écrits?*
7. *Quel est le défaut le plus évident du devoir de Lucien?*
8. *Pourquoi le professeur en a-t-il lu des passages à haute voix?*

NOTES SUR LE TEXTE ★★★

4. faillit céder: *came near yielding, almost gave in.* **14.** treize—*in French schools, grading is on a scale of 0-20 and is notoriously severe. A 13 might be considered equivalent to 85 or B, 3 to 60 or D (below a passing grade of 70 or C). Grades of 2, 1/2, or 0 are not unknown.* **23.** vous coller un trois: *(academic jargon) to flunk you with a 3.* **28.** endimanché: *(figuratively) flowery.* **31-32.** il ne fallait pas faire: *one ought not to have done.* **34.** gloussements: *chuckles.*

— Quoi donc?

— Je te demande si tu comprends le proverbe : « Il faut battre le fer pendant qu'il est chaud. »

Lucien, accablé, faillit céder* au découragement. Il se ressaisit et répondit avec une grande douceur :   5

— Oui, papa. Je comprends bien. Mais il faut que je recopie mon devoir.

— C'est ça, recopie, dit M. Jacotin d'un ton qui trahissait son mépris pour certaines activités d'un ordre subalterne.

10

Une semaine plus tard, le professeur rendait la copie corrigée.

— Dans l'ensemble, dit-il, je suis loin d'être satisfait. Si j'excepte Béruchard, à qui j'ai donné treize,* et cinq ou six autres tout juste passables, vous n'avez pas compris le 15 devoir.

Il expliqua ce qu'il aurait fallu faire, puis, dans le tas des copies annotées à l'encre rouge, il en choisit trois qu'il se mit à commenter. La première était celle de Béruchard, dont il parla en termes élogieux. La troisième était celle de Lucien. 20

— En vous lisant, Jacotin, j'ai été surpris par une façon d'écrire à laquelle vous ne m'avez pas habitué et qui m'a paru si déplaisante que je n'ai pas hésité à vous coller un trois.* S'il m'est arrivé souvent de blâmer la sécheresse de vos développements, je dois dire que vous êtes tombé cette fois dans 25 le défaut contraire. Vous avez trouvé le moyen de remplir six pages en restant constamment en dehors du sujet. Mais le plus insupportable est ce ton endimanché* que vous avez cru devoir adopter.

Le professeur parla longuement du devoir de Lucien, qu'il 30 proposa aux autres comme le modèle de ce qu'il ne fallait pas faire. Il en lut à haute voix quelques passages qui lui semblaient particulièrement édifiants. Dans la classe, il y eut des sourires, des gloussements* et même quelques rires soutenus. Lucien était très pâle. Blessé dans son amour-propre, il l'était 35 aussi dans ses sentiments de piété filiale.

EXERCICES SUR LE TEXTE

I. Faites une traduction soignée des treize premières lignes de la page 231.

II. Répondez par oui ou par non aux questions suivantes :

1. *Est-ce que Lucien avait hésité de remettre au professeur le devoir que son père avait écrit?*

2. *Savait-il ce que le professeur en penserait?*

3. *Était-il content maintenant de l'avoir remis au professeur?*

4. *Est-ce qu'une mauvaise note blesserait l'amour-propre de son père?*

5. *Est-ce que M. Jacotin tenait à savoir quelle note on avait donnée à son devoir?*

6. *A-t-il demandé tout de suite à Lucien de lui dire quelle note on lui avait donnée?*

7. *Est-ce que la gaieté de M. Jacotin créait une meilleure atmosphère que d'ordinaire dans la cuisine?*

8. *Est-ce que M. Jacotin était souvent de bonne humeur?*

9. *Est-ce que la tante Julie était de bonne humeur ce jour-là?*

NOTES SUR LE TEXTE ★★★

1. il en voulait à: *(a common idiom) he had a grudge against, he had it in for.* **4.** Qu'il s'agît: *Whether it was a matter.* **6.** convenances: *proprieties, what is proper.* **10.** le remettre: *hand it in.* **11.** eu égard aux: *considering the.* **16.** De quoi s'était mêlé le père: *(lit.) What had his father been meddling with; (freely) What business was it of his father's to.* **17-18.** il n'avait pas volé: *(freely) he deserved, he had coming to him.* **18.** flanquer: *(more academic jargon) dealt (as one deals a blow).* **21.** s'en remettre: *to recover from it, get over it.* **24.** dès l'abord: *at the outset, at the very first—much less common than* d'abord. **33.** d'insolite: *that was unusual, unwonted.*

Pourtant il en voulait à* son père de l'avoir mis en situation
de se faire moquer par ses camarades.   Élève médiocre, jamais
sa négligence ni son ignorance ne l'avaient ainsi exposé au
ridicule.   Qu'il s'agît* d'un devoir de français, de latin ou
d'algèbre, il gardait jusque dans ses insuffisances un juste senti-   5
ment des convenances* et même des élégances écolières.   Le
soir où, les yeux rouges de sommeil, il avait recopié le brouillon
de M. Jacotin, il ne s'était guère trompé sur l'accueil qui serait
fait à son devoir.   Le lendemain, mieux éveillé, il avait même
hésité à le remettre* au professeur, ressentant alors plus vive-   10
ment ce qu'il contenait de faux et de discordant, eu égard aux*
habitudes de la classe.   Et au dernier moment, une confiance
instinctive dans l'infaillibilité de son père l'avait décidé.

Au retour de l'école, à midi, Lucien songeait avec rancune
à ce mouvement de confiance pour ainsi dire religieuse qui   15
avait parlé plus haut que l'évidence.   De quoi s'était mêlé le
père* en expliquant ce proverbe?   A coup sûr, il n'avait pas
volé* l'humiliation de se voir flanquer* trois sur vingt à son devoir de français.   Il y avait là de quoi lui faire passer l'envie
d'expliquer les proverbes.   Et Béruchard qui avait eu treize.   20
Le père aurait du mal à s'en remettre.*   Ça lui apprendrait.

A table, M. Jacotin se montra enjoué et presque gracieux.
Une allégresse un peu fiévreuse animait son regard et ses propos.   Il eut la coquetterie de ne pas poser dès l'abord* la
question qui lui brûlait les lèvres et que son fils attendait.   25
L'atmosphère du déjeuner n'était pas très différente de ce
qu'elle était d'habitude.   La gaieté du père, au lieu de mettre
à l'aise les convives, était plutôt une gêne supplémentaire.
Mme Jacotin et ses filles essayaient en vain d'adopter un ton
accordé à la bonne humeur du maître.   Pour la tante Julie,   30
elle se fit un devoir de souligner par une attitude maussade et
un air de surprise offensée tout ce que cette bonne humeur
offrait d'insolite* aux regards de la famille.   M. Jacotin le
sentit lui-même, car il ne tarda pas à s'assombrir.

— Au fait, dit-il avec brusquerie.   Et le proverbe?   35

Sa voix trahissait une émotion qui ressemblait plus à de

EXERCICES SUR LE TEXTE

Répondez en français aux questions suivantes :

1. *Est-ce que Lucien avait peur de son père, d'habitude?*
2. *Avait-il peur de lui en ce moment?*
3. *Comment pourrait-il blesser l'amour-propre de son père?*
4. *Si Lucien disait la vérité, devant qui M. Jacotin perdrait-il la face?*
5. *Qu'est-ce qu'il perdrait du même coup?*
6. *Pourquoi la tante Julie voulait-elle une revanche?*
7. *Quand M. Jacotin dit à Lucien: « Et le proverbe? », qu'est-ce qu'il veut savoir?*
8. *Quelle note le devoir avait-il reçue en réalité?*
9. *Quelle note le devoir de Béruchard avait-il reçue en réalité?*
10. *Quel élève avait écrit le meilleur devoir?*
11. *Pourquoi le visage de M. Jacotin s'est-il illuminé?*
12. *Est-ce que Lucien était content d'avoir fait plaisir à son père?*
13. *D'après M. Jacotin, quelle est la première chose à faire quand on entreprend un travail?*
14. *Qu'est-ce que M. Jacotin avait voulu faire comprendre à Lucien?*
15. *Est-ce pour cette raison qu'il avait « secoué » son fils?*
16. *Lucien n'a-t-il pas bien fait de ne pas blesser l'amour-propre de son père? Mérite-t-il une récompense?*
17. *Va-t-il recevoir une récompense?*
18. *Qu'est-ce que son père va faire?*

NOTES SUR LE TEXTE ★★

3. livrait: *(here) put in his power (because he saw through him).* **33-34.** une bonne fois: *once and for all.*

l'inquiétude qu'à de l'impatience. Lucien sentit qu'en cet
instant il pouvait faire le malheur de son père. Il le regardait
maintenant avec une liberté qui lui livrait* le personnage. Il
comprenait que, depuis de longues années, le pauvre homme
vivait sur le sentiment de son infaillibilité de chef de famille 5
et qu'en expliquant le proverbe, il avait engagé le principe de
son infaillibilité dans une aventure dangereuse. Non seulement le tyran domestique allait perdre la face devant les siens,
mais il perdrait du même coup la considération qu'il avait
pour sa propre personne. Ce serait un effondrement. Et dans 10
la cuisine, à table, face à la tante Julie qui épiait toujours une
revanche, ce drame qu'une simple parole pouvait déchaîner
avait une réalité bouleversante. Lucien fut effrayé par la
faiblesse du père et son cœur s'attendrit d'un sentiment de
pitié généreuse.   15

— Tu es dans la lune? Je te demande si le professeur a
rendu mon devoir? dit M. Jacotin.

— Ton devoir? Oui, on l'a rendu.

— Et quelle note avons-nous eue?

— Treize.   20

— Pas mal. Et Béruchard?

— Treize.

— Et la meilleure note était?

— Treize.

Le visage du père s'était illuminé. Il se tourna vers la 25
tante Julie avec un regard insistant, comme si la note treize
eût été donnée malgré elle. Lucien avait baissé les yeux et
regardait en lui-même avec un plaisir ému. M. Jacotin lui
toucha l'épaule et dit avec bonté :

— Vois-tu, mon cher enfant, quand on entreprend un 30
travail, le tout est d'abord d'y bien réfléchir. Comprendre
un travail, c'est l'avoir fait plus qu'aux trois quarts. Voilà
justement ce que je voudrais te faire entrer dans la tête une
bonne fois.* Et j'y arriverai. J'y mettrai tout le temps nécessaire. Du reste, à partir de maintenant, et désormais, tous 35
tes devoirs de français, nous les ferons ensemble.

CRAINQUEBILLE

par

ANATOLE FRANCE

EXERCICES SUR LE TEXTE

Répondez en français aux questions suivantes :

    1. *Qu'est-ce que Crainquebille vendait?*

    2. *Pourquoi appelle-t-on les poireaux « les asperges du pauvre »?*

    3. *Pourquoi madame Bayard s'est-elle approchée de la voiture de Crainquebille?*

    4. *Si les poireaux avaient été beaux, qu'est-ce que Mme Bayard en aurait dit?*

    5. *Quel âge, à peu près, avait Crainquebille?*

    6. *A quel ordre était-il disposé à obéir?*

    7. *Si Mme Bayard voulait acheter des légumes, pourquoi avait-elle rejeté la botte de poireaux dans la charrette?*

NOTES SUR LE TEXTE ★★★

1. marchand des quatre saisons : *fruit and vegetable vendor (from a pushcart).*
3. navets : *turnips.* **4.** poireaux : *leeks.* **4.** Bottes d'asperges : *Bunches of asparagus.* **6.** la rue Montmartre—*a street which runs from the* Boulevard Montmartre *to the* Place St. Eustache, *in one of the busiest sections of Paris, just north of* Les Halles, *the great central markets.* **7.** la cordonnière : *the shoe seller; (freely) the woman who ran a shoe store.* **12.** Quinze sous : *then=fifteen cents.* **12.** la bourgeoise : *(used by* " les gens du peuple " *for* " madame ")* " lady."* **12.** Y a pas—*as Maupassant's* La Ficelle *contained some good examples of the way peasants spoke French, so in this story Anatole France offers interesting examples of the sort of French spoken by* " les gens du peuple. " *Grammatically correct forms will be given in Notes when necessary.* **16.** l'agent *64*—*a policeman whose official number was 64.* **17.** Circulez! : *Move on, Get going.*
21. à sa convenance : *to her liking.*

CRAINQUEBILLE

par ANATOLE FRANCE

I

L'Aventure de Crainquebille

JÉRÔME Crainquebille, marchand des quatre-saisons,* allait par la ville, poussant sa petite voiture et criant : *Des choux, des navets,* des carottes!* Et, quand il avait des poireaux,* il criait : *Bottes d'asperges!** parce que les poireaux sont les asperges du pauvre. Or, le 20 octobre, à l'heure ⁵ de midi, comme il descendait la rue Montmartre,* madame Bayard, la cordonnière,* sortit de sa boutique et s'approcha de la voiture légumière. Soulevant dédaigneusement une botte de poireaux :

— Ils ne sont guère beaux, vos poireaux. Combien la ¹⁰ botte?

— Quinze sous,* la bourgeoise.* Y a pas* meilleur.

— Quinze sous, trois mauvais poireaux?

Et elle rejeta la botte dans la charrette, avec un geste de dégoût. ¹⁵

C'est alors que l'agent 64* survint et dit à Crainquebille :
— Circulez!*

Crainquebille, depuis cinquante ans, circulait du matin au soir. Un tel ordre lui sembla légitime et conforme à la nature des choses. Tout disposé à y obéir, il pressa la bourgeoise de ²⁰ prendre ce qui était à sa convenance.*

237

EXERCICES SUR LE TEXTE

Les déclarations suivantes sont-elles exactes ou inexactes?

1. *Mme Bayard était cordonnière.*

2. *Elle tâta toutes les bottes de poireaux avant d'en choisir une.*

3. *Elle tint contre son sein une palme triomphale.*

4. *Le prix d'une botte de poireaux était de quatorze sous.*

5. *Mme Bayard est entrée dans sa boutique pour chercher les quinze sous.*

6. *Pendant son absence, un agent de police ordonna à Crainquebille de circuler.*

7. *L'agent avait déjà dit à Crainquebille d'attendre son argent.*

8. *Mme Bayard tarda à sortir de sa boutique.*

9. *Elle aimait mieux vendre des souliers que de donner de l'argent à Crainquebille.*

10. *Elle essaya de vendre plusieurs paires de souliers à un enfant.*

11. *Elle avait mis les poireaux dans sa cuisine.*

12. *Crainquebille était marchand des quatre-saisons depuis cinquante ans.*

13. *C'était la première fois qu'un agent lui disait de circuler.*

14. *C'était son devoir d'obéir à l'agent de police.*

15. *C'était son droit d'attendre son argent.*

16. *L'auteur dit que son droit était plus important que son devoir.*

17. *Crainquebille décida d'aller plus avant et toujours plus avant.*

18. *L'agent 64 commençait à se fâcher.*

NOTES SUR LE TEXTE ★★

1. Faut = Il faut.   **7.** vas = vais.   **30.** d'aller plus avant: *to go farther on.*
34. sévit: *punishes.*   **35-36.** verbaliser: *to arrest, to issue a summons; in modern American, " to give a ticket."*   **36.** sournois: *sly, underhanded.*

— Faut* encore que je choisisse la marchandise, répondit aigrement la cordonnière.

Et elle tâta de nouveau toutes les bottes de poireaux, puis elle garda celle qui lui parut la plus belle et elle la tint contre son sein comme les saintes, dans les tableaux d'église, pressent 5 sur leur poitrine la palme triomphale.

— Je vas* vous donner quatorze sous. C'est bien assez. Et encore il faut que j'aille les chercher dans la boutique, parce que je ne les ai pas sur moi.

Et, tenant ses poireaux embrassés, elle rentra dans la cor- 10 donnerie où une cliente, portant un enfant, l'avait précédée.

A ce moment l'agent 64 dit pour la deuxième fois à Crainquebille :

— Circulez !

— J'attends mon argent, répondit Crainquebille. 15

— Je ne vous dis pas d'attendre votre argent ; je vous dis de circuler, reprit l'agent avec fermeté.

Cependant la cordonnière, dans sa boutique, essayait des souliers bleus à un enfant de dix-huit mois dont la mère était pressée. Et les têtes vertes des poireaux reposaient sur le 20 comptoir.

Depuis un demi-siècle qu'il poussait sa voiture dans les rues, Crainquebille avait appris à obéir aux représentants de l'autorité. Mais il se trouvait cette fois dans une situation particulière, entre un devoir et un droit. Il n'avait pas l'esprit 25 juridique. Il ne comprit pas que la jouissance d'un droit individuel ne le dispensait pas d'accomplir un devoir social. Il considéra trop son droit qui était de recevoir quatorze sous, et il ne s'attacha pas assez à son devoir qui était de pousser sa voiture et d'aller plus avant* et toujours plus avant. Il de- 30 meura.

Pour la troisième fois, l'agent 64, tranquille et sans colère, lui donna l'ordre de circuler. Contrairement à la coutume du brigadier Montauciel, qui menace sans cesse et ne sévit* jamais, l'agent 64 est sobre d'avertissements et prompt à ver- 35 baliser.* Tel est son caractère. Bien qu'un peu sournois,*

EXERCICES SUR LE TEXTE

I. Traduisez en anglais :

1. *Crainquebille haussa lentement les épaules.*
2. *Est-ce que je me ris des décrets qui régissent mon état ambulatoire?*
3. *Depuis sept heures, je me brûle les mains à mes brancards.*
4. *Vous vous moquez.*
5. *Les cochers de fiacre échangeaient avec les garçons bouchers des injures héroïques.*
6. *Sur le trottoir, des curieux se pressaient.*

II. Les déclarations suivantes sont-elles exactes ou inexactes?

1. *Crainquebille avait le courage d'un lion et la douceur d'un enfant.*
2. *Il croyait qu'il avait une bonne raison de ne pas circuler.*
3. *L'agent lui avait demandé de lever le drapeau noir de la révolte.*
4. *L'agent avait cherché une excuse à la désobéissance.*
5. *L'agent voulait savoir si Crainquebille avait compris son ordre de circuler.*

NOTES SUR LE TEXTE ★★★

2-3. sa consigne: *his orders.* **7.** sans art: *artlessly.* **8.** Nom de nom: *Good Lord, By gosh—a mild oath;* nom de Dieu *would be a strong one; cf. p. 157, l. 15.* **11.** Voulez-vous que je vous fiche une contravention: *Do you want me to give you a summons, " a ticket?"*—Ficher *is somewhat colloquial,* une contravention *is literally a violation.* **14.** coula: *cast.* **21.** J'ai soixante ans sonnés: *I'm over sixty, I'm past sixty.* **24.** Soit que: *Whether.* **27.** l'embarras: *jam.—As stated on p. 237, ll. 5-6, this incident occurred at noon, when traffic is at its height in the streets of Paris. In Paris, compared with American cities, a higher proportion of businessmen, clerks, and workers go home for lunch.* **28.** haquets: *drays.* **29.** tapissières: *vans.* **36.** se pressaient: *were crowding together, were forming a crowd.*

c'est un excellent serviteur et un loyal soldat. Le courage
d'un lion et la douceur d'un enfant. Il ne connaît que sa
consigne.*

— Vous n'entendez donc pas, quand je vous dis de circuler ?

Crainquebille avait de rester en place une raison trop con- 5
sidérable à ses yeux pour qu'il ne la crût pas suffisante. Il
l'exposa simplement et sans art :*

— Nom de nom !* puisque je vous dis que j'attends mon
argent.

L'agent 64 se contenta de répondre : 10

— Voulez-vous que je vous fiche une contravention ?* Si
vous le voulez, vous n'avez qu'à le dire.

En entendant ces paroles, Crainquebille haussa lentement
les épaules et coula* sur l'agent un regard douloureux qu'il
éleva ensuite vers le ciel. Et ce regard disait : 15

« Que Dieu me voie ! Suis-je un contempteur des lois ?
Est-ce que je me ris des décrets et des ordonnances qui régissent
mon état ambulatoire ? A cinq heures du matin, j'étais sur
le carreau des Halles. Depuis sept heures, je me brûle les
mains à mes brancards en criant : *Des choux, des navets, des* 20
carottes ! J'ai soixante ans sonnés.* Je suis las. Et vous me
demandez si je lève le drapeau noir de la révolte. Vous vous
moquez et votre raillerie est cruelle. »

Soit que* l'expression de ce regard lui eût échappé, soit
qu'il n'y trouvât pas une excuse à la désobéissance, l'agent 25
demanda d'une voix brève et rude si c'était compris.

Or, en ce moment précis, l'embarras* des voitures était
extrême dans la rue Montmartre. Les fiacres, les haquets,*
les tapissières,* les omnibus, les camions, pressés les uns contre
les autres, semblaient indissolublement joints et assemblés. Et 30
sur leur immobilité frémissante s'élevaient des jurons et des
cris. Les cochers de fiacre échangeaient de loin, et lentement,
avec les garçons bouchers des injures héroïques, et les con-
ducteurs d'omnibus, considérant Crainquebille comme la cause
de l'embarras, l'appelaient « sale poireau. » 35

Cependant sur le trottoir, des curieux se pressaient,* atten-

EXERCICES SUR LE TEXTE

I. Trouvez dans le texte des mots ou des expressions qui ont la même signification que les mots et les expressions en romains :

1. *L'agent ne* pensa *plus qu'à* montrer *son autorité.*
2. Bien, *dit-il.*
3. Il ne pouvait pas *avancer.*
4. *Par ces* paroles *l'agent se crut* injurié.
5. *Toute insulte* prenait *une forme traditionnelle.*
6. *Vous vous êtes* trompé.
7. *Cet homme ne vous a pas* injurié.

II. Répondez en français aux questions suivantes :

1. *Par qui l'agent était-il observé?*
2. *Comment Crainquebille a-t-il montré sa détresse?*
3. *Qui a ri de l'arrestation de Crainquebille?*
4. *Qui s'est approché de l'agent?*
5. *Pourquoi l'arrestation de Crainquebille était-elle injuste?*

NOTES SUR LE TEXTE ★★

3. c'est bon: *all right.*   **4.** crasseux: *dirty.*   **12.** c'est-il pas = n'est-ce pas.
12-13. Bon sang de bon sang: *Darn it all (or something more picturesque)!*
14. propos: *remarks, talk, words.*   **18.** Mort aux vaches!: *Damn the cops.*
25-26. tantôt de dessus la tête et tantôt de dessous les talons: *(lit.) now from above his head and now from below his heels—a picturesque description of the old man's cracked voice!*   **32.** s'étant frayé: *having cleared for himself.*

tifs à la querelle.   Et l'agent, se voyant observé, ne songea plus
qu'à faire montre de son autorité.

— C'est bon,* dit-il.

Et il tira de sa poche un calepin crasseux* et un crayon
très court.   5

Crainquebille suivait son idée et obéissait à une force inté-
rieure.   D'ailleurs il lui était impossible maintenant d'avancer ou de reculer.   La roue de sa charrette était malheureusement prise dans la roue d'une voiture de laitier.

Il s'écria, en s'arrachant les cheveux sous sa casquette :   10

— Mais, puisque je vous dis que j'attends mon argent!
C'est-il pas* malheureux!   Misère de misère!   Bon sang de
bon sang!*

Par ces propos,* qui pourtant exprimaient moins la révolte
que le désespoir, l'agent 64 se crut insulté.   Et comme, pour 15
lui, toute insulte revêtait nécessairement la forme traditionnelle,
régulière, consacrée, rituelle et pour ainsi dire liturgique de
« Mort aux vaches! »* c'est sous cette forme que spontanément
il recueillit et concréta dans son oreille les paroles du délin-
quant.   20

— Ah! vous avez dit : « Mort aux vaches! »   C'est bon.
Suivez-moi.

Crainquebille, dans l'excès de la stupeur et de la détresse,
regardait avec ses gros yeux brûlés du soleil l'agent 64, et de
sa voix cassée, qui lui sortait tantôt de dessus la tête et tantôt 25
de dessous les talons,* s'écriait, les bras croisés sur sa blouse
bleue :

— J'ai dit : « Mort aux vaches »?   Moi? ... Oh!

Cette arrestation fut accueillie par les rires des employés de
commerce et des petits garçons.   Elle contentait le goût que 30
toutes les foules d'hommes éprouvent pour les spectacles igno-
bles et violents.   Mais, s'étant frayé* un passage à travers le
cercle populaire, un vieillard très triste, vêtu de noir et coiffé
d'un chapeau de haute forme, s'approcha de l'agent et lui dit
très doucement et très fermement, à voix basse :   35

— Vous vous êtes mépris.   Cet homme ne vous a pas insulté.

244

EXERCICES SUR LE TEXTE

Répondez en français aux questions suivantes :

1. *Comment l'agent a-t-il parlé au vieillard?*
2. *Pourquoi lui a-t-il parlé de cette façon?*
3. *Comment le vieillard a-t-il parlé à l'agent?*
4. *Pourquoi Mme Bayard avait-elle quatorze sous à la main?*
5. *Pourquoi n'a-t-elle pas donné les quatorze sous à Crainquebille?*
6. *Qu'est-ce que le vieillard a dit au commissaire?*
7. *Pourquoi le commissaire n'a-t-il pas eu une confiance absolue dans ce que le vieillard lui a dit?*
8. *Qu'est-ce que Crainquebille a remarqué en entrant dans la prison?*
9. *Comptait-il manger par terre?*
10. *Qu'est-ce qu'il a trouvé étrange?*

NOTES SUR LE TEXTE ★★★

1. Mêlez-vous de ce qui vous regarde: *(a common idiom) Mind your own business.* **2.** sans proférer: *without uttering.* **3.** mis: *dressed.* **5-6.** chez le commissaire: *at police headquarters.* **8.** Alors que: *So then.* **14.** en fourrière: *impounded.* **21.** qualités: *(here) titles.* **22-23.** l'hôpital Ambroise-Paré—*this hospital, named after a famous sixteenth-century French surgeon, is located in Boulogne, a suburb of Paris.* **23.** Légion d'honneur—*a highly respected organization established by Napoleon Bonaparte in 1802 to honor distinguished military and civil service; the lowest rank is that of* chevalier, *the next one that of* officier. **25.** les savants étaient suspects: *intellectuals were held in suspicion.*—*This was, of course, because of the stand they took in the Dreyfus Affair. Cf. the introductory sketch of Anatole France.* **27.** au violon: *in the lockup.* **27-28.** le panier à salade: *the "Black Maria."* **28.** Dépôt: *prison, jail.* **32-33.** Vrai de vrai: *Honest to God! Upon my word!*

— Mêlez-vous de ce qui vous regarde,* lui répondit l'agent,
sans proférer* de menaces, car il parlait à un homme proprement mis.*

Le vieillard insista avec beaucoup de calme et de ténacité.
Et l'agent lui intima l'ordre de s'expliquer chez le commis-   5
saire.*

Cependant Crainquebille s'écriait :

— Alors que* j'ai dit « Mort aux vaches! »   Oh! ...

Il prononçait ces paroles étonnées quand madame Bayard,
la cordonnière, vint à lui, les quatorze sous dans la main.   10
Mais déjà l'agent 64 le tenait au collet, et madame Bayard,
pensant qu'on ne devait rien à un homme conduit au poste,
mit les quatorze sous dans la poche de son tablier.

Et, voyant tout à coup sa voiture en fourrière,* sa liberté
perdue, l'abîme sous ses pas et le soleil éteint, Crainquebille   15
murmura :

— Tout de même! ...

Devant le commissaire, le vieillard déclara que, arrêté sur
son chemin par un embarras de voitures, il avait été témoin de
la scène et qu'il affirmait que l'agent n'avait pas été insulté, et   20
qu'il s'était totalement mépris.   Il donna ses nom et qualités :*
docteur David Matthieu, médecin en chef de l'hôpital Ambroise-Paré,* officier de la Légion d'honneur.*   En d'autres
temps, un tel témoignage aurait suffisamment éclairé le commissaire.   Mais alors, en France, les savants étaient suspects.*   25

Crainquebille, dont l'arrestation fut maintenue, passa la
nuit au violon* et fut transféré, le matin, dans le panier à
salade,* au Dépôt.*

La prison ne lui parut ni douloureuse ni humiliante.   Elle
lui parut nécessaire.   Ce qui le frappa en entrant ce fut la   30
propreté des murs et du carrelage.   Il dit :

— Pour un endroit propre, c'est un endroit propre.   Vrai
de vrai.*   On mangerait par terre.

Laissé seul, il voulut tirer son escabeau; mais il s'aperçut
qu'il était scellé au mur.   Il en exprima tout haut sa sur-   35
prise :

EXERCICES SUR LE TEXTE

Traduisez en français les phrases suivantes :

1. *What a funny idea!*
2. *That's something I would not have thought of.*
3. *Silence and solitude overwhelmed him.*
4. *He was bored.*
5. *He worried about his cart.*
6. *Lemerle was one of the youngest members of the Paris bar.*
7. *Crainquebille tried to explain the affair to him, which was not easy.*
8. *Crainquebille was not used to talking.*
9. *Perhaps he would have managed with a little help.*
10. *It would be better to plead guilty.*
11. *Crainquebille would have confessed, if he had known what he ought to confess.*
12. *Judge Bourriche devoted a full six minutes to the examination of Crainquebille.*
13. *Crainquebille did not answer the questions which were asked him.*
14. *Respect and fright closed his mouth; so he kept silent.*
15. *The judge himself supplied the answers.*

NOTES SUR LE TEXTE ★★

6. mâche: *corn salad (an herb something like lettuce).*   **7.** pissenlit: *dandelion.*
8. Où qu'ils m'ont étouffé = *Où est-ce qu'on a étouffé (stuck, hidden).*
11-12. Ligue de la Patrie française—*an anti-Dreyfus organization.* **19.** frisant:
curling.   **23.** d'une insigne maladresse: *(lit.) of an outstanding awkwardness;
(freely) downright stupid.* **26.** président: *Judge.—In France there are usually
three judges at a trial; the chief judge is "*le président.*" Often the judges take
turns in conducting minor cases.*

— Quelle drôle d'idée! Voilà une chose que j'aurais pas inventée, pour sûr.

S'étant assis, il tourna ses pouces et demeura dans l'étonnement. Le silence et la solitude l'accablaient. Il s'ennuyait et il pensait avec inquiétude à sa voiture mise en fourrière 5 encore toute chargée de choux, de carottes, de céleri, de mâche* et de pissenlit.* Et il se demandait anxieux :

— Où qu'ils m'ont étouffé* ma voiture?

Le troisième jour, il reçut la visite de son avocat, maître Lemerle, un des plus jeunes membres du barreau de Paris, 10 président d'une des sections de la « Ligue de la Patrie française ».*

Crainquebille essaya de lui conter son affaire, ce qui ne lui était pas facile, car il n'avait pas l'habitude de la parole. Peut-être s'en serait-il tiré pourtant, avec un peu d'aide. 15 Mais son avocat secouait la tête d'un air méfiant à tout ce qu'il disait, et feuilletant des papiers, murmurait :

— Hum! hum! je ne vois rien de tout cela au dossier ...

Puis, avec un peu de fatigue, il dit en frisant* sa moustache blonde :   20

— Dans votre intérêt, il serait peut-être préférable d'avouer. Pour ma part j'estime que votre système de dénégations absolues est d'une insigne maladresse.*

Et dès lors Crainquebille eût fait des aveux s'il avait su ce qu'il fallait avouer.   25

II

CRAINQUEBILLE DEVANT LA JUSTICE

Le président* Bourriche consacra six minutes pleines à l'interrogatoire de Crainquebille. Cet interrogatoire aurait apporté plus de lumière si l'accusé avait répondu aux questions qui lui étaient posées. Mais Crainquebille n'avait pas l'habitude de la discussion, et dans une telle compagnie le respect et 30 l'effroi lui fermaient la bouche. Aussi gardait-il le silence, et le président faisait lui-même les réponses; elles étaient accablantes. Il conclut :

248

EXERCICES SUR LE TEXTE

Répondez par oui ou par non aux questions suivantes :

1. *Est-ce que Crainquebille avait dit: « Mort aux vaches »?*
2. *Est-ce que l'agent avait dit: « Mort aux vaches »?*
3. *Est-ce que Crainquebille avait répété les mots de l'agent?*
4. *Crainquebille avait-il dit: « Moi! tenir des propos injurieux »?*
5. *Est-ce que Crainquebille avait tenu des propos injurieux?*
6. *Est-ce que l'agent avait proféré le cri le premier?*
7. *Crainquebille avait-il raison de ne pas insister?*
8. *L'individu dont l'agent parle, est-ce Bastien Matra?*
9. *Est-ce que Crainquebille avait arrêté sa voiture à la hauteur du numéro 328 de la rue Montmartre?*
10. *Est-ce que l'agent lui avait dit trois fois de circuler?*
11. *Est-ce que Crainquebille avait obéi?*
12. *Est-ce que l'agent l'avait arrêté parce qu'il n'avait pas obéi?*
13. *Si Crainquebille avait crié: « Mort aux vaches » le premier, est-ce que ce cri aurait été injurieux?*
14. *L'agent, dans sa déposition, a-t-il dit la vérité et rien que la vérité?*
15. *Est-ce que madame Bayard avait entendu ce que Crainquebille et l'agent s'étaient dit?*
16. *Le docteur Matthieu avait-il vu et entendu tout ce qui s'était passé?*

NOTES SUR LE TEXTE ★★★

7. prêtait: *ascribed, attributed.* **8.** il eût dit: *he might have said.* **11.** Prétendez-vous—*cf. p. 101, l. 27.* **22.** à la hauteur du: *(lit.) level with;* *(freely) in front of.* **24.** obtempérer: *to obey, comply.*—*The policeman's language is amusingly pompous.* **33.** sommait: *was calling upon.*

— Enfin, vous reconnaissez avoir dit : « Mort aux vaches ! »

—J'ai dit : « Mort aux vaches ! » parce que monsieur
l'agent a dit : « Mort aux vaches ! »   Alors j'ai dit : « Mort
aux vaches ! »

Il voulait faire entendre qu'étonné par l'imputation la plus 5
imprévue, il avait, dans sa stupeur, répété les paroles étranges
qu'on lui prêtait* faussement et qu'il n'avait certes point prononcées.   Il avait dit : « Mort aux vaches ! » comme il eût dit :*
« Moi ! tenir des propos injurieux, l'avez-vous pu croire ? »

M. le président Bourriche ne le prit pas ainsi.   10

— Prétendez-vous,* dit-il, que l'agent a proféré ce cri le
premier ?

Crainquebille renonça à s'expliquer.   C'était trop difficile.

— Vous n'insistez pas.   Vous avez raison, dit le président.

Et il fit appeler les témoins.   15

L'agent 64, de son nom Bastien Matra, jura de dire la
vérité et de ne rien dire que la vérité.   Puis il déposa en ces
termes :

— Étant de service le 20 octobre, à l'heure de midi, je
remarquai, dans la rue Montmartre, un individu qui me sembla 20
être un vendeur ambulant et qui tenait sa charrette indûment
arrêtée à la hauteur du* numéro 328, ce qui occasionnait un
encombrement de voitures.   Je lui intimai par trois fois l'ordre
de circuler, auquel il refusa d'obtempérer.*   Et sur ce que je
l'avertis que j'allais verbaliser, il me répondit en criant : 25
« Mort aux vaches ! » ce qui me sembla être injurieux.

Cette déposition, ferme et mesurée, fut écoutée avec une
évidente faveur par le Tribunal.   La défense avait cité madame Bayard, cordonnière, et M. David Matthieu, médecin en
chef de l'hôpital Ambroise-Paré, officier de la Légion d'hon- 30
neur.   Madame Bayard n'avait rien vu ni entendu.   Le docteur Matthieu se trouvait dans la foule assemblée autour de
l'agent qui sommait* le marchand de circuler.   Sa déposition
amena un incident.

—J'ai été témoin de la scène, dit-il.   J'ai remarqué que 35
l'agent s'était mépris : il n'avait pas été insulté.   Je m'ap-

EXERCICES SUR LE TEXTE

Traduisez en français les phrases suivantes :

1. *I called it to his attention.*
2. *He invited me to follow him.*
3. *You may be seated.*
4. *You may withdraw.*
5. *You were mistaken.*
6. *The lawyer rose.*
7. *They are veterans.*
8. *The judge bowed his head.*
9. *He was proud to belong to the national army.*
10. *I recognize the valuable services which policemen perform every day.*

NOTES SUR LE TEXTE ★★

5. Huissier—*there is no American word which translates* huissier *correctly;* *(freely) Officer.* **13-14.** avec précipitation: *hastily.—It is obvious that the judge wanted to find Crainquebille guilty. This prejudice resembles that of the army officers who composed the court-martial which unjustly condemned Captain Dreyfus.* **17.** robe: *gown (worn by judges and lawyers in French courtrooms).* **20.** la Préfecture = la Préfecture de Police, *the central police headquarters in Paris.* **21.** moyennant: *in consideration of, in return for.* **22.** salaire: *not salary but wages, pay.* **24.** d'anciens soldats: *former soldiers.—They may not have fought in a war but they must have completed their compulsory military service before becoming policemen.* **28.** qu'on touche à l'armée: *anyone to tamper with the Army.— Therefore, when a court-martial had found Dreyfus guilty, it was said to be unpatriotic to question the Army's decision.* **32-33.** le quartier des Vieilles Haudriettes—*not the name of one of the official* quartiers *of Paris; there is, however, a* rue des Haudriettes *in an old section of the city.* **35.** je ne méconnais pas: *I do not fail to recognize.*

prochai et lui en fis l'observation. L'agent maintint le marchand en état d'arrestation et m'invita à le suivre au commissariat. Ce que je fis. Je réitérai ma déclaration devant le commissaire.

— Vous pouvez vous asseoir, dit le président. Huissier,* 5 rappelez le témoin Matra. — Matra, quand vous avez procédé à l'arrestation de l'accusé, monsieur le docteur Matthieu ne vous a-t-il pas fait observer que vous vous mépreniez?

— C'est-à-dire, monsieur le président, qu'il m'a insulté.

— Que vous a-t-il dit? 10

— Il m'a dit : « Mort aux vaches! »

Une rumeur et des rires s'élevèrent dans l'auditoire.

— Vous pouvez vous retirer, dit le président avec précipitation.*

Et il avertit le public que si ces manifestations indécentes 15 se reproduisaient, il ferait évacuer la salle. Cependant la défense agitait triomphalement les manches de sa robe,* et l'on pensait en ce moment que Crainquebille serait acquitté.

Le calme s'étant rétabli, maître Lemerle se leva. Il commença sa plaidoirie par l'éloge des agents de la Préfecture,* 20 « ces modestes serviteurs de la société, qui, moyennant* un salaire* dérisoire, endurent des fatigues et affrontent des périls incessants, et qui pratiquent l'héroïsme quotidien. Ce sont d'anciens soldats,* et qui restent soldats. Soldats, ce mot dit tout ... » 25

Et maître Lemerle s'éleva, sans effort, à des considérations très hautes sur les vertus militaires. Il était de ceux, dit-il, « qui ne permettent pas qu'on touche à l'armée,* à cette armée nationale à laquelle il était fier d'appartenir ».

Le président inclina la tête. 30

Maître Lemerle, en effet, était lieutenant dans la réserve. Il était aussi candidat nationaliste dans le quartier des Vieilles-Haudriettes.*

Il poursuivit :

— Non certes, je ne méconnais pas* les services modestes 35 et précieux que rendent journellement les gardiens de la paix

252

EXERCICES SUR LE TEXTE

I. Répondez par oui ou par non aux questions suivantes :

1. L'agent Matra était-il un ancien soldat?
2. Maître Lemerle avait-il consenti à prendre la défense de Crainquebille?
3. Est-ce que Crainquebille avait insulté l'agent 64?
4. L'agent Matra avait-il arrêté Crainquebille à la fin d'une journée fatigante?
5. Le docteur Matthieu a-t-il crié: « Mort aux vaches! »?
6. Maître Lemerle a-t-il bien défendu Crainquebille?
7. Le discours de Maître Lemerle a-t-il eu une grande influence sur le président Bourriche?
8. Est-ce que cinquante francs valaient dix dollars en 1900?

II. Répondez en français aux questions suivantes :

1. Qu'est-ce que c'est qu'un vachard?
2. Qu'est-ce que c'est qu'une vache?
3. Qu'est-ce que c'est qu'un fainéant?
4. Qu'est-ce que c'est qu'un mouchard?
5. Qu'est-ce que c'est qu'un prince de la science?
6. Qu'est-ce que c'est que le Palais?
7. Qu'est-ce que c'est qu'un garde de Paris?

NOTES SUR LE TEXTE ★★

6. la langue verte: *slang.* **14.** excédé: *worn out, tired out.* **16.** l'ouïe: *his hearing.* **23.** Et alors même que C. aurait crié: *And even if Crainquebille had shouted.* **25.** l'enfant naturel: *the illegitimate child.* **26.** perdue d'inconduite et de boisson: *ruined by misconduct and drink.* **29-30.** lut entre ses dents: *(lit.) read between his teeth; (freely) mumbled.* **34.** Palais = Palais de Justice, *Courthouse.* **36.** le garde de Paris—*instead of a policeman, it was a soldier, a* "garde municipal," *who took Crainquebille back to prison.*

à la vaillante population de Paris. Et je n'aurais pas consenti à vous présenter, messieurs, la défense de Crainquebille si j'avais vu en lui l'insulteur d'un ancien soldat. On accuse mon client d'avoir dit : « Mort aux vaches! » Le sens de cette phrase n'est pas douteux. Si vous feuilletez le *Dictionnaire de* 5 *la langue verte,** vous y lirez : « *Vachard,* paresseux, fainéant; qui s'étend paresseusement comme une vache, au lieu de travailler. — *Vache,* qui se vend à la police; mouchard. » *Mort aux vaches!* se dit dans un certain monde. Mais toute la question est celle-ci : Comment Crainquebille l'a-t-il dit? Et 10 même, l'a-t-il dit? Permettez-moi, messieurs, d'en douter.

Je ne soupçonne l'agent Matra d'aucune mauvaise pensée. Mais il accomplit, comme nous l'avons dit, une tâche pénible. Il est parfois fatigué, excédé,* surmené. Dans ces conditions il peut avoir été la victime d'une sorte d'hallucination de 15 l'ouïe.* Et quand il vient vous dire, messieurs, que le docteur David Matthieu, officier de la Légion d'honneur, médecin en chef de l'hôpital Ambroise-Paré, un prince de la science et un homme du monde, a crié : « Mort aux vaches! » nous sommes bien forcés de reconnaître que Matra est en proie à la maladie 20 de l'obsession, et, si le terme n'est pas trop fort, au délire de la persécution.

Et alors même que Crainquebille aurait crié :* « Mort aux vaches! » il resterait à savoir si ce mot a, dans sa bouche, le caractère d'un délit. Crainquebille est l'enfant naturel* d'une 25 marchande ambulante, perdue d'inconduite et de boisson,* il est né alcoolique. Vous le voyez ici abruti par soixante ans de misère. Messieurs, vous direz qu'il est irresponsable. »

Maître Lemerle s'assit et M. le président Bourriche lut entre ses dents* un jugement qui condamnait Jérôme Crain- 30 quebille à quinze jours de prison et cinquante francs d'amende. Le Tribunal avait fondé sa conviction sur le témoignage de l'agent Matra.

Mené par les longs couloirs sombres du Palais,* Crainquebille ressentit un immense besoin de sympathie. Il se tourna 35 vers le garde de Paris* qui le conduisait et l'appela trois fois :

EXERCICES SUR LE TEXTE

Laquelle des déclarations faites dans (a) et (b) est correcte?

1. *(a) Personne n'avait dit à Crainquebille ce qui allait lui arriver. (b) Si on avait dit à Crainquebille ce qui allait lui arriver, il n'aurait pas crié: « Mort aux vaches!»*

2. *(a) Crainquebille s'était bien expliqué avec le président Bourriche. (b) Crainquebille n'avait pas pu s'expliquer avec ses juges.*

3. *(a) Crainquebille se demandait pourquoi le soldat ne lui répondait pas. (b) Crainquebille a demandé au soldat de ne jamais ouvrir la bouche.*

4. *Crainquebille était plein d'étonnement et d'admiration (a) parce qu'il avait découvert que son escabeau était enchaîné, (b) parce qu'il avait été vivement impressionné par une belle cérémonie.*

5. *Il ne savait pas bien lui-même (a) pourquoi il avait été condamné à quinze jours de prison, (b) s'il avait été condamné à quinze jours de prison.*

6. *Son jugement avait été (a) la plus belle cérémonie à laquelle il eût jamais assisté, (b) un auguste mystère.*

NOTES SUR LE TEXTE ★★

1. Cipal = garde municipal. **4.** ce qu'il = ce qui. **11.** Pourquoi que = Pourquoi est-ce que. **23.** clochât: *(lit.) was lame, limped; (freely) was defective.* **24.** l'Élysée = le Palais de l'Élysée, *residence of the President of the Republic, where from time to time there would be splendid military spectacles.* **25.** jugement: *(here) not judgment but trial.* **25-26.** en police correction- nelle: *in police court.*

— Cipal!* … Cipal! … Hein? cipal! …

Et il soupira :

— Il y a seulement quinze jours, si on m'avait dit qu'il
m'arriverait ce qu'il* m'arrive! …

Puis il fit cette réflexion :

— Ils parlent trop vite, ces messieurs. Ils parlent bien,
mais ils parlent trop vite. On peut pas s'expliquer avec eux …
Cipal, vous trouvez pas qu'ils parlent trop vite?

Mais le soldat marchait sans répondre ni tourner la tête.
Crainquebille lui demanda :

— Pourquoi que* vous me répondez pas?

Et le soldat garda le silence. Et Crainquebille lui dit avec
amertume :

— On parle bien à un chien. Pourquoi que vous me parlez pas? Vous ouvrez jamais la bouche : vous avez donc pas
peur qu'elle pue?

III

De la Soumission de Crainquebille aux Lois de la République

Crainquebille, reconduit en prison, s'assit sur son escabeau
enchaîné, plein d'étonnement et d'admiration. Il ne savait
pas bien lui-même que les juges s'étaient trompés. Le Tribunal lui avait caché ses faiblesses intimes sous la majesté des
formes. Il ne pouvait croire qu'il eût raison contre des ma-
gistrats dont il n'avait pas compris les raisons : il lui était impossible de concevoir que quelque chose clochât* dans une si
belle cérémonie. Car, n'allant ni à la messe, ni à l'Élysée,*
il n'avait, de sa vie, rien vu de si beau qu'un jugement* en police
correctionnelle.* Il savait bien qu'il n'avait pas crié: « Mort
aux vaches! » Et, qu'il eût été condamné à quinze jours de
prison pour l'avoir crié, c'était, en sa pensée, un auguste mystère, un de ces articles de foi auxquels les croyants adhèrent
sans les comprendre, une révélation obscure, éclatante, adorable et terrible.

EXERCICES SUR LE TEXTE

Dans chacune des phrases suivantes il y a un mot qui n'est pas correct; remplacez ce mot par le mot correct choisi dans le texte :

1. *Ce pauvre vieil homme se reconnaissait capable d'avoir offensé l'agent 64.*
2. *Il lui était suggéré qu'il avait crié: « Mort aux vaches!»*
3. *Il était transporté dans un monde naturel.*
4. *Il ne se faisait pas une idée neuve de la peine.*
5. *Sa condamnation lui avait paru une chose solennelle et inférieure.*
6. *C'est une chose éblouissante qui ne s'apprend pas.*
7. *C'est une chose dont on n'a ni à se louer ni à se vanter.*
8. *S'il avait vu le président descendre, avec des mains blanches, par le plafond entr'ouvert, il n'aurait pas été surpris.*
9. *Eh bien! vous n'êtes pas trop bien?*
10. *Nous n'avons pas trop à vous plaindre.*
11. *Pas un beau mot!*
12. *Nous avons bien fait de nier.*
13. *Une personne charitable m'a rendu pour vous une somme de cinquante francs.*
14. *Les cinquante francs seront payés au greffe.*
15. *Ne vous étonnez pas!*

NOTES SUR LE TEXTE ★★★

4. arrêt: *not arrest but sentence.* **8.** apocalypse: *Apocalypse, Revelation.*
9. S'il ne se faisait pas: *If he did not form or formulate.* **14-16.** il aurait vu ...
qu'il n'aurait pas été: *if he had seen ... he would not have been—a fairly rare form of a conditional sentence.* **20.** mal: *uncomfortable.* **24.** pas un gros mot: *not one swear word, not one bit of swearing.* **33.** quand que = quand est-ce que. **35.** versés au greffe: *deposited at the office of the clerk of court.*

Ce pauvre vieil homme se reconnaissait coupable d'avoir mystiquement offensé l'agent 64, comme le petit garçon qui va au catéchisme se reconnaît coupable du péché d'Ève. Il lui était enseigné, par son arrêt,* qu'il avait crié : « Mort aux vaches ! » C'était donc qu'il avait crié « Mort aux vaches ! » 5 d'une façon mystérieuse, inconnue de lui-même. Il était transporté dans un monde surnaturel. Son jugement était son apocalypse.*

S'il ne se faisait pas* une idée nette du délit, il ne se faisait pas une idée plus nette de la peine. Sa condamnation lui 10 avait paru une chose solennelle, rituelle et supérieure, une chose éblouissante qui ne se comprend pas, qui ne se discute pas, et dont on n'a ni à se louer, ni à se plaindre. A cette heure il aurait vu* le président Bourriche, une auréole au front, descendre, avec des ailes blanches, par le plafond entr'ouvert, 15 qu'il n'aurait pas été surpris de cette nouvelle manifestation de la gloire judiciaire. Il se serait dit : « Voilà mon affaire qui continue ! »

Le lendemain son avocat vint le voir :

— Eh bien ! mon bonhomme, vous n'êtes pas trop mal?* 20 Du courage ! deux semaines sont vite passées. Nous n'avons pas trop à nous plaindre.

— Pour ça, on peut dire que ces messieurs ont été bien doux, bien polis; pas un gros mot.* J'aurais pas cru. Et le cipal avait mis des gants blancs. Vous avez pas vu? 25

— Tout pesé, nous avons bien fait d'avouer.

— Possible.

— Crainquebille, j'ai une bonne nouvelle à vous annoncer. Une personne charitable, que j'ai intéressée à votre position, m'a remis pour vous une somme de cinquante francs qui sera 30 affectée au payement de l'amende à laquelle vous avez été condamné.

— Alors quand que* vous me donnerez les cinquante francs ?

— Ils seront versés au greffe.* Ne vous en inquiétez pas. 35

— C'est égal. Je remercie tout de même la personne.

EXERCICES SUR LE TEXTE

Répondez en français aux questions suivantes :

1. *(a) Le cas de Crainquebille était-il extraordinaire? (b) Qu'est-ce que Crainquebille lui-même en a pensé? (c) Qu'est-ce que l'avocat en pensait?*

2. *Crainquebille voulait savoir où « ils » avaient mis sa voiture. (a) De quelle voiture parle-t-il? (b) A quelles personnes pense-t-il?*

3. *Combien de temps Crainquebille est-il resté en prison?*

4. *Crainquebille était content de marcher, dit l'auteur, sur le pavé de la ville. (a) De quelle ville parle-t-il ici? (b) Croyez-vous que le ciel de cette ville soit toujours « tout en eau et sale »?*

5. *Pourquoi Crainquebille s'arrêtait-il à tous les coins de rue?*

6. *Les moineaux, dit l'auteur, sont matineux. Que veut dire cela?*

7. *Qu'est-ce que c'est que la chaussée?*

8. *Qu'est-ce que c'est qu'une ménagère?*

9. *Pourquoi n'avait-on pas vu Crainquebille depuis trois semaines?*

10. *Quel changement peut-on remarquer dans ses habitudes?*

11. *Qu'est-ce qui lui sert de couverture?*

NOTES SUR LE TEXTE ★★★

10. Cela tenait ... du: *That partook of, savored of.* **13.** tout en eau: *(lit.) drenched, soaked; (freely) overcast.* **13.** le ruisseau: *(in a city) the gutter.* **18.** leur vie: *their livelihood.* **25.** m'ame = madame. **25.** j'ai fait le rentier: *(lit.) I've been acting as if I were a rich man (strictly speaking, one who lives on his income from investments); (freely) I've been taking it easy.* **26.** à cela près qu': *except for the fact that.* **26-27.** chez le troquet: *to the saloons*—troquet = *abbreviation of* mastroquet, *saloonkeeper, wine merchant.* **29.** soupente: *garret.* **30.** le plumard: *(colloquial) bed.*

Et Crainquebille méditatif murmura :

— C'est pas ordinaire ce qui m'arrive.

— N'exagérez rien, Crainquebille. Votre cas n'est pas rare, loin de là.

— Vous pourriez pas me dire où qu'ils m'ont étouffé ma 5 voiture?

IV

CRAINQUEBILLE DEVANT L'OPINION

Crainquebille, sorti de prison, poussait sa voiture rue Montmartre en criant : *Des choux, des navets, des carottes!* Il n'avait ni orgueil, ni honte de son aventure. Il n'en gardait pas un souvenir pénible. Cela tenait, dans son esprit, du* théâtre, 10 du voyage et du rêve. Il était surtout content de marcher dans la boue, sur le pavé de la ville, et de voir sur sa tête le ciel tout en eau* et sale comme le ruisseau,* le bon ciel de sa ville. Il s'arrêtait à tous les coins de rue pour boire un verre; puis, libre et joyeux, ayant craché dans ses mains pour en lubrifier 15 la paume calleuse, il empoignait les brancards et poussait la charrette, tandis que, devant lui, les moineaux, comme lui matineux et pauvres, qui cherchaient leur vie* sur la chaussée, s'envolaient en gerbe avec son cri familier : *Des choux, des navets, des carottes!* Une vieille ménagère, qui s'était approchée, lui 20 disait en tâtant des céleris :

— Qu'est-ce qui vous est donc arrivé, père Crainquebille? Il y a bien trois semaines qu'on ne vous a pas vu. Vous avez été malade? Vous êtes un peu pâle.

— Je vas vous dire, m'ame* Mailloche, j'ai fait le rentier.* 25 Rien n'est changé dans sa vie, à cela près qu'*il va chez le troquet* plus souvent que d'habitude, parce qu'il a l'idée que c'est fête, et qu'il a fait connaissance avec des personnes charitables. Il rentre un peu gai, dans sa soupente.* Étendu dans le plumard,* il ramène sur lui les sacs que lui a prêtés le mar- 30 chand de marrons du coin et qui lui servent de couverture, et il songe : « La prison, il n'y a pas à se plaindre; on y a tout ce

EXERCICES SUR LE TEXTE

I. Traduisez en anglais :

1. *On est tout de même mieux chez soi.*
2. *Il ne me faut rien.*
3. *Les boutiquières avaient été naguère assidues autour de sa voiture.*
4. *Mme Bayard siégeait à son comptoir.*
5. *Mme Laure tâtait un gros chou.*
6. *Ses cheveux brillaient comme des fils d'or.*
7. *Ce n'est pas dans le monde qu'elle s'était fait une idée du panier à salade et du Dépôt.*

II. Traduisez en français :

1. *His happiness did not last long.*
2. *Martin was swearing to her, with his hand on his heart, that there was no better merchandise than his.*
3. *Crainquebille ran his cart into Martin's.*
4. *One can be respectable in all professions, can't one?*

NOTES SUR LE TEXTE ✶✶

3. lui faisaient grise mine: *gave him sour looks, looked anything but pleased to see him.* **6-7.** Vous vivez pourtant pas de l'air du temps: *You don't live on air.* **9-10.** la patronne: *the boss, the owner.* **12.** Parvenu à: *Having arrived at, Having reached.* **12-13.** l'Ange Gardien: *name of Mme Bayard's shoeshop.* **20-21.** ne le connaissait plus: *(freely) behaved as if no one knew him.* **22.** jusqu'au faubourg—*cf. note to p. 237, l. 6. The* rue Montmartre *is continued beyond the* Boulevard Montmartre *by the* rue du faubourg Montmartre, *which after a few blocks forms an angle with the* rue Richer. **27.** un sale coco: *(slang) a dirty rascal, a dirty " bum."* **32.** de me faire des infidélités: *to be unfaithful to me, to betray me.* **34.** dans le monde: *in high society, in the best society.* **36.** états: *professions.*

qui vous faut.   Mais on est tout de même mieux chez soi. »

Son contentement fut de courte durée.   Il s'aperçut vite
que les clientes lui faisaient grise mine.*

— Des beaux céleris, m'ame Cointreau!

— Il ne me faut rien.   5

— Comment, qu'il ne vous faut rien?   Vous vivez pourtant pas de l'air du temps.*

Et m'ame Cointreau, sans lui faire de réponse, rentrait
fièrement dans la grande boulangerie dont elle était la patronne.*   Les boutiquières et les concierges, naguère assidues   10
autour de sa voiture verdoyante et fleurie, maintenant se dé-
tournaient de lui.   Parvenu à* la cordonnerie de l'Ange Gardien,* qui est le point où commencèrent ses aventures judi-
ciaires, il appela:

— M'ame Bayard, m'ame Bayard, vous me devez quinze   15
sous de l'autre fois.

Mais m'ame Bayard, qui siégeait à son comptoir, ne daigna
pas tourner la tête.

Toute la rue Montmartre savait que le père Crainquebille
sortait de prison, et toute la rue Montmartre ne le connaissait   20
plus.*   Le bruit de sa condamnation était parvenu jusqu'au
faubourg* et à l'angle tumultueux de la rue Richer.   Là, vers
midi, il aperçut madame Laure, sa bonne et fidèle cliente,
penchée sur la voiture du petit Martin.   Elle tâtait un gros
chou.   Ses cheveux brillaient au soleil comme d'abondants fils   25
d'or largement tordus.   Et le petit Martin, un pas grand'chose,
un sale coco,* lui jurait la main sur son cœur, qu'il n'y avait
pas plus belle marchandise que la sienne.   A ce spectacle le
cœur de Crainquebille se déchira.   Il poussa sa voiture sur
celle du petit Martin et dit à madame Laure, d'une voix plain-   30
tive et brisée:

— C'est pas bien de me faire des infidélités.*

Madame Laure, comme elle le reconnaissait elle-même,
n'était pas duchesse.   Ce n'est pas dans le monde* qu'elle
s'était fait une idée du panier à salade et du Dépôt.   Mais   35
on peut être honnête dans tous les états,* pas vrai?   Chacun

EXERCICES SUR LE TEXTE

I. Répondez en français aux questions suivantes :

1. *Pourquoi madame Laure n'aimait-elle pas avoir affaire à Crainquebille?*

2. *Comment a-t-elle répondu à Crainquebille?*

3. *Est-ce que Crainquebille s'est senti insulté?*

4. *Pourquoi madame Laure dit-elle « ça», en parlant de Crainquebille?*

5. *Est-ce que, la plupart du temps, Crainquebille était homme de bon sens?*

6. *Pourquoi a-t-il manqué de sang-froid à ce moment-là?*

7. *Pourquoi un cercle de curieux s'est-il formé autour de madame Laure et de Crainquebille?*

8. *Qui a mis fin à leur querelle?*

9. *Quel a été le résultat de cette querelle?*

10. *Est-ce que Crainquebille méprisait madame Laure autrefois?*

11. *Pourquoi l'estimait-il?*

12. *De quoi madame Laure et Crainquebille avaient-ils souvent parlé?*

II. Trouvez les mots suivants dans le texte et traduisez-les en anglais.

1. *avoir affaire à.*   2. *Aussi.*   3. *son chou vert.*   4. *son métier.*   5. *du bon monde.*   6. *ignorer.*   7. *rangée.*   8. *le même vœu.*

NOTES SUR LE TEXTE ★★

3. en simulant un haut-le-cœur: *by pretending to be sick at her stomach.*
5. Dessalée! va!: *You harlot, you!*   **7.** Va donc, vieux cheval de retour: *Get along with you, you old jailbird.*   **10.** sa condition: *(here) her profession.*
15-16. charogne: *(lit.) carcass; (freely) hussy.*   **16.** roulure: *streetwalker.*
19. qui eussent égrené ... leur chapelet: *(lit.) who would have told all the beads of their rosary; (freely) who would have exhausted their entire store of epithets.*
25. une morue: *(lit.) a codfish; (slang) a prostitute.*

a son amour-propre, et l'on n'aime pas avoir affaire à un individu qui sort de prison.   Aussi ne répondit-elle à Crainquebille qu'en simulant un haut-le-cœur.*   Et le vieux marchand
ambulant, ressentant l'affront, hurla :

— Dessalée! va!*

Madame Laure en laissa tomber son chou vert et s'écria :

— Eh! va donc, vieux cheval de retour!*   Ça sort de
prison, et ça insulte les personnes!

Crainquebille, s'il avait été de sang-froid, n'aurait jamais
reproché à madame Laure sa condition.*   Il savait trop qu'on
ne fait pas ce qu'on veut dans la vie, qu'on ne choisit pas son
métier, et qu'il y a du bon monde partout.   Il avait coutume
d'ignorer sagement ce que faisaient chez elles les clientes, et il
ne méprisait personne.   Mais il était hors de lui.   Il donna
par trois fois à madame Laure les noms de dessalée, de charogne* et de roulure.*   Un cercle de curieux se forma autour
de madame Laure et de Crainquebille, qui échangèrent encore
plusieurs injures aussi solennelles que les premières, et qui eussent égrené tout du long leur chapelet,* si un agent soudainement apparu ne les avait, par son silence et son immobilité,
rendus tout à coup aussi muets et immobiles que lui.   Ils se
séparèrent.   Mais cette scène acheva de perdre Crainquebille
dans l'esprit du faubourg Montmartre et de la rue Richer.

V

Les Conséquences

Et le vieil homme allait marmonnant :

— Pour sûr que c'est une morue.*   Et même y a pas plus
morue que cette femme-là.

Mais dans le fond de son cœur, ce n'est pas de cela qu'il
lui faisait un reproche.   Il ne la méprisait pas d'être ce qu'elle
était.   Il l'en estimait plutôt, la sachant économe et rangée.
Autrefois ils causaient tous deux volontiers ensemble.   Elle lui
parlait de ses parents qui habitaient la campagne.   Et ils formaient tous deux le même vœu de cultiver un petit jardin et

EXERCICES SUR LE TEXTE

Trouvez les mots suivants dans le texte et traduisez-les en anglais :

1. *des poules.*
2. *une cliente.*
3. *des choux.*
4. *sale coco.*
5. *un pas grand'chose.*
6. *mépriser.*
7. *le pis.*
8. *la boulangère.*
9. *quinze jours.*
10. *à l'ombre.*

11. *du bon sens.*
12. *un brave homme.*
13. *à l'aigre.*
14. *un rien.*
15. *engueulait.*
16. *marrons.*
17. *porc-épic.*
18. *ne se déroulaient pas.*
19. *mesure.*
20. *une gifle.*

NOTES SUR LE TEXTE ★★★

4. faisant mine de: *pretending to.* **4-5.** la moutarde lui avait monté au nez: *(lit.) the mustard had gone to his nose; (freely) his blood had boiled, he had got his dander up.* **5.** et dame!—*cf. p. 7, l. 1; (here) what could you expect?* **7.** un galeux: *(lit.) a mangy, scabby, scurvy fellow; (freely) a mongrel.* **10.** quoi: *in short.* **11-12.** à l'ombre: *(slang) in prison, in the clink.* **12.** seulement: *even.* **15.** flics: *(slang) cops.* **16.** crever: *(lit.) burst; (of animals) die; when used of person (slang), die, croak, kick the bucket.* **19.** il disait leur fait: *he said what he thought of them, he expressed his frank opinion.* **19-20.** aux chalandes: *to his customers.* **20.** sans mettre de gants: *(freely) without mincing his words, without pulling any punches.* **22.** râleuses: *(slang) grumblers, scolds.* **22.** purées: *(slang) paupers, penny pinchers.* **24.** sacré: *(before a noun) damned.* **26.** incongru, mauvais coucheur: *moody, a quarrelsome guy.* **26-27.** mal embouché, fort en gueule: *coarse of speech, loud-mouthed.* **34.** le petit: *the little son.*

d'élever des poules. C'était une bonne cliente. De la voir
acheter des choux au petit Martin, un sale coco, un pas grand'-
chose, il en avait reçu un coup dans l'estomac; et quand il
l'avait vue faisant mine de* le mépriser, la moutarde lui avait
monté au nez,* et dame!*   5

Le pis, c'est qu'elle n'était pas la seule qui le traitât comme
un galeux.* Personne ne voulait plus le connaître. Tout
comme madame Laure, madame Cointreau la boulangère,
madame Bayard de l'Ange Gardien le méprisaient et le repous-
saient. Toute la société, quoi.*   10

Alors! parce qu'on avait été mis pour quinze jours à l'ombre,* on n'était plus bon seulement* à vendre des poireaux!
Est-ce que c'était juste? Est-ce qu'il y avait du bon sens à
faire mourir de faim un brave homme parce qu'il avait eu des
difficultés avec les flics?* S'il ne pouvait plus vendre ses lé- 15
gumes, il n'avait plus qu'à crever.*

Comme le vin mal traité, il tournait à l'aigre. Après avoir
eu « des mots » avec madame Laure, il en avait maintenant
avec tout le monde. Pour un rien, il disait leur fait* aux
chalandes,* et sans mettre de gants,* je vous prie de le croire. 20
Si elles tâtaient un peu longtemps la marchandise, il les appelait proprement râleuses* et purées;* pareillement chez le
troquet, il engueulait les camarades. Son ami, le marchand
de marrons, qui ne le reconnaissait plus, déclarait que ce sacré*
père Crainquebille était un vrai porc-épic. On ne peut le 25
nier : il devenait incongru, mauvais coucheur,* mal embouché,
fort en gueule.* C'est que, trouvant la société imparfaite, il
avait moins de facilité qu'un professeur de l'École des sciences
morales et politiques à exprimer ses idées sur les vices du système et sur les réformes nécessaires, et que ses pensées ne se 30
déroulaient pas dans sa tête avec ordre et mesure.

Le malheur le rendait injuste. Il se revanchait sur ceux
qui ne lui voulaient pas de mal et quelquefois sur de plus faibles
que lui. Une fois, il donna une gifle à Alphonse, le petit* du
marchand de vin, qui lui avait demandé si l'on était bien à 35
l'ombre. Il le gifla et lui dit :

266

EXERCICES SUR LE TEXTE

Répondez en français aux questions suivantes :

1. *Qu'est-ce que le père d'Alphonse vendait?*
2. *Qui a dit à Crainquebille qu'on ne doit pas battre un enfant?*
3. *Le marchand de marrons s'est-il mis à boire?*
4. *Qu'est-ce que Crainquebille aimait boire?*
5. *Crainquebille était-il changé?*
6. *Qui a dit à Crainquebille qu'il n'était plus bon que pour lever le coude?*
7. *Comment Crainquebille se trompait-il lui-même, de temps en temps?*
8. *Croit-il que l'eau-de-vie lui donne des forces?*
9. *Qu'est-ce que Crainquebille avait autrefois l'habitude d'acheter à la criée matinale?*
10. *Où la criée matinale avait-elle lieu?*
11. *A quelle heure la criée avait-elle lieu?*
12. *Quelle sorte de marchandise Crainquebille achetait-il maintenant?*
13. *Un jour, il a laissé sa voiture dans la remise. Pourquoi?*
14. *Où Crainquebille attendait-il autrefois la criée matinale?*
15. *Que buvait-il d'habitude avant de se mettre en route pour la rue Montmartre?*

NOTES SUR LE TEXTE ★★★

10. fricoteur: *(one who indulges in food and drink) toper, drunkard.* **13-14.** pour lever le coude: *(lit.) to raise your elbow; (freely) to raise a glass, to drink.* **19-20.** il y a encore que = il n'y a que: *there's nothing like.* **21.** la criée matinale: *the morning auction (of fruits and vegetables at les Halles).* **28.** sa force première: *his former or early strength.* **30.** les cent pas: *the pacing up and down.* **32.** le petit noir: *the cup of hot black coffee.* **32.** la mère Théodore: *evidently the boss of a café.* **33.** au pied levé: *hastily (i.e., without taking time to put down one's feet, to sit down).*

— Sale gosse! c'est ton père qui devrait être à l'ombre au
lieu de s'enrichir à vendre du poison.

Acte et parole qui ne lui faisaient pas honneur; car, ainsi
que le marchand de marrons le lui remontra justement, on ne
doit pas battre un enfant, ni lui reprocher son père, qu'il n'a 5
pas choisi.

Il s'était mis à boire. Moins il gagnait d'argent, plus il
buvait d'eau-de-vie. Autrefois économe et sobre, il s'émerveil-
lait lui-même de ce changement.

— J'ai jamais été fricoteur,* disait-il. Faut croire qu'on 10
devient moins raisonnable en vieillissant.

Parfois il jugeait sévèrement son inconduite et sa paresse :

— Mon vieux Crainquebille, t'es plus bon que pour lever
le coude.*

Parfois il se trompait lui-même et se persuadait qu'il buvait 15
par besoin :

— Faut comme ça, de temps en temps, que je boive un verre
pour me donner des forces et pour me rafraîchir. Sûr que j'ai
quelque chose de brûlé dans l'intérieur. Et il y a encore
que* la boisson comme rafraîchissement. 20

Souvent il lui arrivait de manquer la criée matinale* et il
ne se fournissait plus que de marchandise avariée qu'on lui
livrait à crédit. Un jour, se sentant les jambes molles et le
cœur las, il laissa sa voiture dans la remise et passa toute la
sainte journée à tourner autour de l'étal de madame Rose, la 25
tripière, et devant tous les troquets des Halles. Le soir, assis
sur un panier, il songea, et il eut conscience de sa déchéance.
Il se rappela sa force première* et ses antiques travaux, ses
longues fatigues et ses gains heureux, ses jours innombrables,
égaux et pleins; les cent pas,* la nuit, sur le carreau des Halles, 30
en attendant la criée; les légumes enlevés par brassées et rangés
avec art dans la voiture, le petit noir* de la mère Théodore*
avalé tout chaud d'un coup, au pied levé,* les brancards em-
poignés solidement; son cri, vigoureux comme le chant du coq,
déchirant l'air matinal, sa course par les rues populeuses, toute 35
sa vie innocente et rude de cheval humain, qui, durant un

EXERCICES SUR LE TEXTE

Répondez en français aux questions suivantes :

1. *D'où venaient les légumes que Crainquebille vendait?*
2. *A qui vendait-il ses légumes?*
3. *A-t-il maintenant plus de courage qu'il n'en avait autrefois?*
4. *A-t-il raison de dire qu'il n'est plus le même homme? Pourquoi?*
5. *Se croit-il incapable de se relever? Pourquoi?*
6. *Pourquoi peut-on appeler Crainquebille un marchand ambulant?*
7. *Quelle était, en monnaie américaine du temps de Crainquebille, la valeur d'une pièce de cent sous?*
8. *Pouvez-vous deviner pourquoi Crainquebille a été expulsé de sa soupente?*
9. *Où couche-t-il maintenant?*
10. *Pourquoi ne peut-il plus y coucher?*
11. *Pourquoi souffre-t-il de la faim?*
12. *Quelle heure est-il quand il sort dans la rue?*
13. *Quel temps fait-il?*
14. *Pourquoi les passants se coulent-ils au ras des murs?*

NOTES SUR LE TEXTE ★★

1-2. brûlés de veilles: *exhausted by sleepless nights.* **4-5.** Tant va la cruche à l'eau qu'à la fin elle se casse: *(a French proverb) The pitcher goes to the well so often that finally it breaks. (Nothing lasts forever.)* **9.** autant dire: *one might as well say, it's the same as saying.* **10.** lui pilent dessus: *trample upon him, stamp upon him.* **13.** à plein sac: *by the bagful.* **14.** rond: *(slang)* sou, cent. **19.** faméliques: *starving, famished.* **23.** le vivre et le couvert: *board and lodging.* **32.** l'église Saint-Eustache—*located on the "rue du Jour," which runs into the* rue Montmartre *not far from the* Place Saint-Eustache *and the* Halles.

demi-siècle, porta, sur son étal roulant, aux citadins brûlés de
veilles* et de soucis, la fraîche moisson des jardins potagers.
Et secouant la tête il soupira :

— Non ! j'ai plus le courage que j'avais. Je suis fini. Tant
va la cruche à l'eau qu'à la fin elle se casse.* Et puis, depuis 5
mon affaire en justice, je n'ai plus le même caractère. Je suis
plus le même homme, quoi !

Enfin, il était démoralisé. Un homme dans cet état-là,
autant dire* que c'est un homme par terre et incapable de se
relever. Tous les gens qui passent lui pilent dessus.*   10

VI

LES DERNIÈRES CONSÉQUENCES

La misère vint, la misère noire. Le vieux marchand ambulant, qui rapportait autrefois du faubourg Montmartre les
pièces de cent sous à plein sac,* maintenant n'avait plus un
rond.* C'était l'hiver. Expulsé de sa soupente, il coucha
sous des charrettes, dans une remise. Les pluies étant tombées 15
pendant vingt-quatre jours, les égouts débordèrent et la remise
fut inondée.

Accroupi dans sa voiture, au-dessus des eaux empoisonnées,
en compagnie des araignées, des rats et des chats faméliques,*
il songeait dans l'ombre. N'ayant rien mangé de la journée 20
et n'ayant plus pour se couvrir les sacs du marchand de marrons, il se rappela les deux semaines durant lesquelles le gouvernement lui avait donné le vivre et le couvert.* Il envia le sort
des prisonniers, qui ne souffrent ni du froid ni de la faim, et il
lui vint une idée :   25

— Puisque je connais le truc, pourquoi que je m'en servirais
pas ?

Il se leva et sortit dans la rue. Il n'était guère plus de onze
heures. Il faisait un temps aigre et noir. Une bruine tombait, plus froide et plus pénétrante que la pluie. De rares 30
passants se coulaient au ras des murs.

Crainquebille longea l'église Saint-Eustache* et tourna

EXERCICES SUR LE TEXTE

I. Répondez en français aux questions suivantes :

1. *Qu'est-ce que c'est qu'un gardien de la paix?*
2. *Où se tenait le gardien de la paix?*
3. *Pourquoi pouvait-on voir tomber la pluie?*
4. *Faisait-il très froid à ce moment-là?*
5. *Est-ce que l'homme avait froid?*
6. *Qu'est-ce qui frappait dans son attitude?*
7. *Pourquoi le trottoir ressemblait-il à un lac?*
8. *A quelle sorte de monstre l'agent ressemblait-il?*
9. *Quel âge avait l'agent?*
10. *A juger par son visage, quel était son caractère?*
11. *Quelle idée était venue à Crainquebille?*
12. *Quel effet les paroles prononcées par Crainquebille ont-elles eu sur l'agent?*
13. *Qu'est-ce que Crainquebille avait espéré?*
14. *Le vieux sergot savait-il la signification des mots: « Mort aux vaches »?*

II. Traduisez en français :

1. *the sidewalk*   2. *a fine reddish rain*   3. *light—darkness*
4. *the features of his face*   5. *a thick, short, gray mustache*   6. *His eyes were wide open.*

NOTES SUR LE TEXTE ★★★

8. entretien: *company.* **11.** inférieurement: *at the bottom.* **12.** De plus près: *Viewed from closer to, closer up.* **15.** sergot: *(slang for* sergent de ville*) policeman, cop.* **31.** Ce n'est pas à dire: *(lit.) That's not to be said; (freely) You should not say that.*

dans la rue Montmartre. Elle était déserte. Un gardien de
la paix se tenait planté sur le trottoir, au chevet de l'église,
sous un bec de gaz, et l'on voyait, autour de la flamme, tomber
une petite pluie rousse. L'agent la recevait sur son capuchon,
il avait l'air transi, mais soit qu'il préférât la lumière à l'ombre, 5
soit qu'il fût las de marcher, il restait sous son candélabre, et
peut-être s'en faisait-il un compagnon, un ami. Cette flamme
tremblante était son seul entretien* dans la nuit solitaire. Son
immobilité ne paraissait pas tout à fait humaine; le reflet de
ses bottes sur le trottoir mouillé, qui semblait un lac, le prolon- 10
geait inférieurement* et lui donnait de loin l'aspect d'un
monstre amphibie, à demi sorti des eaux. De plus près,*
encapuchonné et armé, il avait l'air monacal et militaire. Les
gros traits de son visage, encore grossis par l'ombre du capuchon, étaient paisibles et tristes. Il avait une moustache 15
épaisse, courte et grise. C'était un vieux sergot,* un homme
d'une quarantaine d'années.

Crainquebille s'approcha doucement de lui et, d'une voix
hésitante et faible, lui dit :

— Mort aux vaches! 20

Puis il attendit l'effet de cette parole consacrée. Mais elle
ne fut suivie d'aucun effet. Le sergot resta immobile et muet,
les bras croisés sous son manteau court. Ses yeux, grands
ouverts et qui luisaient dans l'ombre, regardaient Crainquebille avec tristesse, vigilance et mépris. 25

Crainquebille, étonné, mais gardant encore un reste de
résolution, balbutia :

— Mort aux vaches! que je vous ai dit.

Il y eut un long silence durant lequel tombait la pluie fine
et rousse et régnait l'ombre glaciale. Enfin le sergot parla : 30

— Ce n'est pas à dire …* Pour sûr et certain que ce n'est
pas à dire. A votre âge on devrait avoir plus de connaissance … Passez votre chemin.

— Pourquoi que vous m'arrêtez pas? demanda Crainquebille. 35

Le sergot secoua la tête sous son capuchon humide :

EXERCICES SUR LE TEXTE

Répondez en français aux questions suivantes :

1. *Le sergot croit-il que Crainquebille est ivre?*
2. *Qu'est-ce que Crainquebille veut faire comprendre au sergot?*
3. *Quel ordre le sergot donne-t-il à Crainquebille?*
4. *Où va Crainquebille?*
5. *Pourquoi Anatole France a-t-il écrit ce conte?*

NOTES SUR LE TEXTE ★★

1. empoigner: *arrest, pinch.* **1.** poivrots: *drunkards, drunks.* **2.** y en aurait = il y aurait. **11.** Que ce soye = Que ce soit: *(lit.) Whether it be; (freely) No matter if it was.* **15.** ballants: *dangling.*

— S'il fallait empoigner* tous les poivrots* qui disent ce qui n'est pas à dire, y en aurait* de l'ouvrage! ... Et de quoi que ça servirait?

Crainquebille, accablé par ce dédain magnanime, demeura longtemps stupide et muet, les pieds dans le ruisseau. Avant ⁵ de partir, il essaya de s'expliquer :

— C'était pas pour vous que j'ai dit : « Mort aux vaches! » C'était pas plus pour l'un que pour l'autre que je l'ai dit. C'était pour une idée.

Le sergot répondit avec une austère douceur : ₁₀

— Que ce soye* pour une idée ou pour autre chose, ce n'était pas à dire, parce que quand un homme fait son devoir et qu'il endure bien des souffrances, on ne doit pas l'insulter par des paroles futiles ... Je vous réitère de passer votre chemin.

Crainquebille, la tête basse et les bras ballants,* s'enfonça ₁₅ sous la pluie dans l'ombre.

LA COUR
ET LA CONQUÊTE

par

ANDRÉ MAUROIS

EXERCICES SUR LE TEXTE

Les déclarations suivantes sont-elles exactes ou inexactes?

1. *Les étudiants entrent, en causant ensemble, dans un amphithéâtre.*

2. *Une cloche est une sorte d'horloge.*

3. *Le professeur va faire un cours sur le mariage.*

4. *Le mariage est un sujet sur lequel aucun maître ne peut faire un cours.*

5. *Si on suit un cours sur le mariage, dit le professeur, on pourra éviter beaucoup d'erreurs et d'échecs.*

6. *Il est possible de profiter de l'expérience des autres.*

7. *On va jouer des scènes dans l'amphithéâtre.*

8. *Chaque scène montrera comment il faut faire un cours.*

9. *Chaque scène montrera ce qu'il faut faire et ce qu'on peut faire.*

10. *La première scène se passera dans la cour de l'université.*

11. *En apparence, la conquête de la jeune fille par le jeune homme est un des préliminaires du mariage.*

NOTES SUR LE TEXTE ★★

8. la vie se chargera: *life will take it upon itself, life will undertake, life will assume the task.* **9-10.** dresserait: *would train, would prepare.* **10.** à coups d': *(lit.) by blows of; (freely) by the repetition of, by means of.* **19.** travers: *idiosyncrasies (it's a professor who is speaking!), eccentricities, bad practices.*

LA COUR ET LA CONQUÊTE

par ANDRÉ MAUROIS

Un petit amphithéâtre universitaire. Les étudiants, jeunes gens et jeunes filles, entrent en bavardant. Rumeurs. Cloche. Le professeur frappe deux coups sur son pupitre, pour demander le silence.

LE PROFESSEUR

MESDEMOISELLES, messieurs. — Il peut vous 5
paraître surprenant qu'un professeur d'Université fasse un cours sur le mariage. Voilà, pensez-
vous, un sujet sur lequel la vie se chargera,* mieux que tout
maître, de nous éclairer. C'est vrai, mais la vie vous dresserait* lentement, à coups d'*erreurs et d'échecs. Pourquoi ne 10
pas faire l'économie de ces souffrances? Pourquoi ne profi-
teriez-vous pas de l'expérience des autres? Je réduirai mon
commentaire à quelques phrases. Le véritable cours sera
composé de scènes qui, jouées devant vous, vous montreront
tantôt ce qu'il faut faire dans le mariage, tantôt ce qu'il ne faut 15
pas faire. La comédie a toujours été la grande éducatrice des
hommes. C'est par de brèves comédies que je souhaite vous
révéler le ridicule de quelques attitudes et vous guérir de
quelques travers.*

Dans notre première leçon, nous allons étudier les pré- 20
liminaires du mariage, c'est-à-dire la cour et la conquête.
En apparence, cette conquête est celle de la jeune fille par le
jeune homme; en fait, c'est plutôt la jeune fille qui, d'une

EXERCICES SUR LE TEXTE

Les déclarations suivantes sont-elles exactes ou inexactes?

1. *Ce sont en réalité, dit le professeur, les jeunes filles qui font la conquête des jeunes gens.*

2. *Il y a longtemps, dit le professeur, que la femme attend l'homme.*

3. *L'attente de la mouche par l'araignée est une attente passive.*

4. *L'homme seul peut trouver un bonheur stable dans le mariage.*

5. *Quelquefois la femme est obligée de manœuvrer d'une manière indirecte.*

6. *Parfois l'homme se méfie de la femme.*

7. *Tous les hommes, dit le professeur, ont beaucoup d'orgueil.*

8. *Tous les hommes laids se croient beaux.*

9. *Le professeur va montrer le plus court chemin de l'amitié au mariage.*

10. *Marise est jeune et jolie.*

11. *Hier Philippe pouvait très bien entendre ce que Marise lui disait; aujourd'hui c'est difficile.*

12. *Marise aime la façon qu'a Philippe de lui faire la cour.*

NOTES SUR LE TEXTE ★★★

8. détournée: *indirect, roundabout.*   **11.** j'entends: *(here) I mean.*   **12.** voire: *even, not to say, nay even.*   **13.** Giraudoux ... l'Apollon de Marsac— *Giraudoux (1882-1944) is one of the most important modern French novelists and dramatists; l'Apollon de Marsac, whose thesis is given in the text, is one of his least important plays.*   **17.** prodigue: *lavishes.*   **23.** debussyesque—*in the evocative manner of the French composer Debussy's La Mer, one of his best-known pieces.*   **30.** vous me faites la cour: *you have been making love to me.*   **31.** embrasser: *to kiss.—Be careful of this French word; the context determines whether it means "to embrace" or "to kiss."*

amitié ou d'un amour, fait un mariage. Je sais bien que la convention a longtemps été que la femme attend l'homme, mais cette attente ne fut jamais passive. « La femme attend l'homme, oui, mais comme l'araignée attend la mouche. »

Ceci n'est pas un blâme, mesdemoiselles. La femme a 5 raison de contraindre l'homme au mariage, qui seul a chance d'assurer un bonheur stable pour tous deux. Elle est parfois amenée à manœuvrer de manière un peu détournée* parce que l'homme, jaloux de ce qu'il croit être sa liberté, se méfie et se défend. La clef de cette position masculine, c'est l'orgueil. 10 Les hommes, et j'entends* *tous* les hommes, sont orgueilleux, voire* vaniteux. Giraudoux a montré, dans *L'Apollon de Marsac*,* qu'un homme, si laid soit-il, auquel une femme affirme qu'elle le trouve beau, est toujours prêt à la croire. Je veux aujourd'hui vous faire voir que le plus court chemin 15 de l'amitié au mariage, c'est l'intérêt que la femme prend au métier de l'homme et l'admiration qu'elle prodigue* à celui-ci.

Voici donc nos deux personnages : *Elle*, Marise, vingt ans et toute la fraîcheur de cet âge; *Lui*, Philippe, jeune ingénieur, 20 vingt-sept ans. Ils sont au bord de la mer, en vacances et, en ce moment, couchés l'un près de l'autre sur le sable de la plage.

*Au piano, une mer vaguement debussyesque.**

* * *

PHILIPPE
Vous êtes bizarre, Marise ... Hier, vous m'avez permis très 25 gentiment de m'étendre près de vous ... Aujourd'hui, je vous trouve distante, rebelle ...

MARISE
C'est vous qui êtes étrange, Philippe ... Depuis quinze jours, vous me faites la cour,* sans me la faire ... Vous vous serrez 30 contre moi, vous cherchez à m'embrasser,* et vous ne me dites rien.

280

EXERCICES SUR LE TEXTE

I. Répondez en français aux questions suivantes :

1. *Philippe et Marie sont-ils différents?*
2. *Qu'est-ce que Marise veut que Philippe lui dise?*
3. *Pourquoi Philippe ne prononce-t-il pas le mot « amour»?*
4. *Pourquoi veut-il savoir la signification exacte du verbe* aimer?
5. *Qu'est-ce que Marise espère?*
6. *Pourquoi espère-t-elle cela?*
7. *Quel âge a Philippe?*
8. *Quel est son métier?*

II. Traduisez en français les phrases suivantes :

1. *What do you want me to say to you?*
2. *I don't need words.*
3. *The word « love» seems to be worn out.*
4. *What does it mean?*
5. *What a funny fellow you are!*
6. *I wish you would prefer the ideas which I have to those which other girls have.*

NOTES SUR LE TEXTE ★★★

12-13. au juste: *exactly.* **14.** a de la ligne: *(of automobiles) has clean lines, has classy lines; (colloquial, of persons) to have an elegant or classy figure or shape.*

PHILIPPE

Que voulez-vous que je vous dise?   Ce n'est pas de paroles
que j'ai besoin.

MARISE

Alors nous sommes différents, Philippe.   Moi, *j'ai* besoin 5
de paroles ... Ce que je veux que vous disiez? Au moins que
vous m'aimez ... Vous voulez faire les gestes de l'amour et vous
ne prononcez jamais le mot ... Pourquoi?

PHILIPPE

Parce qu'il s'arrête sur mes lèvres, parce qu'il me paraît 10
usé, parce que je ne sais pas très bien ce qu'il signifie ...
Aimer? ... Aimer! ... Qu'est-ce que cela veut dire, au juste?* ... Je vous trouve très jolie, Marise, et bien balancée ...
Le châssis a de la ligne* ... De toutes les jeunes filles qui sont
sur cette plage, vous êtes celle que j'ai le plus de plaisir à 15
regarder, et avec qui j'ai le plus de plaisir à me trouver ...
Voilà. Je suis un scientifique. Je décris honnêtement les
phénomènes ... Est-ce cela *aimer*?

MARISE

Quel drôle de garçon vous faites!...   Non, ce n'est pas cela, 20
aimer ... C'en est le chemin, peut-être, mais vous ne parlez que
de mon corps ... Et en l'appelant un *châssis*! Vous êtes
ingénieur, je le sais bien; tout de même, j'espère que vous ne
me regardez pas seulement comme une machine bien dessinée...
J'ai des sentiments, Philippe, et des idées ...   Je voudrais aussi 25
que vous les préfériez ...   Et puis, je ne veux pas être embrassée,
au hasard d'un beau soir, parce que les étoiles brillent, que l'été
est chaud, et que vous avez vingt-cinq ans.

PHILIPPE, *précis*

Vingt-sept ...   Et pourquoi voulez-vous être embrassée? 30

MARISE

Parce que j'aurai dit une phrase qui vous aura plu, parce

EXERCICES SUR LE TEXTE

I. Dites en français :

1. *I did not understand everything.*
2. *I would never have suspected that.*
3. *You remembered everything?*
4. *I lose my footing at once.*

II. Répondez en français aux questions suivantes :

1. *Quand Marise a-t-elle envie d'embrasser Philippe?*
2. *Qu'est-ce qui a enchanté Marise?*
3. *A quel propos le père de Marise se lamentait-il?*
4. *Qu'est-ce que Philippe a décrit?*
5. *Où sont les immenses forêts dont Philippe a parlé?*
6. *Est-ce que Marise a bien compris ce que Philippe a dit sur les hydrocarbones naturels?*
7. *Pourquoi Philippe est-il surpris?*
8. *Qu'est-ce qui arrive quand le père de Marise parle des sciences ou de la politique?*
9. *Qu'est-ce qui se passe quand Philippe parle des mêmes choses?*
10. *Croyez-vous que Marise flatte Philippe?*

NOTES SUR LE TEXTE ★★

13. barrages: *dams.—France is making tremendous progress in developing the water power of her principal rivers by the construction of large dams.* **19.** amphi: *(abbreviation of* amphithéâtre*) lecture, such as a professor might deliver in a lecture hall; used here humorously.* **22-23.** qui expliquent le coup: *(colloquial and ironical)* "qui font de longs discours savants sur toutes choses." (Note de André Maurois.) **33.** lames: *waves.*

que nous aurons éprouvé une même impression, parce que nous aurons admiré en même temps un paysage, un poème ou un air ... Tenez, *moi*, j'ai envie de vous embrasser quand vous dites certaines choses ...

PHILIPPE, *soudain très intéressé.*   5

Quelles choses?

MARISE

Eh bien, quand vous parlez avec enthousiasme de votre métier, de vos projets ... L'autre jour, quand mon père se lamentait sur la pauvreté de la France, vous avez répondu par 10 un petit discours sur les richesses de la France qui m'a vraiment enchantée ... Tout ce plan que vous exposiez, ces grands barrages* que vous décriviez : ce que vous avez dit sur l'Afrique, sur ces immenses forêts qui sont comme des « mines de charbon vivantes », c'était magnifique ... Je n'ai pas tout 15 compris, naturellement, mais je vous admirais et j'étais contente.

PHILIPPE, *animé, plein de lui-même.*

Ah! oui, mon *amphi** sur les hydrocarbones naturels, vous l'avez aimé? C'est vrai? Je ne me serais jamais douté de cela, 20 Marise ... Vous écoutiez en silence; je me disais : « Je l'ennuie. Elle doit trouver que je suis un de ces types qui expliquent le coup* ... » Et, au contraire, vous avez tout retenu? Je suis surpris ... et ravi.

MARISE   25

Cher Philippe! Mais j'aime qu'on « m'explique le coup »... Ce que je trouve admirable en vous, c'est que vous savez tant de choses et que vous en parlez si clairement, si simplement ... Si Papa ou mon frère discourent sur les sciences ou la politique, je perds pied tout de suite ... Quand c'est vous, 30 j'ai l'impression d'être portée au-delà de moi-même, de devenir plus intelligente ... Tenez, c'est comme quand nous nageons ensemble ... Les grosses lames,* celles qu'on voit venir du

EXERCICES SUR LE TEXTE

I. Dites en français :

1. *Do not have too much confidence in me.*
2. *I thought I was going to faint.*
3. *Look out! Some one might see us!*
4. *What are you going to do after the vacation?*

II. Répondez en français aux questions suivantes :

1. *Quand est-ce que Philippe peut dire des choses ravissantes?*
2. *Qu'est-ce qui intéresse beaucoup Marise?*
3. *Qu'est-ce que Philippe va faire après les vacances?*

III. Traduisez en français :

The big waves frighten Marise when she is alone. But when Philippe puts his hand on her shoulder, she is no longer afraid. She likes to feel herself lifted up by the waves.

Marise would like to know everything about Philippe. His childhood, his friends, his studies, his ideas, his ambition, his tastes—all that interests her.

"Tell me everything," she says to him.

NOTES SUR LE TEXTE ★★

1. du large: *from the open sea.* **15.** parasol: *(here) beach umbrella.* **29-30.** j'ai fait mon stage: *(freely) I have served my apprenticeship.* **20.** service: *department, division.* **31.** Comptoir Bancaire—*a fictitious but plausible name; a comptoir is a business firm or agency which has interests in foreign countries.* **32.** marche: *course, manner of proceeding, development.*

large,* toutes crêtées d'écume, me terrifient lorsque je suis
seule. Dès que vous placez votre main sur mon épaule, pour
m'aider à les franchir, non seulement je n'ai plus peur, mais je
trouve même un curieux plaisir à me sentir soulevée comme
vous.   5

PHILIPPE

Oh! dans ces moments-là, n'ayez pas trop confiance en moi,
Marise ... Voir votre corps si près du mien me donne une telle
émotion que ce matin, sur les vagues, j'ai cru m'évanouir.

MARISE, *comme si elle avait eu un choc au cœur.*   10
Oh! Philippe! ... Farouche Philippe, adorable Philippe,
vous voyez bien que vous pouvez dire des choses ravissantes
quand vous vous laissez aller ... Tenez, pour cette phrase, je
vous permets de m'embrasser ... Attendez, je vais mettre le
parasol* entre les ancêtres et nous ... (*Long baiser.*) Faites 15
attention ... On pourrait nous voir ... Éloignez-vous un peu ...
Et parlez-moi de vous, Philippe, cela m'intéresse tellement.

PHILIPPE, *très géomètre.*
Sous quel angle?

MARISE   20
Sous tous les angles ... Quand on a pour un garçon ... Non,
je ne veux pas vous faire de compliments, ni vous dire des
choses trop gentilles; vous n'aimez pas ça ... Mais je voudrais
savoir *tout* de vous, Philippe : votre enfance, vos camarades,
vos études, vos idées, vos ambitions, vos goûts ... Qu'allez-vous 25
faire après ces vacances? Donnez-moi votre main, sous le
sable, et dites-moi tout.

PHILIPPE

Eh bien, maintenant que j'ai mes diplômes et que j'ai fait
mon stage,* je vais débuter dans le service* d'études indus- 30
trielles du Comptoir Bancaire ...* Ce sera très intéressant,
parce que cela me permettra de m'initier à la marche* d'affai-

EXERCICES SUR LE TEXTE

I. Dites en français :

1. *They want to send me to the United States a year from now.*
2. *If I went to New York, nothing would surprise me.*
3. *I am going to take a trip around South America.*
4. *I am going to see Venezuela, Colombia, Peru, Chile, Argentine, Brazil, etc.*

II. Répondez en français aux questions suivantes :

1. *Pourquoi est-ce que rien ne surprendrait Marise si elle allait en Amérique?*
2. *Qu'est-ce qu'elle voudrait voir aux États-Unis?*
3. *Pourquoi Marise ne peut-elle pas aller en Amérique avec Philippe?*
4. *Où Philippe doit-il voyager après avoir été aux États-Unis?*

III. Traduisez en français :

What luck you have to be able to go to the United States! I know America so well through the movies. How I would like to see the drugstores, the skyscrapers, the colored porters with their tortoise-shell glasses, and the locomotives with bells around their necks like Swiss cows!

NOTES SUR LE TEXTE ★★

11. murs de Vermeer—*i.e.*, *walls in the paintings of Vermeer, a Dutch artist (1632-75).* **13.** salopette: *overalls.* **24.** lancer: *cast, casting (as in fishing).*

res très différentes les unes des autres, et aussi de voyager ...
Par exemple, ils veulent, dans un an, m'envoyer aux États-Unis
pour y étudier le problème des électrodes.

MARISE

Les électrodes! ... Mais c'est passionnant, Philippe.   Quel- 5
le chance vous avez d'aller en Amérique!   Moi, je la connais
si bien par le cinéma qu'il me semble que, si j'arrivais à New
York, rien ne me surprendrait.   Ah! que je voudrais les voir,
ces *drug stores*, où l'on vend à la fois des médicaments, des
ice creams et des sandwiches; ces gratte-ciel lisses comme des 10
murs de Vermeer;* ces porteurs nègres aux lunettes d'écaille;
ces locomotives qui ont des cloches au cou comme les vaches
suisses, conduites par de grands diables en salopette* claire et
casquette de toile ... Et Harlem ... Et Charleston ... Tout cela
doit avoir tant de poésie!   15

PHILIPPE, *chaleureusement.*
Venez avec moi, Marise.

MARISE

Hélas!   Jamais ma famille ne me laissera voyager avec un
garçon qui n'est pas mon mari.   20
Un très long silence.

* * *

LE PROFESSEUR

Hélas!   Il n'a pas mordu ... Mais vous allez voir qu'elle
est tenace.   Elle essaie un nouveau lancer.*

* * *

MARISE   25
Et ensuite, voyagerez-vous encore, Philippe?

PHILIPPE

Oui, je dois faire aussi le tour de l'Amérique du Sud :
Vénézuela, Colombie, Pérou, Chili, Argentine, Brésil, etc. ...

EXERCICES SUR LE TEXTE

I. Dites en français :

1. *There is a great deal to be done over there.*
2. *How I like to hear you talk about all that!*
3. *Just the same, it's rather unusual.*
4. *Marie was right in telling her father that Philippe was a fine fellow.*

II. Répondez en français aux questions suivantes :

1. *Où est-ce que Philippe va voir les villes des Incas?*
2. *Où est-ce qu'il va voir des maisons portugaises?*
3. *Va-t-il danser avec des femmes ravissantes?*
4. *Pourquoi Philippe est-il content?*
5. *Où est-ce que les Français sont aimés?*
6. *Quand Philippe parle de son groupe, à quel groupe pense-t-il?*
7. *Comment Philippe peut-il connaître des pays qu'il n'a pas vus?*
8. *Où est-ce que Philippe a étudié la géographie?*
9. *Qu'est-ce qui est assez rare?*
10. *Qu'est-ce que Marise avait dit à son père?*

NOTES SUR LE TEXTE ★★

3. Bahia—*name of a state and of its capital city, a seaport on the Atlantic, in Brazil.* **4-5.** qui se font dire la bonne aventure: *who have their fortunes told.* **15.** Guayaquil—*one of the principal cities and seaports of Ecuador, on the Pacific ocean.* **22.** ma branche forte: *my best subject.* **22.** bachot: *(student slang)* baccalauréat, *examination for the bachelor's degree.* **23.** m'a valu: *earned for me, won for me.* **23.** une mention Très bien—*(academic jargon) equivalent to a grade of A.* **27.** vous êtes un type épatant: *(colloquial) you're a swell guy, you're terrific.*

MARISE

Non? ... Ah! trop heureux Philippe!   Vous allez voir les villes des Incas, les vieilles maisons portugaises de Bahia,* et danser des rumbas avec des femmes ravissantes, qui se font dire la bonne aventure* tout le long du jour ...   5

PHILIPPE

Je crois que je visiterai plus de mines que de ruines, et verrai plus de techniciens que de jolies femmes ... Je suis content, tout de même, parce que j'ai l'impression qu'il y a là-bas beaucoup à faire non seulement pour moi, mais pour la 10 France.   Nous y sommes aimés; nous y apportons nos méthodes, notre expérience, et les francs sont plus faciles à trouver, pour les Sud-Américains, que les dollars ... Ne le répétez pas, c'est encore très secret, mais je vais essayer d'avoir pour mon groupe la construction du nouveau port de Guayaquil.*   15

MARISE, *enthousiaste.*

Guayaquil!   C'est *merveilleux*, Philippe!   Ah! que j'aime vous entendre parler de tout ça! ... Comment connaissez-vous si bien ces pays sans y être allé?

PHILIPPE, *modeste et important.*   20

Je ne sais pas ... J'ai toujours aimé la géographie.   C'était ma branche forte,* avec les math.   Ce qui, au bachot,* m'a valu* une mention *Très bien* ... Oh! je n'en tire pas vanité, mais enfin, c'est tout de même assez rare.

MARISE   25

Rare?   C'est unique! ... J'avais bien raison de dire à mon père que vous êtes un type épatant.*

PHILIPPE

Vous avez dit ça? ... Voilà qui est curieux ... Parce qu'hier soir j'ai écrit à ma mère que, pour la première fois de 30 ma vie, j'avais rencontré sur cette plage une jeune fille qui, tout

EXERCICES SUR LE TEXTE

Traduisez en français :

 Philippe is a young engineer. In school his best subject was geography, along with mathematics. In general, girls think he is too serious but Marise likes him because she is serious, too. Marise had two friends who used to tell her that philosophy is of no importance. But philosophy interested her so much that she earned an A.B. in philosophy, and now she is going to continue her studies in order to have a master's degree. Usually, all that men ask is that a girl be pretty, but Marise does not want to live for men, she wants to live for herself.

 Philippe tells her that she will not earn any certificates towards a master's degree.

 " *You are crazy, Philippe!* " *says she.* " *My parents are willing.*"

 " *But,*" *says Philippe,* " *you're going to get married!* "

 " *To whom?* " *asks Marise.*

 " *To me!* "

NOTES SUR LE TEXTE ★★★

1. tout en étant: *at the same time that she is.*   **7.** en philo = en philosophie, *the last year in a general liberal arts or humanities course in a* lycée *(French secondary school), so called because philosophy is the principal subject that year.* **8.** Ne t'en fais pas: *(slang) Don't take it to heart! Don't get all worked up!* **9.** tous ces trucs-là: *(slang) all that sort of stuff.* **18-19.** je vais faire un ou deux certificats de licence: *(freely) I'm going to get one or two certificates towards a master's degree.—Generally, for the* licence *one must earn four* certificats, *by passing examinations.*

en étant* ravissante, avait le sens des vraies valeurs ... Il faut
vous dire que moi, en général, je ne plais pas aux filles; elles
me trouvent trop sérieux.

MARISE

Mais c'est justement là votre charme, Philippe ... Je n'ai   5
d'ailleurs aucun mérite à le comprendre parce que, moi aussi,
je suis trop sérieuse ... Quand j'étais en philo,* j'avais deux
amies, Berthe et Carine, qui me disaient : « Ne t'en fais pas* ...
L'idéalisme, le matérialisme et tous ces trucs-là,* ça n'a aucune
importance ... Une fille, pourvu qu'elle soit jolie, c'est tout ce 10
que les hommes lui demandent ... » Peut-être, seulement
je ne voulais pas vivre pour les hommes, je voulais vivre pour
moi.

PHILIPPE, *d'autant plus ému qu'elle s'est, pour cette confidence, rap-*
prochée de lui jusqu'à le frôler de ses cheveux blonds.   15
Vous avez passé votre bachot de philo?

MARISE

Bien sûr ... Et maintenant je vais continuer; je vais faire
un ou deux certificats de licence.*

PHILIPPE, *très net.*   20
Non!

MARISE

Comment, *non*? ... Mes parents sont d'accord.

PHILIPPE, *autoritaire, maître du monde.*
Non, vous ne ferez pas de certificats de licence.   25

MARISE

Mais vous êtes fou, Philippe! ... Et pourquoi?

PHILIPPE

Vous ne ferez pas de certificats de licence, parce que vous
allez vous marier.

EXERCICES SUR LE TEXTE

Répondez en français aux questions suivantes :

1. *Quel a été le résultat du deuxième effort de Marise pour amener Philippe à la demander en mariage?*
2. *Quelle est la leçon de cette comédie, pour les jeunes filles?*
3. *Quelles personnes réussissent dans ce monde?*
4. *Si l'on veut être sûr de réussir, comment faut-il supporter l'ennui?*
5. *Pour supporter l'ennui, quelle qualité faut-il avoir?*
6. *Quand est-ce qu'une jeune fille doit profiter de cette leçon?*
7. *Pourquoi une femme doit-elle souvent transformer son jeune mari?*
8. *Quels goûts doit-elle lui faire partager?*
9. *De quoi une jeune fille doit-elle parler à un homme politique?*
10. *A quoi une jeune fille doit-elle s'intéresser si elle aime un agriculteur?*
11. *Si elle aime un pâtissier?*

7. ferré: *hooked.* **7.** sachez: *know how.* **22.** Conseil général—*an elective assembly concerned with the affairs of a Department, with one member from each "canton." Departments are divided into "* arrondissements,*" which are divided into "* cantons,*" which are composed of "* communes *" (cities, towns, villages). Actually a canton has very little importance.* **22.** Lanouaille—*this town of scarcely more than eleven or twelve hundred inhabitants is the capital of a canton in the Department of Dordogne (southwestern France).* **27.** Saint-Yrieix-la-Perche: *this commune of some seven thousand inhabitants is not far from Limoges.— Both towns mentioned would make radio listeners smile because of their rather comical names.* **28.** c'est à en perdre la tête: *it's enough to make one lose one's mind!*

Marise

Moi? Mais il n'en est pas question ... Avec qui?

Philippe, *imposant sa volonté souveraine.*

Avec moi.

* * *

Le Professeur

Vous avez pu observer comment, au deuxième lancer, elle
a ferré* son homme. Je conclus: sachez,* mesdemoiselles,
si le mariage est votre objectif, écouter les hommes lorsqu'ils
parlent de leur technique et d'eux-mêmes. Qu'il s'agisse
d'amour ou de politique, la réussite temporelle, en ce monde,
appartient à ceux (et à celles) qui savent s'ennuyer ... Et plus
encore à celles qui supportent l'ennui avec un air de ravissement. Naturellement, je ne vous conseille pas d'utiliser cette
patience pour conquérir un homme qui ne vous plaise pas,
mais pour vous assurer l'homme qui, toute technique mise à
part, vous plaît. Plus tard, je vous enseignerai à transformer
le mari, une fois acquis, et à lui faire partager vos goûts. Je
n'ai pas besoin d'ajouter, n'est-ce pas, que le schéma qui vous a
été indiqué doit être adapté aux circonstances ... Si, au lieu
d'un ingénieur, vous avez devant vous un homme politique,
vous direz : « Comment? Vous avez eu dix-sept voix pour
le Conseil général* dans le canton de Lanouaille?* Mais c'est
admirable! ... » S'il est agriculteur, vous vous intéresserez
avec passion aux maïs hybrides dont il a importé les graines, et
à la moissonneuse-batteuse-ensacheuse ... S'il est pâtissier,
vous direz avec angoisse et vénération : « Que ce doit être
difficile d'être pâtissier à Saint-Yrieix-la-Perche!* »; il vous
répondra : « C'est à en perdre la tête!* » et il sera content de
vous ... (*Cloche*) Mais voici l'heure ...

Rumeur des élèves qui sortent. Le bruit décroît, puis meurt. Seule
reste dans la classe une jeune fille. Elle s'approche du professeur, qui
classe des papiers.

EXERCICES SUR LE TEXTE

I. Dites en français :

She: May I ask you a question? ... Do you remember me? ... I took your course last year. I registered at this university so as to take your course again.

He: I remember you very well. Did the course you took last year interest you?

She: It was admirable! It was intelligent, bold, clear, and deep! As soon as I learned that you had been appointed to this university, I was eager to follow you here.

II. Répondez en français aux questions suivantes :

1. *Comment la jeune fille parle-t-elle d'abord au professeur?*
2. *Comment s'appelle la jeune fille?*
3. *Quel cours avait-elle suivi?*
4. *Pourquoi le professeur se souvient-il d'elle?*
5. *Où les parents de la jeune fille avaient-ils voulu l'envoyer?*
6. *Y a-t-il une bonne université à Grenoble?*
7. *Pourquoi la jeune fille n'a-t-elle pas voulu aller à Grenoble?*
8. *Qu'est-ce que les camarades de la jeune fille ont pensé du cours qu'elles ont suivi?*

NOTE SUR LE TEXTE ★★★

14. à Grenoble = à l'université de Grenoble—*in southeastern France, region of the French Alps.*

LA JEUNE FILLE, *timidement.*

Monsieur le professeur ...

LE PROFESSEUR, *condescendant.*

Oui, mademoiselle.

LA JEUNE FILLE   5

Est-ce que je peux vous poser une question? ... Je ne sais si
vous vous souvenez de moi ... J'ai suivi, l'an dernier, votre
cours de vacances ... Je suis Marie-Laure Holmann.

LE PROFESSEUR

Je me souviens fort bien, mademoiselle.   Votre visage n'est   10
pas de ceux qu'on oublie.

MARIE-LAURE

Je me suis inscrite à cette Université pour vous entendre,
professeur.   Mes parents voulaient m'envoyer à Grenoble,*
mais, dès que j'ai appris que *vous* étiez nommé ici, j'ai tenu   15
à vous suivre; j'ai insisté et, comme vous voyez, j'ai réussi.

LE PROFESSEUR

Je suis vraiment touché, mademoiselle.   Le cours vous
avait donc intéressée?

MARIE-LAURE   20

Intéressée! ... Il m'avait enivrée, professeur.   C'était à la
fois si intelligent, si hardi, si clair et si profond que j'avais été
enthousiasmée, comme d'ailleurs toutes mes camarades ...
Est-ce que je peux vous poser une question, professeur?

LE PROFESSEUR   25

Je suis ici pour y répondre, mademoiselle.

MARIE-LAURE

Oui, mais c'est une chose un peu ... Comment dire? ... Un

EXERCICES SUR LE TEXTE

I. Traduisez en français :

The professor had been married but he is no longer married. He is not a widower. His wife had left him. He had asked for and obtained a divorce.

His wife must have been insane to leave a man like the professor. But life in common with a woman who had been hard to please and unbalanced had perhaps made (rendu) him a better psychologist. People are willing to recognize that he knows women very well!

II. Répondez en français aux questions suivantes :

1. *Quand Marie-Laure demande au professeur s'il est marié, pourquoi le professeur est-il embarrassé?*
2. *Pourquoi avait-il demandé le divorce?*
3. *Est-ce difficile pour Marie-Laure de comprendre que la femme du professeur l'ait quitté?*
4. *Quelle explication Marie-Laure propose-t-elle?*
5. *Qui écrit les scènes qu'on joue devant les étudiants?*
6. *Où les joue-t-on?*
7. *Qui les fait répéter?*
8. *Qui les joue? Le professeur tout seul?*
9. *Qu'est-ce qui est merveilleux?*

NOTE SUR LE TEXTE ✶✶

27. fais répéter: *have them rehearsed.*

peu personelle ... Comment connaissez-vous si bien les femmes
et le mariage, professeur ? Vous êtes marié vous-même, sans
doute ?

LE PROFESSEUR, *un peu embarrassé.*
Je ... Je l'ai été, mademoiselle. 5

MARIE-LAURE
Oh! je m'excuse ... Vous êtes veuf.

LE PROFESSEUR
Non, pas exactement ... A dire la vérité, ma femme m'a
quitté. Après quelque temps, j'ai demandé et obtenu le 10
divorce.

MARIE-LAURE
Elle vous a quitté ? Oh! professeur, ce n'est pas possible ... Je ne puis comprendre comment une femme, ayant eu
la chance incomparable d'épouser un homme tel que vous, *a* 15
pu le quitter! ... Elle devait être folle ?

LE PROFESSEUR
Ce fut, en effet, mon impression ... Mais peut-être la vie
commune avec un être ... difficile ... déséquilibré ... a-t-elle
aiguisé en moi les qualités de psychologue et d'analyste que 20
l'on veut bien me reconnaître.

MARIE-LAURE
Certainement! ... Est-ce que vous écrivez vous-même,
professeur, les scènes que vous faites jouer devant nous ?

LE PROFESSEUR 25
Bien sûr, mademoiselle ... Je les conçois, je les écris, je les
fais répéter,* parfois je les joue moi-même.

MARIE-LAURE
C'est merveilleux ... Quel génie vous avez, professeur!

EXERCICES SUR LE TEXTE

I. Traduisez en français :

What the professor is doing is much more difficult than what Shakespeare did. Shakespeare had a plot, many characters, the curiosity of the public. The professor has only two characters, " He " and " She," and he tells in advance the conclusion of his scenes. He shows the students now what one must do in marriage, now what one must not do. Since (Puisque) *comedy has always been a great educator, it is with short comedies that the professor conducts his course. The professor (says Marie-Laure) is a genius!*

II. Répondez en français aux questions suivantes :

1. *Marie-Laure parle des scènes que le professeur fait jouer devant les étudiants. Quel est le titre de la première scène?*
2. *Est-ce que le professeur avait indiqué d'avance la conclusion de cette scène?*
3. *Quelle en est la conclusion?*
4. *Qu'est-ce que cette scène a enseigné aux jeunes filles?*
5. *Y a-t-il peut-être une leçon pour les jeunes gens?*
6. *Qu'est-ce que les étudiantes pensent du professeur?*
7. *A quoi est-ce que le professeur a souvent pensé?*
8. *Pourquoi le professeur trouve-t-il que l'amie de Marie-Laure est intelligente?*

NOTES SUR LE TEXTE ★★★
11. pantelantes: *quivering.* **11.** haletantes: *panting, breathless.* **13.** C'est à ce point: *(lit.) It's to this degree, It's so much so; (freely) Is it really so.* **23.** éloigné: *(lit.) far from; (freely) averse, reluctant.* **27.** tant pis!: *it can't be helped!*

Le Professeur

Génie est un bien grand mot, mademoiselle ... Disons :
talent, intuition ...

Marie-Laure

Non! Non! *Génie* ... Vous êtes génial. Votre rôle est, en 5
somme, bien plus difficile que celui de Shakespeare. Il avait,
lui, pour fixer l'attention de son public, une intrigue, le prestige de l'histoire, la curiosité. Vous n'avez rien, que deux
personnages, et des scènes dont vous indiquez d'avance la
conclusion. Et pourtant, si vous saviez comme nous sommes 10
toutes pantelantes,* haletantes,* pendant votre cours ...

Le Professeur

Vraiment? C'est à ce point* ...

Marie-Laure

Vous n'avez pas idée, professeur ... Je vous demande par- 15
don de vous dire ça, mais nous sommes toutes folles de vous ...
Il faut avouer que vous avez une *si jolie* voix. Tenez, tout à
l'heure, une de mes amies me disait : « Le suprême bonheur,
ce serait de l'épouser, lui! Mais il est certainement marié ... »
Et voilà que j'apprends que vous ne l'êtes pas ...   20

Le Professeur

Que je ne le suis *plus* ... Pour tout vous dire, je ne serais pas
éloigné* de me remarier ... J'y ai souvent pensé ... Qui est
votre amie? Elle paraît bien intelligente.

Marie-Laure   25

Qui elle est? ... Me voici toute confuse d'avoir trop parlé ...
Ma foi, tant pis!* Je n'ai pas d'amie, professeur. C'est moi
qui me suis fait à moi-même ces réflexions en vous écoutant.

Le Professeur

Voilà qui est troublant, mon enfant ... Par une étonnante

EXERCICES SUR LE TEXTE

Répondez en français aux questions suivantes :

   1. *Qu'est-ce que le professeur allait dire quand il a commencé la phrase:* « *Et si vraiment* ...»?
   2. *Qu'est-ce que Marie-Laure a réussi à faire?*
   3. *Le professeur est-il fort embarrassé?*
   4. *Que prouve la plaisanterie de Marie-Laure?*
   5. *Est-ce que le professeur a raison?*

NOTE SUR LE TEXTE ★★★
5. vous avez marché: *you fell for it!*

coïncidence, vous me plaisez autant que je vous plais ... Et si vraiment ...

MARIE-LAURE, *éclatant de rire.*
Ah! professeur, ceci est trop beau! ... Je viens de vous jouer votre propre scène et vous avez marché!*   5

LE PROFESSEUR, *vexé, mais digne.*
Cela prouve, mademoiselle, qu'elle est excellente.

Musique ironique et tendre.

VOCABULARY

The Vocabulary includes all words that students using this book might have occasion to look up. It is expected that students will know the articles, simple pronouns of various kinds, the relation of tense forms to infinitives of regular verbs, the usual plurals, and similar elementary items. The Vocabulary does not include cognates when only the similar English word would be given as a meaning. Cognate verbs are, however, included.

The following abbreviations are used:

abbrev.	abbreviation	m.	masculine
adj.	adjective	med.	medical
adv.	adverb	mil.	military
c.	centime	n.	noun
cf.	confer (see)	p.	page
colloq.	colloquial	part.	participle
condl.	conditional	pl.	plural
def.	definite	poss.	possessive
f.	feminine	p.p.	past participle
fig.	figurative	prep.	preposition
fut.	future	pres.	present
imperf.	imperfect	pron.	pronoun
indef.	indefinite	subj.	subjunctive
interj.	interjection	surg.	surgical
l.	line	vb.	verb

A

abaissement *m.* abasement, humiliation, humility, humbleness

abaisser: **s'—** to sink, drop, lower oneself

abandon *m.* desertion, abandonment, destitution, neglect

abandonner to abandon, let go, relinquish

abattre to bring down

abcès *m.* abscess

abîme *m.* abyss

abîmer to damage, spoil

abnégation *f.* abnegation, self-denial, self-sacrifice

abondance *f.* abundance

abondant abundant, copious, prolix, verbose

abonnée *f.* subscriber

abord: **d'—** at first; **dès l'—** first, at the very first, at the outset

aborder to accost, address, speak to

abri *m.* shelter

abruti besotted, rendered stupid

absenter: **s'—** to absent oneself

absolu absolute

absolument absolutely

académie *f.* academy; **Académie Française** French Academy

académique: **palmes —s** cf. note to p. 205, ll. 10-11

accablant overwhelming, overpowering, crushing

accabler to crush, overwhelm, afflict, depress, dishearten

accélérer: **pas accéléré** quick step, quick march

accent *m.* accent, emphasis, stress

accepter to accept, agree

accès *m.* attack

accident *m.* accident, incident, mishap

accommoder to cook, prepare

accompagnement *m.* accompaniment

accompagner to accompany, go with

accomplir to accomplish, carry out, fulfill

accord *m.:* **d'—** agreed; **être d'—** to agree

accorder to tune; **accordé à** in tune with, in harmony with

accouder: **s'—** to lean on one's elbow(s)

accourir to rush up, run up

accoutumé accustomed, used

accrocher: **s'—** to get hold (of), fasten oneself (on), cling (to)

accroire to believe

accroître: **s'—** to increase

accroupi squatting

accrut *past def. of* **accroître**

accueil *m.* reception, welcome

accueillir to receive, welcome, greet

accusé *m.* the accused, defendant

accuser to accuse

acétylène *f.* acetylene (a kind of gas)

achat *m.* purchase

acheter to buy

acheteur *m.* buyer, purchaser

achever to finish, complete, put the finishing touch to; **s'—** to end, come to an end

acier *m.* steel

acquérir to acquire

acquis *p.p. of* **acquérir** acquired

acquitter to acquit

acte *m.* act, action, deed

acti-f, -ve active

activité *f.* activity

adapter to adapt

adhérer to adhere

adieu *m.* farewell, goodbye

adjudant *m.* sergeant
admirablement admirably
admirati-f, -ve admiring
admirer to admire
adopter to adopt
adorer to adore
adosser to lean (against)
adoucir to soften, make easier
adresse *f.* skill; address
adresser to address; **— la parole à** to speak to
adversaire *adj.* hostile
affaiblir to weaken; **s'—** to grow weaker
affaire *f.* affair, matter; *pl.* affairs, business, dealings, quarrel; **avoir — à** to deal with
affairer: s'— to bustle, fuss
affecter to affect, appropriate, destine, influence
affection *f.* affection, disease, malady
affectueu-x, -se affectionate
affirmer to affirm, assert
affolé maddened, bewildered
affreu-x, -se frightful, dreadful, horrible
affront *m.* insult
affronter to face
afin de in order to, so as to; **afin que** in order that, so that
Afrique *f.* Africa
agaçant annoying, irritating
âge *m.* age; **en — de** old enough to
âgé aged
agenouiller: s'— to kneel down
agent (de police) *m.* policeman
agilité *f.* agility, nimbleness
agir to act; **s'— de** to be a question of
agiter to agitate, shake, wave; **s'—** to be agitated, to move
agneau *m.* lamb
agonie *f.* dying moments, point of death
agoniser to be dying

agréable agreeable, pleasant
agréablement agreeably, pleasantly
agriculteur *m.* agriculturist, farmer
aide *f.* aid, help, assistance
aide *m.* assistant; **aide-meunier** miller's boy, miller's apprentice
aider to aid, help
aigre bitter, harsh, pungent, sharp, sour; **à l'—** sour
aigrement bitterly, sharply
aigu sharp, shrill
aiguiser to sharpen
aile *f.* wing, sail
ailleurs elsewhere; **d'—** besides, moreover, also
aimer to like, love
aînée *f.* eldest, elder
ainsi so, thus, in this (that) way; **pour — dire** so to say, so to speak, as it were
air *m.* air, look, manner, melody, tune, way; **avoir l'— de** to look as if, seem to
aisance *f.* ease, facility
aise *f.* ease; **être à l'—** to be at ease; **être à son —** to be at ease, be comfortable, be well off, well-to-do; **à ton —** as you will
aisément easily
ajouter to add
ajuster to adjust
alarmer to alarm, startle
alcoolique alcoholic
alcôve *f.* alcove
algèbre *f.* algebra
aliter: s'— to take to one's bed, be confined to one's bed
allée *f.* path, walk
allégresse *f.* cheerfulness
Allemand *m.* German
allemand *adj.* German
aller to go; **— chercher** to go and get; **s'en —** to go away; **allons!** come now, now then! **comment vas-tu?** comment

allez-vous? how are you? **comment va-t-il?** how is he? **ça va?** O.K.? all's well? it's going well? **comment cela va-t-il?** how's everything? **va!** go! get along! get out! quit it!
allongé elongated, lengthened
allonger to lengthen, extend, stretch out; **s'—** to lie down
allumer to light, kindle, excite
allure f. bearing, manner, demeanor, gait
alors then, at that time, in that case; **— que** when, while; **et —** so what?
altérer: s'— to be corrupted, be spoiled
amaigri emaciated, thin
ambiance f. atmosphere
ambulance f. field hospital
ambulant ambulant, itinerant; **vendeur —** peddler, hawker
ambulatoire ambulatory
âme f. soul, heart
améliorer: s'— to improve
amende f. fine
amener to bring, bring about, cause, lead
am-er, -ère bitter
amèrement bitterly
américain adj. American
Amérique f. America; **— du Sud** South America
amertume f. bitterness
ameublement m. furniture
ameuter to stir up, excite
ami m. cf. **client; amie** f. friend
amitié f. friendship
amour m. love
amoureu-x, -se (de) in love (with); **se rendre —** to fall in love
amoureux n. m. lover
amour-propre m. self-respect, self-esteem, pride
amphi m. cf. note to p. 283, l. 19
amphibie amphibious

amphithéâtre m. lecture-hall, auditorium
amphitryon m. host
amuser to amuse; **s'—** to have a good time, waste or idle away time
an m. year; **le jour de l'—** New Year's Day
analyste m. analyst
anarchie f. anarchy
ancêtres m. pl. ancestors
ancien, -ne former
âne m. donkey
anémone f. anemone (flower)
ange m. angel
angélus m. angelus (call to prayer)
anglais adj. English; n. m. English (language)
angle m. angle, corner
angoisse f. anguish
angoisser to fill with anguish
animal n. m. and adj. animal
animé animated, excited
animer to animate
animosité f. animosity
anisette f. cf. note to p. 13, l. 19
année f. year
annoncer to announce, indicate, manifest, show
annoter to annotate
ânon m. ass
anticipé anticipated, expected
antique ancient, former, past
anxieu-x, -se anxious
apaiser to appease, calm, pacify
apercevoir to perceive; **s'— de** to notice, observe, perceive
apeuré frightened
apitoyer: s'— to feel pity (for)
aplomb m. balance, poise
apocalypse f. apocalypse, revelation
Apollon m. Apollo
apostrophe f. address, discourse
apparaître to appear
appareil m. apparatus, (surg.) dressing

apparemment apparently, evidently

apparence *f.* appearance; **en —** apparently, according to appearances, on the surface

apparition *f.* sudden appearance

appartenant belonging to

appartenir to belong

apparu *p.p. of* **apparaître** appeared

appel *m.* call; **faire — à** appeal to, call upon

appeler to call, call for; **s'—** to be called, be named

appétit *m.* appetite

applaudir to applaud

appliquer to apply, fix; **s'—** to apply oneself, endeavor

apporter to bring

apprendre to learn, teach, inform

apprentissage *m.* apprenticeship

appris *p.p. of* **apprendre** learned

apprivoiser to tame

approbation *f.* approbation, approval

approcher to bring forward, draw up, approach; **s'—** to approach

approuver to approve, approve of

appuyer to press; **s'—** to lean

après after; **— que** after

après-midi *m. or f.* afternoon

aquilin aquiline

araignée *f.* spider; **toile d'—** spider's web, cobweb

arbre *m.* tree; **— de couche** shaft, driving shaft

arbrisseau *m.* shrub

arc *m.* bow

archivieux extremely old, "superold"

ardoise *f.* slate

argent *m.* money, silver

Argentine *f.* Argentina

aristocratie *f.* aristocracy

Arlésienne *f.* woman of Arles

arme *f.* arm, weapon; **— à feu** firearm

armé armed

armée *f.* army

armement *m.* armament

armer to cock (a gun)

armoire *f.* cupboard, wardrobe

arracher to snatch, tear (**à** from)

arrestation *f.* arrest

arrêt *m.* stop, pause; decree, sentence

arrêter to stop, arrest; **s'—** to stop

arrière : en — behind; **— de moi!** away from me!

arriver to arrive, happen, succeed, be a success; **arrive que pourra** come what may

arrondissement *m.* a division of a department; a section or ward of Paris

art *m.* art; **sans —** artlessly

articuler to articulate, pronounce, utter

artiste *m.* artist

aspect *m.* aspect, appearance

asperge *f.* asparagus; **une botte d'—s** a bundle or bunch of asparagus

asphalte *m.* asphalt, paving

assavoir to know

assemblée *f.* assembly, company, throng

assembler to assemble, put together; **s'—** to assemble, congregate

assentiment *m.* assent, agreement

asseoir to seat; **s'—** to sit down

assez enough, fairly, passably, tolerably, rather; **j'en ai —** I've had enough of it, I'm fed up with it

assidu assiduous, regular

assiduité *f.* assiduity, regularity

assiette *f.* plate; **—s à fleurs** plates with flower patterns

assis *p.p. of* **asseoir** seated, sitting

assistance *f.* audience, company, people present

assister to attend, be present

assombrir: s'— to become dark or gloomy

assoupir to quiet down

assoupissement *m.* drowsiness, sleepiness

assurance *f.* insurance

assuré certain, assured

assurer to assure, assert; **s'—** to make sure

atelier *m.* studio

atmosphère *f.* atmosphere

âtre *m.* hearth

atroce atrocious, awful, dreadful

attablé seated at table

attacher to attach, fasten, tie; engage, bind; **s'— à** to set value upon

attarder: s'— to delay, linger

atteindre to hit, strike, reach

atteint affected

atteinte *f.* **hors d'—** out of reach

attendant: en — que till, until

attendre to wait (for), expect; **s'— à** to expect

attendrir to move, affect, touch; **s'—** to be moved, have one's feelings moved or touched

attendrissant moving, affecting, touching

attente *f.* waiting, expectation

attenti-f, -ve attentive

attention *f.* attention; **faire —** to pay attention, notice; **attention!** look out!

atténuer to attenuate, soften, weaken

atterrer to crush, overwhelm

attester to attest, affirm, certify to, prove

attirer to attract, draw

attribuer to attribute, ascribe

aube *f.* dawn

auberge *f.* inn

aubergine *f.* eggplant

aubergiste *m.* innkeeper

aucun no, not any

au-dedans de within

au-delà de beyond

au-dessous below

au-dessus above; **— de** above

auditoire *m.* audience

auguste august

aujourd'hui today

aumône *f.* alms; **faire l'—** to give alms

auprès de near to, close to; in the opinion of, in the esteem of

auréole *f.* halo

aurore *f.* dawn, daybreak

aussi also, too; as, so; thus, therefore

aussitôt at once, immediately

austère austere, stern

autant as much, as many; **— dire** one might as well say; **— que** as much as, in the same way as; **d'— plus ... que** all the more ... because; **d'— moins ....que** all the less ... as

auteur *m.* author

automne *m.* autumn, fall

autoriser to authorize

autoritaire authoritative, commanding, domineering

autorité *f.* authority

autour around; **— de** round, around, round about

autre other

autrefois formerly

autrement otherwise; **— que ça** (*colloq. and incorrect*) if that were not so

autrichien, -ne Austrian

autrui others

aval: en — downstream

avaler to swallow

avance *f.* advance, headstart; **d'—** in advance; **prendre l'—** to go ahead

avancer to advance, push forward; **s'—** to advance

avant before; **— tout** first of all; **en —** forward; **plus —** farther on; **— que** before

avant-hier day before yesterday
avarice *f.* avarice, greed, stinginess
avarié damaged
avec with
avenir *m.* future
aventure *f.* adventure, affair; **dire la bonne —** to tell one's fortune
avertir to inform, warn
avertissement *m.* warning
aveu *m.* admission, avowal, confession
aveugle blind
avion *m.* airplane
avis *m.* opinion, advice, notice, warning; **être d'— que** to be of the opinion that
aviser to notice, perceive, inform; **s'— de** to think of, take it into one's head to
avocat *m.* lawyer; **avocat-général** attorney-general, state attorney
avoir to have; **il y a** there is, there are; ago; **qu'est-ce qu'il y a?** what's the matter?
avouable avowable
avouer to admit, confess
ayant *pres. part. of* **avoir** having
azuré azure-colored

B

babiller to chatter, prattle
babine *f.* lip, chops
bachot *m.* (*colloq.*) baccalaureate
badaud *m.* idler, booby
bagatelle *f.* trifle
bagne *m.* prison
bagout *m.* glibness, gift of gab
baigner to bathe
baile *m.* (*provincial*) overseer
bâillement *m.* yawn, yawning
bailli *m.* bailiff
bain *m.* bath; **— de pieds** foot bath
baïonnette *f.* bayonet; **coup de —** bayonet thrust
baiser *m.* kiss
baisser to lower, decline, get low, sink; **— les yeux** to cast down one's eyes; **se —** to stoop, bend down
balancé well-built, well-shaped
balancer: se — to rock, sway, wave
balbutier to stammer
balcon *m.* balcony
ballant dangling
balle *f.* ball, bullet
ballon *m.* balloon

banc *m.* bench; **— d'œuvre** churchwarden's pew
bande *f.* band, streak, strip, bed (of flowers); group, troop
bandit *m.* outlaw
bandoulière *f.*: **en —** slung over the shoulder
banlieue *f.* suburbs
banque *f.* bank
banquette *f.* bench, seat
baraque *f.* booth, stall
barbare *m.* barbarian
barbe *f.* beard; **à la — de** in the face of, under the very nose of
barbu bearded
barquette *f.* boat-shaped piece of pastry
barrage *m.* dam
barreau *m.* small bar; (legal) the Bar
barrer to cross, cut across
barrière *f.* gate
bas, -se *adj.* low; *adv.* **à —!** down! **là-bas** over there; **tout —** in a low voice; *n.m.* lower part, downstairs
bataille *f.* battle; **champ de —** battlefield

bateau *m.* boat
bâtiment *m.* building, ship
bâtir to build, construct
bâton *m.* stick, staff
battement *m.* beating
batteuse *f.* thresher
battre to beat, strike, thrash; — **en retraite** to retreat
bavarder to chat, chatter
béant gaping, yawning
beau (bel, belle) beautiful, handsome, fine; **avoir beau** to do in vain, be of no use to
beaucoup much, very much, many, a good deal, a great deal
beauté *f.* beauty, perfection
bec *m.:* — **de gaz** gas jet, gaslight
bêche *f.* spade
béer to open one's mouth wide, to gape; **bouche bée** gaping
bégayer to stammer
béguin *m.* beguine cap
bénévole honorary
béni blessed
bénir to bless; **Dieu vous bénisse!** God bless you!
bénitier *m.* holy-water basin or font
berceau *m.* cradle
bercer to cradle, rock
bergamote *f.* orange
berge *f.* bank
berger *m.* shepherd
besogne *f.* work, task, job
besoin *m.* need, necessity; **au —** in case of need; **avoir — de** to need
bête *adj.* foolish, silly, stupid; *n.f.* beast, animal, body; **gros —** silly fool
bêtise *f.* foolishness, foolish act, folly, nonsense, stupidity
betterave *f.* beet
bidet *m.* horse, nag
bien *n.m.* benefit, good, welfare; property, wealth
bien *adv.* well, very, fully, a great

deal, a great many; **bien!** good!
eh — well; **être —** to be comfortable, well off; **ou —** or else; **— que** although
bientôt soon
bienveillance *f.* benevolence, good will
bigarré many-colored
binocle *m.* eyeglasses
biographie *f.* biography
bizarre strange, queer, odd
blaguer to joke, fool, be fooling, " kid "
blâme *m.* blame, reproof, criticism
blâmer to blame, find fault with
blanc, blanche white, blank; *n. m.* white, white paint
blanchir to whiten, light up
blé *m.* grain, wheat
blessé *m.* wounded man
blesser to wound, hurt
blessure *f.* wound
bleu *adj.* blue; **— clair** light blue; *n.m.* blue
blottir: se — to crouch down, squat
blouse *f.* smock
bocal *m.* glass jar
bœuf *m.* ox, beef; **un nerf de —** a lash
bohémien *m.* gypsy, vagrant
boire to drink
bois *m.* wood, park
boisson *f.* drink
boîte *f.* box, case; **— (de nuit)** night club
bon, -ne good, kind
bonbon *m.* candy
bond *m.* leap
bonheur *m.* happiness; **par —** luckily
bonhomie *f.* good nature, amiableness
bonhomme *m.* old fellow, old man; **mon —** old fellow
bonjour good morning, good day
bonne *f.* servant, nursemaid

bonnet *m.* cap
bonté *f.* kindness
bord *m.* edge, rim, brim; **à — de** on board; **au — de** at the edge of, at the bank of; **au — de la mer** at the seashore
border to border
borner: se — to be limited
bosquet *m.* grove
bosseler to dent
botte *f.* bundle, bunch
botte *f.* boot; **revers de —** boot top
bouche *f.* mouth; cf. **mouiller**
bouchée *f.* mouthful
boucher *m.* butcher
boucle *f.* curl (of hair)
boue *f.* mud
bouffée *f.* puff; **une — de pipe** a puff of smoke
bouger to stir, move
bougie *f.* candle
bougon grumbling
bougonner to grumble, mutter
bouillotte *f.* kettle
boulangère *f.* baker's wife
boulangerie *f.* bakery
bouleversant overturning, destroying, destructive
bourdon *m.* great bell
bourg *m.* town
bourgeoise *f.* (*colloq.*) lady, missus
bourgeoisie *f.* middle class
bourre *f.* gun-wad
bourrelier *m.* harness-maker
bourru gruff, rough, surly
bout *m.* end, bit, piece; **venir à — de** to succeed in, finish, get the better of
boutique *f.* shop; cf. **fonds**
boutiquière *f.* shopkeeper
bouton *m.* button
boutonnière *f.* buttonhole
brancard *m.* stretcher, litter, shaft
brancardier *m.* stretcher-bearer
branche *f.* branch; (of science) field

branle-bas *m.* confusion, hubbub
bras *m.* arm; **se donner le —** to go arm in arm; **avoir sur les —** to have on one's hands
brassée *f.* armful
brave brave, honest, worthy, good; **un — garçon** a good fellow
bravoure *f.* bravery, courage
bref, brève brief, short, curt
Brésil *m.* Brazil
brigadier *m.* sergeant, corporal
brigand *m.* brigand, robber; (*colloq.*) rascal
brillant brilliant, shiny
briller to shine
brin *m.*: **encore un —** a bit more
brique *f.* brick
briquet *m.* cigarette lighter
brisé broken, cracked
britannique British
broc *m.* jug
broche *f.* spit (for roasting)
broder to embroider
bromure *m.* bromide
bronchite *f.* bronchitis
brouillard *m.* fog, mist
brouiller: se — avec to get into trouble with, quarrel with
brouillon *m.* first draft, rough copy
brouter to browse, browse on, graze, nibble
bruine *f.* drizzle
bruit *m.* noise, rumor, talk, report
brûlant burning
brûler to burn, consume
brûlure *f.* burn
brume *f.* mist, fog
brun brown
brusquement bluntly, suddenly, abruptly, unexpectedly
brusquerie *f.* abruptness, bluntness
brutalité *f.* brutality
bruyant noisy
bu *p.p.* of **boire** drunk

bûcheron *m.* woodcutter
bureau *m.* office
but *m.* end, object, purpose
but *past def. of* **boire** to drink
buté obstinate, stubborn

butte *f.* knoll, hillock
buvaient, buvait *imperf. of* **boire** to drink
buvant *pres. part. of* **boire** to drink

C

ça that
çà et là here and there
cabane *f.* hut
cabaret *m.* inn, tavern, night club
cabriolet *m.* cab, gig
cacher to hide, conceal
cachette *f.* hiding place
cachot *m.* dungeon
cadavre *m.* corpse
cadeau *m.* gift, present
cadran *m.* dial
café *m.* café, coffee
cagnard *m.* (*Provençal*) sheltered corner
cahier *m.* copybook, exercise-book
cahot *m.* bump, jolt
calcul *m.* arithmetic, calculation
cale *f.* hold (of ship)
calé wedged
calepin *m.* small notebook
califourchon : à — astride, straddling
calleux callous
calme *adj.* calm, quiet ; *n.m.* calm, calmness, quietness, stillness
camarade *m.* comrade, fellow, friend
camion *m.* truck
campagnard *m.* countryman, rustic
campagne *f.* country; **maison de —** country house; (*mil.*) campaign; **faire —** to be in the field, take part in an action
camper to encamp, lay, place
canard *m.* duck
canari *m.* canary
canasson *m.* nag, " old plug "

cancre *m.* (in schools) duffer, dunce
candélabre *m.* lamppost
candidat *m.* candidate
canevas *m.* outline, plot
canon *m.* cannon, barrel (of gun)
canot *m.* boat
cantique *m.* hymn, carol
canton *m.* canton, subdistrict
capable capable, able
capacité *f.* capacity, competency, capability
capitaine *m.* captain
caporal *m.* corporal
capote *f.* coat
caprice *m.* caprice, whim, fancy
capuchon *m.* hood
car for
caractère *m.* character, nature
carcasse *f.* carcass, body
carchera *m.* (*Corsican word*) leather bag, pouch
caresse *f.* caress, favor, smile
caresser to caress, fondle, pat, stroke
carmélite pale brown
carnivore carnivorous, flesh-eating
carotte *f.* carrot
carré *n.m. and adj.* square
carreau *m.* square, paving
carrelage *m.* title-flooring
carriole *f.* chaise, trap
carte *f.* map
carton *m.* cardboard
cartouche *f.* cartridge
cas *m.* case; **en tous —** in any case
casquette *f.* cap
cassé broken, trembling

casser to break; **se —** to be or get broken

catastrophe *f.* castastrophe, calamity

catéchisme *m.* catechism

cathédrale *f.* cathedral

cause: à — de because of, on account of

causer to cause

causer to talk, chat, converse

causerie *f.* talk, conversation

ceci this

céder to yield

ceinture *f.* belt

célèbre celebrated, famous

céleri *m.* celery

célibataire *adj.* unmarried, single; *n.m.* unmarried man, bachelor

cendre *f.* ashes

cent hundred

centaine *f.* (about a) hundred

centime *m.* centime (1/100 of franc; formerly 25 c. = 5 cents)

centimètre *m.* centimeter (about 2/5 inch)

centre *m.* center, central point

cépée *f.* cluster of shoots

cependant however, meanwhile

cercle *m.* circle, ring

cercueil *m.* coffin

cérémonie *f.* ceremony; **avec —** ceremoniously

cerise *f.* cherry

certain (*after noun*) certain; (*before noun*) a certain, some

certainement certainly

certes certainly

certificat *m.* certificate

certitude *f.* certainty

cesse: sans — unceasingly, incessantly

cesser to cease, stop

chacun each, each one, every one

chagrin *m.* grief, sorrow, vexation

chaîne *f.* chain

chair *f.* flesh

chaise *f.* chair; **— longue** couch

chalande *f.* customer

châle *m.* shawl

chaleur *f.* heat, warmth

chaleureusement warmly, affectionately, vehemently

chambre *f.* room; **— à donner** guest room

champ *m.* field, country, space; **sur le —** at once

champignon *m.* mushroom; **— de mousse** delicate mushroom

chance *f.* luck; **avoir — de** to have a chance of

chanceler to stagger, falter, hesitate, be unsteady

chandelle *f.* candle

changement *m.* change

changer to change

chanson *f.* song

chant *m.* singing, song

chantant *adj.* musical, singsong

chanter to sing

chapeau *m.* hat; **— de haute forme** top hat; **grand —** tall hat

chapelet *m.* chaplet, rosary, string of beads; **dire son —** to tell one's beads

chaque each

char *m.* cart; **— à bancs** light wagon, wagonette

charbon *m.* coal

charge *f.* hoax, joke, practical joke, farce

chargé loaded, laden

charger to load; **se —** to assume a task, undertake

charmant charming

charme *m.* charm

charogne *f.* carrion, carcass

charrette *f.* cart

charrue *f.* plough

chasse *f.* hunting

châssis *m.* (auto) chassis, frame

chat *m.* cat

châtaigne *f.* chestnut

châtaignier *m.* chestnut tree

château *m.* chateau, castle, palace

chatière *f.* cathole

chatte *f.* cat

chaud hot, warm

chauffer to warm, get up steam

chaussée *f.* street, road, roadway

chausser to put on (shoes, etc.)

chavirer to capsize, be upset

chef *m.* chief, leader

chef-d'œuvre *m.* masterpiece

chemin *m.* way, road

cheminée *f.* chimney, fireplace

chemise *f.* shirt; — **de nuit** nightshirt, nightgown

chêne *m.* oak

chenet *m.* andiron

cher, chère dear, expensive; (in address) dear, darling; **coûter —** to be expensive

chercher to seek, look for; — **à** to try to; **aller —** to go and get; **venir —** to come and get, come for; **filer —** to run and get

chéri *m.* darling

chéti-f, -ve puny, small and thin

cheval *m.* horse; — **de retour** old offender, jailbird, criminal

chevelure *f.* hair

chevet *m.* apse

cheveu, -x *m.* hair

cheville *f.* ankle

chèvre *f.* goat; — **laitière** milch goat

chevreuil *m.* roebuck, roedeer

chevrotant tremulous, quavering

chevrotine *f.* buckshot

chez at, in, to the house of, office of, etc.; in the country of, among

chicot *m.* old tooth, stump

chien *m.* dog

chiffon *m.* rag

Chili *m.* Chile

chirurgien *m.* surgeon

choc *m.* blow, shock

choisir to choose, select, pick out

choix *m.* choice, selection, collection

chose *f.* thing; **autre —** something else; **quelque —** something; **peu de —** little, not much

chou *m.* cabbage

chrétien *m.* Christian; **en —** like a Christian

chronique *f.* chronicle

chuchoter to whisper

chute *f.* fall; **faire une —** to have a fall

cidre *m.* cider

ciel *m.* sky

cigale *f.* grasshopper, cicada

cil *m.* eyelash

cime *f.* top

cinéma *m.* movies

cinq five

cinquante fifty

circonstance *f.* circumstance

circuler to move on

citadin *m.* citizen, inhabitant (of a town)

citer to cite, mention, summon

civilisation *f.* civilization

clair clear, light

clairement clearly

clairière *f.* clearing

clameur *f.* clamor

claque *f.* slap

classe *f.* class, classroom, school

classer to classify, sort

clef *f.* key; **fermer à —** to lock

client *m.* **cliente** *f.* customer

clignement *m.* wink, winking

climat *m.* climate

cloche *f.* bell

clocher to limp, be lame, be defective

clopiner to hobble along, limp

clos closed

coche *m.* barge

cocher *m.* coachman, driver

coco *m.* (*colloq.*) dirty rascal, bum

cocotier *m.* coconut palm (tree)

cœur *m.* heart, courage; **un**

garçon de — a brave fellow, a grand fellow
coffre *m.* chest
coffret *m.* small box, casket
cognée *f.* axe
cohue *f.* crowd, throng, mass
coiffe *f.* headdress (of peasant woman)
coiffé having on one's head
coiffeur *m.* barber, hairdresser
coin *m.* corner
col *m.* collar, neck
colère *f.* anger, rage
colis *m.* bundle, package, piece of baggage
collègue *m.* colleague
coller to stick, give, deal, flunk
collet *m.* collar
colline *f.* hill
Colombie *f.* Columbia
combien how, how much, how many
comédie *f.* comedy
comité *m.* committee, party
commander to command, order
comme as, how, like, as it were
commencement *m.* commencement, beginning
commencer to commence, begin, start
comment how, why; **—!** what!
commentaire *m.* commentary, remarks
commenter to comment on, criticize
commerce *m.* commerce, trade; **faire un —** to carry on a business; **de —** commercial
commettre to commit
commissaire *m.:* **— de police** police chief; **chez le —** at police headquarters
commissariat *m.* (police) headquarters
commission *f.* errand
commode convenient, easy
commode *f.* dresser

commodément comfortably
commun common; **la vie —e** life in common
commune *f.* township, district
communion *f.* communion (exchange of feeling or ideas)
commutateur *m.* light switch
compagnie *f.* company, companionship
compagnon *m.* companion
compassé formal, stiff
compatissant compassionate, sympathetic
compère *m.* accomplice, comrade
complaisance *f.* kindness
compl-et, -ète complete, entire; *n.m.* **au grand —** in full measure, one hundred per cent full
complètement completely, wholly
compléter to complete
complice *m.* accomplice
compliqué complicated
composer to compose; **se — de** to be composed of
composition *f.* arrangement, agreement; cf. note to p. 172, l. 5
comprendre to understand
compresse *f.* compress
compter to count, intend, take into account, consider; **à — de** counting from, beginning with; **à pas comptés** step by step, with measured steps
comptoir *m.* counter, agency, firm
concentrer to concentrate
conception *f.* conception, understanding, idea
concevoir to conceive, imagine
concierge *m.* and *f.* doorkeeper
conclure to conclude
conçois *pres. of* **concevoir**
concréter to make concrete, make specific
conçut *past def. of* **concevoir**
condamnation *f.* condemnation, conviction

condamner to condemn, sentence
condescendant condescending
condition *f.* condition, way of living, station in life, service, employment
conditionné : bien — cf. note to p. 13, l. 6
conducteur *m.* conductor, driver
conduire to conduct, guide, accompany, escort, lead, drive
conduite *f.* conduct, behavior
confesser to confess, avow; **— sa foi** to declare one's faith
confiance *f.* confidence, trust
confiant trusting
confidence *f.* intimacy, sharing of a secret
confondre to confound, confuse, entangle, mix, mingle; **que le diable te confonde!** may the Devil confound you! **se —** to be confounded, mingled
conforme à in conformity with
confortable comfortable
confronter to confront
confus confused, embarrassed
confusément confusedly, vaguely
confusion *f.* shame
congé *m.* leave
congestionner to congest
conjugal conjugal, matrimonial
connaissance *f.* acquaintance, knowledge; **faire — avec** to get acquainted with
connaisseur *m.* good judge
connaître to know, be acquainted with
conquérir to conquer
conquête *f.* conquest
consacré *adj.* and *p.p.* customary, stock (phrase)
consacrer to devote
conscience *f.* consciousness, awareness, conscience; **avoir — de** to be aware of, conscious of; **prendre — de** to become conscious of; **perdre — de** to forget

conseil *m.* council
conseiller to advise
consentement *m.* consent
consentir to consent
conserver to keep, preserve
considérable considerable, important
considérer to examine
consigne *f.* orders
consister to consist (**en** of)
consolant consoling, comforting, cheering
constamment constantly
consumer : se — to be consumed, be burned
conte *m.* story, short story
contempler to contemplate, gaze at
contempteur *m.* scorner, despiser
contenance *f.: se donner une —** to put on a good countenance, maintain one's composure
contenir to contain, restrain
content glad, happy, satisfied
contentement *m.* satisfaction
contenter to satisfy; **se —** to be contented
contenu *adj.* contained, restrained
contenu *m.* contents (*pl.*)
conter to tell, relate
continu continuous
continuer to continue
contracter to contract (sickness), catch
contraindre to constrain, force, oblige
contrainte *f.* constraint
contraire contrary, opposite; **au —** on the contrary
contrairement à contrary to
contrarier to cross; **contrarié** vexed
contravention *f.* violation (of regulations)
contre close to; **tout —** quite close to
contretemps : à — out of time

convaincre to convince

convaincu convinced

convenable decent, proper, suitable

convenance : à sa — to her liking; convenances *f. pl.* proprieties, principles, good manners

convenir to suit, be proper, be right, agree

conversation *f.* conversation; lier — to start a conversation

convînmes *past def. of* convenir

convive *m.* table companion, person at table

convoitise *f.* covetousness, greed

convulsi-f, -ve convulsive

copie *f.* copy, paper, theme

coq *m.* cock, rooster

coque *f.* bow (of ribbon); bonnet à — cap with ribbons tied in a bow

coquetterie *f.* coquettishness, fastidiousness, smartness

coquille *f.* shell

coquin *m.* rascal, rogue

corde *f.* rope, string

cordonnerie *f.* shoeshop

cordonnière *f.* shoe seller

corne *f.* horn

corps *m.* body

correctionnel, -le : tribunal — police court

correspondre to correspond

corridor *m.* corridor, hall

corriger to correct

Corse *f.* Corsica; *m.* Corsican

corse *adj.* Corsican

côte *f.* side, coast, shore; — à — side by side

côté *m.* side; à — de by the side of, beside; de — on one side; du — de on the side of, in the direction of, towards; d'un autre — on the other side, on the other hand; de tous côtés on all sides

coton *m.* cotton

cou *m.* neck

couche *f.* couch, bed; arbre de — shaft, driving shaft

coucher to put to bed, spend a night, sleep; — en joue to aim at; couché *p.p.* lying, lying down; se — to go to bed

couchette *f.* couch, cot, berth, bunk

coucheur *m.:* mauvais — disagreeable fellow, quarrelsome guy

coude *m.* elbow; lever le — to raise a glass, raise one's elbow, drink too much

couler to flow, run, leak, cast; se — to creep, slip along

couleur *f.* color

couloir *m.* corridor, hallway

coup *m.* blow, cut, stroke; à — sûr certainly, surely; d'un — at one gulp; d'un seul — at one stroke, at once, once for all; du même — at the same time; au *or* du premier — at first glance, right off; tout à — suddenly, all of a sudden; tout d'un — all at once; à coups de with blows from, by means of; — de botte kick; — de feu shot; — de fusil gunshot; — d'état violent change of government; — d'œil glance; — de théâtre sudden striking change

coupable guilty

coupe *f.* cut; sous sa — under his or her thumb

couper to cut, cut off, cross, interrupt, intersect

cour *f.* court, courtship, courtyard; faire la — à to make love to

courageusement courageously, bravely

courageu-x, -se courageous, brave

courbe *f.* curve

courbé curved, bent, bowed

courir to run, rove

courrier *m.* mail, mailboat

courroie *f.* strap

cours *m.* course, class, public walk, promenade, avenue; **faire un —** to teach or conduct a course

course *f.* course, race

court short; **tout —** just that, only that, simply that

cousin *m.* **cousine** *f.* cousin

coussin *m.* cushion, pillow

couteau *m.* knife

coûter to cost

coûteu-x, -se costly, expensive

coutume *f.* custom, habit; **avoir — de** to be in the habit of

couvée *f.* brood, hatch

couvent *m.* convent

couvercle *m.* cover

couvert *adj.* covered

couvert *m.* table things; **le vivre et le —** board and lodging; **à — ** under cover, protected, in safety

couverture *f.* blanket, covering

couvrir to cover

crac crack

cracher to spit

craindre to fear

crainte *f.* fear

crainti-f, -ve fearful, timid

cramponner: se — to cling

crâne *m.* skull

craquement *m.* crackling, creaking

crasseu-x, -se dirty

crayon *m.* pencil

créature *f.* creature

crèche *f.* manger, nativity scene

crédit *m.:* **à —** on credit

credo *m.* creed

crénelé battlemented, crenellated

crépu curly, frizzled

crête *f.* comb

crêté crested

creuser to dig

creu-x, -se hollow

creux *m.* hollow, pit

crevé burst, broken, dead

crever (*colloq.* of persons) to die, kick the bucket

cri *m.* cry; **pousser un —** to utter a cry

criard noisy, squalling, shrill

criée *f.* auction sale

crier to cry, cry out, shout

crieur *m.* town crier

crise *f.* crisis, attack

crispé clenched, contracted

critique *f.* criticism; *m.* critic

croire to believe; **— aux revenants** to believe in ghosts

croisé crossed

croix *f.* cross

croquer to crunch

crosse *f.* butt (of a gun)

crotte *f.* dirt, mud

croyant *m.* believer

cru *p.p. of* **croire**

cruche *f.* jug, pitcher

cruel, -le cruel

cruellement cruelly, painfully

crut *past def. of* **croire**

cueillir to pick

cuir *m.* leather, scalp

cuisine *f.* kitchen

cuisse *f.* thigh

cuit cooked; (of wine) mulled

cuite *f.* (*colloq.*) **tenir une —** to get drunk or " tight "

culbuter to turn over, turn upside down

culotte *f.* breeches, trousers

cultivateur *m.* agriculturist, farmer

cultiver to cultivate

curé *m.* (parish) priest

curieu-x, -se curious; *n.m.* curious person

curiosité *f.* curiosity

cylindrique cylindrical

D

daigner to deign
daim *m.* deer
dame *f.* lady
dame *interj.* well of course!
heavens, yes! **et —!** and how!
dangereu-x, -se dangerous
danser to dance
datte *f.* date
davantage more
débâcle *f.* disaster, ruin, collapse
débarrasser: se — to get rid
débat *m.* debate, discussion
déborder to overflow
déboucher to come out, emerge
debout standing; **se tenir —** to
remain standing, stand
debussyesque in the manner of
Debussy
début *m.* beginning, outset
débuter to begin, start
décembre *m.* December
déchaîner to unchain, let loose
décharger to unload, release
déchéance *f.* decadence, downfall
déchirant heartrending
déchirer to tear; **se —** to be
torn
décider to decide, determine; **se
—** to make up one's mind
décoller to disengage, loosen
décoloré colorless
décomposer to discompose, upset
déconcerter to disconcert
déconvenue *f.* disappointment,
failure
décor *m.* scene
décorer to decorate
décortiquer to peel, husk
découragé discouraged
découragement *m.* discouragement
découvrir to discover, expose; **se
—** to be discovered
décret *m.* decree

décrire to describe
décrocher to unhook, take down
décroître to decrease
déçu disappointed
dédain *m.* disdain
dedans inside; **là-dedans** in
there, in it, in that; **mettre —** to
deceive, fool, take in
dédire: se — to go back on one's
word
dédommager to indemnify, com-
pensate, make up for
défait exhausted-looking, " all in "
défaut *m.* defect, fault
défendre to defend, forbid; **défendu** forbidden
déférent respectful
déformer to deform, distort
dégagé released, relieved, liber-
ated
dégager to give off, emit
dégoût *m.* disgust
degré *m.* degree
déguenillé ragged
dehors outside, out of doors; **en
— de** outside of, beyond
déjà already
déjeuner to lunch, have lunch,
take lunch
déjeuner *m.* lunch
delà: au-delà de beyond
délabré shattered
délabrer to shatter, destroy, ruin
délayer to dilute, make watery,
liquefy
délectable delicious
délecter: se — to delight, take
delight (**à** in)
délicat delicate, refined, dainty
délinquant *m.* delinquent, offender
délire *m.* delirium
délit *m.* misdemeanor, offense
délivrer to release, set free

demain tomorrow
demande *f.* request
demander to ask, ask for; **se —** to wonder
démêlé *m.* dispute, quarrel
démener: se — to bustle about, rush about
demeurer to remain, stay, live
demi half; **demi-siècle** half a century
démoraliser to demoralize
dénaturer to ruin the reputation of, slander
dénégation *f.* denial
dénouement *m.* denouement, end
dent *f.* tooth
dentelle *f.* lace
départ *m.* departure, starting
dépasser to exceed, go beyond
dépêche *f.* message, telegram
dépêcher: se — to hasten, hurry, make haste
dépendre to depend (**de** on)
dépense *f.* expense
dépérir to pine away, waste away
dépeupler: se — to become depopulated
dépit *m.* spite, vexation
déplaisant displeasing, unpleasant
déplorable deplorable, lamentable
déposer to lay down, give evidence
déposition *f.* deposition, testimony
dépôt *m.* prison, jail
depuis since, for; **— peu** recently, lately; **— que** since
dérisoire derisive, pitiful
derni-er, -ère last
dérober to steal, rob
dérouler: se — to develop
derrière *adv.* and *prep.* behind
derrière *m.* backside, back, tail
dès from, as early as; **— que** as soon as; **— l'abord** at the very first, at the outset
désappointer to disappoint
désarmer to disarm, lay down one's arms

descendre to descend, go down, come down, bring down, take down
déséquilibré unbalanced, not well balanced
désert deserted, unfrequented
désespéré desperate
désespérer to fill with despair
désespoir *m.* despair
déshonorer to dishonor, disgrace
désigner to designate, indicate
désir *m.* desire
désobéissance *f.* disobedience
désoler to desolate, distress
désordonné disorderly, disordered, excessive
désordre *m.* disorder
désormais henceforth, hereafter, from this time on
dessalée *f.* (*colloq.*) harlot
dessein *m.* purpose, plan
desserrer to loosen, open
desservir to clear (a table), remove dishes from (a table)
dessin *m.* design
dessiner to draw, design
dessous under
dessus above, upon (it); **prendre le —** to get the best of it, get the upper hand
destin *m.* destiny
détaché detached, separated
détachement *m.* detachment, squad
détacher to detach, take one's eyes off or from (something)
détendre to ease, relax tension; *p.p.* relaxed
détente *f.* easing, relaxation
déterminer to determine
détour *m.* bend, turn
détourné indirect, round about
détourner to turn aside or away, divert; **se —** to turn aside or away
détresse *f.* distress
détromper to undeceive, set right

deuil *m.* mourning; **faire —** to grieve, distress

deux two; **tous (les) deux** both

dévaler to come or run down

devant before, in front of, in the presence of; **au — de** ahead of, towards

devanture *f.* shopfront

développement *m.* development

développer to develop

devenir to become, get, turn; **ce qu'il est devenu** what has become of him

dévier to deviate, grow crooked, warp

deviner to divine, guess, make out, see dimly or vaguely

dévisager to stare at

devoir ought, have to, owe; (*imperf. tense*) was to; (*fut. tense*) will have to; **il (elle) a dû** he (she) had to; **il (elle) avait dû** he (she) must have

devoir *m.* duty, exercise, homework; **se faire un — de** to make it a matter of principle to

dévorer to devour, consume; **— du regard** to gloat over

dévouement *m.* devotion

diable *m.* devil; **le — soit de** the devil take; **se donner au —** to give up

dicter to dictate

dictionnaire *m.* dictionary

dieu *m.* God; **mon —** good heavens!

difficile difficult, hard to please

diffus diffuse, wordy

digne worthy, dignified

dignité *f.* dignity

dimanche *m.* Sunday

diminuer to diminish, lessen, decrease

dîner *m.* dinner; *vb.* to dine, have dinner

dîneur *m.* diner

diplôme *m.* diploma

dire to say, tell; **c'est-à-dire** that is to say; **c'est dit** it's agreed; **pour ainsi —** so to speak, so to say, as it were

diriger to direct, aim, point; **se — vers** to direct one's steps towards, go towards

discordant discordant, harsh, dissonant

discourir to discourse

discours *m.* discourse, speech

discuter to discuss

disparaître to disappear, vanish

dispenser to dispense, exempt, excuse

disperser: se — to scatter

disposer to prepare; **se — à** to prepare to, make ready to, be about to

disposition *f.* aptitude

distance: à — at a distance

distant distant, reserved

distingué elegant, distinguished

distinguer to distinguish

distrait absent-minded

distraitement absent-mindedly, carelessly

divan *m.* divan, couch, sofa

divin divine

diviser to divide

dix ten; **dix-huit** eighteen; **dix-sept** seventeen

docteur *m.* doctor

doigt *m.* finger

domaine *m.* domain

domestique *adj.* domestic; *n.m.* servant

dominant dominant, predominant

dominer to dominate

dommage *m.* damage; **c'est —** it is a pity

don *m.* gift

donc then, therefore, so; **pensez —** just think

donner to give, produce, yield; **s'en —** to indulge oneself, let oneself go

dont of which, of whom, whose
dormir to sleep
dos *m.* back
dossier *m.* record, file
doucement gently, quietly, slowly, softly
doucereu-x, -se sweetish, mild
douceur *f.* gentleness, softness, meekness
doué endowed
douleur *f.* ache, pain, grief, sorrow
douloureu-x, -se painful, grievous, sorrowful
doute *m.* doubt; **sans —** no doubt, probably
douter to doubt; **se — (de)** to suspect
douteu-x, -se doubtful, uncertain
dou-x, -ce gentle, mild, soft, sweet
douzaine *f.* dozen
douze twelve
drame *m.* drama, catastrophe
drap *m.* sheet

drapeau *m.* flag
draper to drape
dressé erect, standing; **dressé contre** confronting
dresser to prepare, set up, train; **se —** to sit up, stand up, rise
droit *adj.* erect, straight, upright; *adv.* straight; *n.m.* right, law
droite *f.* right hand, right side
drôle *adj.* funny; **quel — de garçon** what a funny or queer fellow! *n.m.* rogue, scamp, scoundrel
dû *adj.* due; *p.p. of* **devoir**
duc *m.* duke
duchesse *f.* duchess
dur hard, harsh; **être — au travail** to be a hard worker
durant during, for; **une heure —** a whole hour
durcir to harden, stiffen
durée *f.* duration
durer to endure, last, hold out
dynamique dynamic

E

eau *f.* water, liquid, juice; **se jeter à l'—** to plunge in
eau-de-vie *f.* brandy; **cerises à l'—** brandied cherries
éblouissant dazzling
ébranler to shake
écaille *f.* shell, tortoise shell
écailleur *m.* oyster opener
écarlate scarlet
écarter to dispel, separate, spread; **— les genoux** to set one's knees far apart
échafauder to build, erect
échancrure *f.* neck opening (of a dress)
échanger to exchange
échapper to escape; **s'—** to escape, fall out
échaudé *m.* a kind of pastry or cake

échec *m.* check, failure, reverse
échelle *f.* ladder
éclairer to lighten, illuminate, enlighten, instruct, brighten
éclat *m.* burst, outburst, crash
éclatant brilliant, dazzling
éclater to break out, burst out, explode; **— de rire** to burst out laughing
école *f.* school
écolier *m.* schoolboy
écoli-er, -ère *adj.* school
économe economical, thrifty
économiser to economize, save
écorner to cut into, diminish, impair
écouter to listen (to)
écraser to crush; **s'—** to be crushed

écrier: s'— to exclaim
écrire to write
écu *m.* crown (obsolete coin worth 3 francs); (*fig.*) money
écume *f.* foam
écumer to foam, seethe
écurie *f.* stable
édenté toothless
édifiant edifying
éducatrice *f.* educator
effacer to efface, erase, remove, blot, rub, scratch out; **s'—** to become blotted out
effarer to frighten, scare, bewilder, startle
effaroucher to frighten, startle, scare
effet *m.* effect; **en —** indeed, in fact
effleurer to graze, touch lightly
effondrement *m.* collapse
efforcer: s'— to strive, endeavor, make great efforts
effrayant frightful, frightening
effrayer to frighten, terrify
effroi *m.* fright, terror
effrontément shamelessly
égal equal, all the same; **c'est —** it doesn't matter
également also, likewise
égard: à l'— de, eu — à considering
égaré wandering, bewildered, distracted, wild
égarer to lead astray, get off the track
église *f.* church
égout *m.* drain, sewer
égrener to tell (a rosary)
égyptien, -ne Egyptian
eh *interj.:* **— bien!** well!
élan *m.* flight, soaring
élargir: s'— to widen
électricité *f.* electricity
élégance *f.* elegance, style
élève *m.* and *f.* pupil, student
élever to raise; **s'—** to rise, arise

éloge *m.* praise
élogieu-x, -se praiseful, laudatory
éloigné far, averse, reluctant
éloigner to get (some one) away; **s'—** to go away, move away, depart, become aloof from
Élysée *m.* Élysée (official residence, in Paris, of French President)
émacié emaciated
emballage *m.* packing, wrapping
embarquement *m.* embarking
embarquer to embark, ship, put on board ship
embarras *m.* difficulty, trouble, (traffic) jam
embarrassé embarrassed, perplexed
embaumer to smell good
embouché: mal — foul-mouthed, coarse (of speech)
embrasser to embrace, kiss; *p.p.* in one's arms
embrouiller to entangle, confuse, mix up
embuscade *f.* ambush
émerger to emerge
émerveiller: s'— to marvel, wonder, be astonished
emmailloter to bind, wrap, swathe
emmener to take (away), lead (away)
émouvant moving, touching
empaqueter to pack up, wrap up
emparer: s'— to grasp, seize
empêcher to prevent; **n'empêche** nevertheless, notwithstanding, in spite of that
empesé starched
empêtrer to entangle
emphase *f.* excessive emphasis, pomposity; **avec —** pompously
emplir to fill; **s'—** to be filled
emploi *m.* use, function, occupation
employé *m.* employee
employée *f.:* **— de magasin** salesgirl

empoigner to grasp, catch, seize, arrest, " pinch "

empoisonner to poison, infect

emporter to carry away, take (away); determine (a decision)

empressement *m.* alacrity, eagerness; **avec —** eagerly

empresser: s'— to hasten

emprisonner to imprison

emprunter to borrow

ému moved, touched, stirred, emotional

encapuchonné hooded

enchaîner to chain

enchanter to delight, enchant

encoignure *f.* corner, angle

encombrant burdensome, cumbersome

encombrement *m.* obstruction, stoppage, crowding; **— de voitures** traffic jam

encombrer to crowd, cram, fill

encore still, yet, further

encourager to encourage

encre *f.* ink

endimancher to dress in Sunday clothes; **endimanché** overdressed, " all dolled up "

endormi asleep, sleeping, sleepy, drowsy

endormir to put to sleep; **s'—** to fall asleep

endroit *m.* place, spot, locality

endurer to endure

énergie *f.* energy

énergique energetic

enfance *f.* childhood

enfant *m.* child, youngster

enfermer to enclose, contain; **s'—** to shut oneself up

enfiévrer to make feverish

enfin at last, finally, after all, in short, anyhow

enfler to swell (up)

enfoncer to thrust; sink; **s'—** to penetrate, sink

enfouir to bury, hide

enfuir: s'— to flee, race by, disappear

engageant engaging, inviting

engager to engage, involve, risk

engelure *f.* chilblain

engouffrer: s'— to be engulfed, rush, rush down

engraisser to grow fat, put on weight

engueuler (*colloq.*) to bawl out

énigmatique enigmatic

enivrer to intoxicate, enrapture

enjoué playful, jovial

enjouement *m.* playfulness, humor, joviality

enlèvement *m.* capture

enlever to take away, remove

ennemi *m.* enemy

ennui *m.* annoyance, worry, vexation, boredom

ennuyer to bore; **s'—** to be bored

énorme enormous

enquête *f.* inquiry, investigation

enragé crazy, mad; **— pour** crazy about, infatuated with

enrager to be mad, be enraged (**de** at)

enrayer to check, put a stop to

enrichir to enrich, make rich; **s'—** to grow rich

ensacheuse *f.* binder

enseigne *f.* sign

enseigner to teach

ensemble *adv.* together; **d'—, dans l'—** as a whole, all together; *n.m.* whole

ensuite next, then, afterwards

ensuivre: s'— to follow, ensue

entamer to begin, open

entasser to heap up, pile up

entendre to hear, expect, mean, understand; **— parler de** to hear of; **entendu** agreed, understood; **bien entendu** of course; **airs entendus** knowing airs

enterrer to bury

entêté stubborn, obstinate
enthousiasme *m.* enthusiasm
enthousiasmer to render enthusiastic, enrapture, transport
enthousiaste enthusiastic
enti-er, -ère entire, whole
entonner to begin to sing, intone
entour: à l'— around, round about
entourer to surround
entraîner to draw, draw along, involve
entraver to hinder
entre between, into, in; **d'—** among, of, out from
entrée *f.* entrance, entering
entreprendre to undertake, take in hand; (*colloq.*) attack, go after, worry
entrer to enter, come or go in
entretenir to keep up, maintain, talk to
entretien *m.* support, upkeep, company, conversation
entrevoir to glimpse, see vaguely
entr'ouvert ajar, half-open
énumérer to enumerate
envahir to invade
envelopper to enfold, wrap up
envenimer: s'— to become infected
enverrai *fut. of* **envoyer**
envers towards, to
envie *f.* desire; **avoir — de** to desire, want, feel like; **faire —** to be tempting
envier to envy
environs *m.pl.* environs, vicinity, neighborhood
envoi *m.* consignment, shipment
envoler: s'— to fly away, fly up, be carried off
envoyer to send
épais, -se thick
épargner to spare
épatant (*colloq.*) wonderful, swell, terrific, great

épaule *f.* shoulder; **hausser** or **lever les —s** to shrug one's shoulders
épave *f.* wreck
épi *m.* ear (of wheat)
épier to watch, be on the watch for
épingle *f.* pin
épingler to pin
époque *f.* epoch, time
épouse *f.* wife
épouser to marry
époux *m.* husband; *pl.* husband and wife, couple
épreuve *f.* test, ordeal
éprouvé affected
éprouver to experience, feel
épuiser: s'— to exhaust oneself, wear oneself out
équipage *m.* crew
équipe *f.* team
équitation *f.* riding
errer to wander
erreur *f.* error, mistake
escabeau *m.* stool
escalier *m.* stairs
escarre *f.* scab (of wound)
escopette *f.* carbine
espace *m.* space
Espagne *f.* Spain
espèce *f.* species, kind
espérance *f.* hope
espérer to hope, hope for
espoir *m.* hope
esprit *m.* spirit, mind
essayer to try
essuyer to wipe, wipe off
esthète *m.* aesthete
estimer to esteem, consider
estomac *m.* stomach
estrade *f.* platform
et and
étable *f.* stable, barn
établir to settle, establish; **s'—** to set oneself up (in business)
étal *m.* stall, shop
état *m.* state, condition, profes-

sion; — **civil** legal status; **mettre hors d'— de** to render unable to

États-Unis *m.pl.* United States

été *m.* summer

été *p.p. of* **être**

éteindre to extinguish; **s'—** to be extinguished, die out; **éteint** feeble, faint, almost invisible

étendre: s'— to extend, stretch out

étendu extensive

étendue *f.* extent, expanse

éternel, -le eternal, everlasting

éterniser to perpetuate, drag out

éternité *f.* eternity

éther *m.* ether

étinceler to sparkle

étincelle *f.* spark

étiquette *f.* label

étirer: s'— to stretch, stretch one's limbs

étoile *f.* star

étonnant astonishing, amazing, marvelous, wonderful

étonner to astonish; **s'—** to be astonished, be surprised

étouffer to suffocate, smother; (*colloq.*) stuff

étrange strange

étrangement strangely

étrang-er, -ère strange, foreign, unknown; *n.m.* stranger, foreigner

étranglé strangled, choking

être to be; *n.m.* being, creature

étriqué narrow, scanty

étroit narrow, strict

étude *f.* study, study hall, classroom

étudiant *m.* **étudiante** *f.* student

étudier to study

eurent *past def. of* **avoir**

eussent *imperf. subj. of* **avoir**

eut *past def. of* **avoir**

eux them; **eux-mêmes** themselves

évacuer to evacuate, empty, clear

évaluer to evaluate, value

évangile *m.* Gospel

évanouir: s'— to faint, swoon, lose consciousness

éveil *m.: en —** awake

éveillé wideawake

événement *m.* event

éventrer to rip open, break open

évidemment *m.* evidently

évier *m.* sink

éviter to avoid

évoquer to evoke

exact accurate, strictly correct

exactement exactly

exagérer to exaggerate

exaltant exciting

exalter to exalt, extol, excite

examiner to examine

exaspérer to exasperate; **s'—** to become exasperated

excéder to exceed; tire out, wear out

excepter to except, exclude

excès *m.* excess, intemperance, violence

exclamer: s'— to exclaim

excuser: s'— to apologize; **je m'excuse** I beg your pardon

exemple *m.* example; **par —** for example

exercer: s'— to practice

exercice *m.* exercice, use

exhaler to emit; **s'—** to be exhaled, be emitted

exhorter to exhort, encourage

exigence *f.* demand, requirement

exiger to require

exiguïté *f.* smallness

exister to exist

explication *f.* explanation

expliquer to explain; **s'—** to express oneself, express one's ideas; **— le coup** to explain everything

exploiter to exploit

explorer to explore

explosion *f.* outbreak

exportation *f.* export
exposer to expose, explain, state
exprimer to express, indicate;
s'— to express oneself, express one's thoughts

expulser to expel, oust
extériorisation *f.* exteriorization
extraordinaire extraordinary
extrémité *f.* extremity, end

F

fabriquer to manufacture
face *f.* face; **— à** facing; **en —
(de)** opposite (to); **se faire
—** to face each other
fâché angry, displeased, on bad terms
fâcher: se — to get angry
facile easy
facilement easily
facilité *f.* facility, readiness of speech
façon *f.* manner, way; **à sa —**
in one's own way; **de cette —** in this way, in that way; **de la belle
—** in the right way
fagot *m.* bundle of sticks
faible feeble, weak
faiblement feebly, weakly
faiblesse *f.* weakness
faïence *f.* earthenware, crockery
faillir to be on the point of
faim *f.* hunger; **avoir —** to be hungry
fainéant *m.* loafer, do-nothing
faire to do, make, cause, say, act like, imitate, (of trip) take; **se —**
to be done, be carried on;
se — une idée to formulate an idea; **ne t'en fais pas** don't take it to heart, don't get worked up over it
faire-part *m.* announcement
faiseur *m.* bluffer, humbug
fait *m.* fact; **en —** in fact, in reality; **en — de** with regard to;
par le — in fact; **dire son — à**
to give some one a piece of one's mind, say what one thinks of a person

falloir to be necessary, be required, need, must, ought, should;
il fallait it was necessary, (one) ought to have; **il ne faut pas, il
ne fallait pas** one must not, one should not
famé: bien — of good repute, of good reputation
famélique starving
fameu-x, -se famous, excellent, wonderful, precious
familiarité *f.* familiarity
famili-er, -ère familiar
famille *f.* family
fané faded
faner: se — to fade, wilt
fantôme *m.* phantom, ghost, spectre
farandole *f.* cf. note to p. 41, l. 1.
fard *m.* cosmetic
fardeau *m.* burden
farine *f.* flour
farineux *m.pl.* mealy foods, foods to fatten one
farouche wild, shy, timid
fatigant fatiguing, tiring
fatiguer to tire, weary
faubourg *m.* district, suburb
fauchage *m.* mowing
faucher to mow
faudra *fut. of* **falloir**
faussement falsely
faut *pres. of* **falloir**
fauteuil *m.* armchair
fauve *m.* wild beast
fau-x, -sse false, artificial, imitation
faveur *f.* favor
favori *m.* whisker

féculent *m.* starchy food
fée *f.* fairy
feindre to feign, pretend
féliciter to congratulate
femme *f.* woman, wife; **prendre — ** to marry, take a wife
fendre to break, rend
fenêtre *f.* window
fer *m.* iron; (animals) shoe; **fers** *m.pl.* chains
ferme firm
ferme *f.* farm
fermement firmly
fermer to close; **— à clef** to lock
fermeté *f.* firmness
fermier *m.* farmer
ferré tipped with iron
ferrer to hook
fertiliser to fertilize
ferveur *f.* fervor
fête *f.* festival, holiday; **jour de — ** holiday
feu *m.* fire; **faire — ** to shoot; **mettre le — à** to set fire to, set on fire; **au — ** under fire; in battle; **coup de — ** shot; **donner du — ** to give a light
feuillage *m.* foliage
feuille *f.* leaf
feuilleter to turn over, thumb, peruse
fiacre *m.* cab
ficeler to tie with string, tie up
ficelle *f.* string, trick
ficher to give; **— une contravention** to give a "ticket" (for lawbreaking)
fichu *m.* neckerchief
fidèle faithful, loyal
fidélité *f.* faithfulness, accuracy
fi-er, -ère proud
fièrement proudly, haughtily
fièvre *f.* fever
fiévreu-x, -se feverish
fifre *m.* fife
figure *f.* face

figurer to figure, appear; **se — ** to imagine
fil *m.* thread; **— de fer** wire
filer to spin; (*colloq.*) go, run
fille *f.* daughter; **jeune — ** girl; **vieille — ** old maid
fillette *f.* little girl
fils *m.* son
fin *adj.* fine, dainty
fin *f.* end; **à la — ** in the end, finally, at last; **sans — ** endlessly
finalement finally
finauderie *f.* cunning, slyness
finesse *f.* trick, artifice
finir to finish; **je finis par penser** I ended by thinking, I finally thought
firent, fit *past def. of* **faire**
fixe fixed
fixement fixedly
fixer to fix, fasten, stare at, gaze; **— l'attention de** to attract and keep one's attention
flacon *m.* flask, bottle
flamber to flame, blaze up
flamme *f.* flame
flâner to idle, loaf, loiter
flanquer to fling, throw; **— des coups de bottes** to kick
flaque *f.* puddle
flatter to flatter
fléchir to bend, give way, weaken
flétrir to fade, wither
fleur *f.* flower
fleuri flowered, decorated with flowers
fleuve *m.* river
flic *m.* cop
flot *m.* wave; **mettre à — ** to set afloat
flotter to float
flûte *f.* flute
foi *f.* faith, belief, trust; **de bonne — ** in good faith, sincerely; **ma —!** upon my word! goodness! really!
foie *m.* liver

foin *m.* hay

foire *f.* fair; (*colloq.*) hubbub

fois *f.* time; **une —** once; **deux — ** twice; **à la —** at the same time; **encore une —** once more; **une bonne —** once for all

folie *f.* nonsense

folle see **fou**

fond *m.* bottom, depth, background, end, back; **à —** deeply, thoroughly; **au —** at bottom, on the whole, after all, at heart

fonder to found, establish

fonds *m.* stock; **les — de boutique** shopworn leftovers

fontaine *f.* fountain

force *f.* force, strength; **à — de** by dint of, by reason of; **de toutes ses —s** with all one's might, as loud as one can

forcer to force, compel, oblige, break open

forêt *f.* forest

forme *f.* form, shape, figure

former to form

formidable formidable, terrific

fort *adj.* strong, powerful; **se faire — de** to feel confident of being able to; **le plus —, c'est** the worst of it is that; **celle-là est forte** that's a good one; **au plus — de** at the climax of, at the height of, at the worst of

fort *adv.* very, very much, loud; **avoir — à faire** to have much to do

fort *m.* **au — de** at the height of

fortement strongly, emphatically

fossé *m.* moat, ditch

fou, fol, folle *adj.* mad, crazy, insane, wild; **— de** crazy about, mad about

fou *m.* madman, lunatic, fool

foudroyant thundering, terrifying

fouet *m.* whip; **donner le — à** to whip, thrash

fouetter to whip

fouiller to rummage, search

foule *f.* crowd, multitude

fouler to press

fourbir to polish

fournir to supply, stock

fourré tangled, thick

fourrière *f.:* **en —** impounded

foyer *m.* hearth, home; **à son —** in his home

fragile fragile, frail

fraîcheur *f.* freshness

frais, fraîche *adj.* fresh, cool

frais *m.* cool, coolness; **prendre le —** to enjoy the cool air

frais *m.pl.* expenses; **à peu de —** at a slight cost, easily; **à grands —** at great expense

français *adj.* French; *n.m.* French (language)

Français *m.* Frenchman

franchir to go beyond, surmount

frange *f.* fringe

frapper to strike, hit, knock, impress

fraternel, -le brotherly

frayer: se — un passage to clear a way for oneself

frayeur *f.* fright, fear

frêle frail, fragile

frémissant quivering, trembling

frère *m.* brother

fricoteur *m.* glutton, one who indulges in food and drink

friction *f.* friction, rubbing

fripon *m.* rascal, rogue

friser to curl

froid *adj.* cold

froid *m.* cold, chill, coldness

froissement *m.* rumpling, rustling

froisser to crumple, rumple, offend, vex

frôlement *m.* light contact, touch

frôler to brush against, touch lightly

fromage *m.* cheese

froment *m.* wheat

froncer : — les sourcils to knit one's brows, frown
front *m.* brow, forehead
fuir to flee, avoid, take flight
fuite *f.* flight; **mettre en —** to put to flight
fumée *f.* smoke
fumer to smoke; to fertilize

fumier *m.* manure
furent *past def. of* **être**
fureur *f.* fury, frenzy, rage
furieu-x, -se furious, angry
furti-f, -ve furtive, stealthy
fus *past def. of* **être**
fusil *m.* gun; **coup de —** gunshot
fut *past def. of* **être**

G

gageure *f.* wager, bet; **par —** on a bet
gagner to gain, earn, reach
gai gay
gaieté *f.* gaiety; **en —** merry
gaillard *adj.* gay, brisk, hearty; *n.m.* chap, fellow
galeu-x, -se *adj.* mangy, scabby; *n.m.* (*freely*) mongrel
galon *m.* braid, binding, trimming, lace, stripe
galop *m.* gallop
gamin *m.* youngster
gant *m.* glove
garçon *m.* boy, young man, fellow; **— boucher** butcher's assistant
garde *f.* guard, nurse; **prenez — de** take care not to
garde *m.* guard, warden
garder to guard, keep; **se — de** to take care not to
gardien *m.* guardian; **— de la paix** policeman
garnement *m.* rascal, rogue, scamp
garni *adj.* provided, fitted (**de** with)
garnir to furnish, trim
garrotter to bind, tie up
gars *m.* chap, lad
gaspiller to waste, squander
gâteau *m.* cake
gâter to spoil
gauche *adj.* left; *n.f.* left side
gaz *m.* gas; **bec de —** gaslight

gazon *m.* lawn, turf, grass
géant *m.* giant
geindre to moan
gémir to groan
gendarmerie *f.* rural police
gendre *m.* son-in-law
gêne *f.* constraint, difficulty, embarrassment
gêner to be in the way of, trouble, upset
général *adj.* general; *adv.* **en —** in general, generally
généreu-x, -se generous, plentiful, noble
générosité *f.* generosity
génial : être — to be a genius, have genius
génie *m.* genius
genou *m.* knee; **à —x** kneeling, on one's knees
genre *m.* kind, species, sort; **bon —** elegant, stylish, genteel
gens *m.pl.* people; **jeunes —** young men
gentil, -le nice
gentiment nicely, kindly, pleasantly
géographie *f.* geography
géomètre *adj.* geometrical; *n.m.* geometer
gerbe *f.* sheaf, cluster
gésir to lie
geste *m.* gesture
giberne *f.* cartridge pouch; school-bag
gifle *f.* slap

gifler to slap (in the face)
gigot *m.* leg of lamb, leg of mutton
gisait, gisaient *imperf. of* **gésir**
glacé icy
glacial glacial, icy
glaise *f.* clay; **terre —** clay
glapissant screeching, yapping, yelping
glisser to glide, slip, move along
gloire *f.* glory
gloussement *m.* clucking, chuckle, titter
goguenard jeering, mocking, teasing
gonflé swollen, puffed up, inflated
gonfler: se — to swell
gorge *f.* throat; **mal de —** sore throat; **à pleine —** at the top of one's voice; **la — serrée** his throat choking
gosier *m.* throat
gosse *m.* (*colloq.*) brat, kid
gouffre *m.* abyss, chasm
gourde *f.* gourd, flask
gourmand greedy
gourmander to scold
gourmandise *f.* greediness, relish
goût *m.* taste, liking
goûter to taste
goutte *f.* drop
gouttière *f.* (*surg.*) cradle, splint
gouvernement *m.* government
grâce *f.* favor, mercy, charm, gracefulness; **faire — à** to pardon, spare, forgive, let off
gracieu-x, -se gracious, courteous
graine *f.* seed
grand big, great, tall; **un pas grand'chose** a no-account fel-

low; *adv.* wide; **— ouvert** wide open
grandeur *f.* grandeur, greatness
grandir to grow tall, increase, rise
grand-parent *m.* grandparent
grand-père *m.* grandfather
gras, -se oily, waxy, heavy, thick
gratte-ciel *m.* skyscraper
gravats *m.pl.* old plaster, rubbish
grave serious, solemn
gravement gravely, seriously, solemnly
gravité *f.* seriousness
gré *m.* will; **au — des flots** at the will of the waves
greffe *m.* clerk's office
grès *m.* sandstone
griffe *f.* claw
grille *f.* iron frame
grimace *f.* grimace, wry face
gris gray
griser to intoxicate
grondement *m.* booming, pealing
gronder to boom, growl, scold
gros, -se big, fat, stout; **— mot** swear word, oath, profanity
grossir to enlarge, grow bigger, swell
groupe *m.* group
guenille *f.* rag
guère hardly, scarcely, hardly ever
guérir to cure, heal, free, rid
guerre *f.* war
gueule *f.* jaw; **fort en —** (*colloq.*) loud-mouthed
gueuler to shriek, yell
gueux *m.* rascal, scoundrel, fool
guillotiner to guillotine
guirlande *f.* garland, wreath

H

h. *abbrev. of* **heure** o'clock
habile clever, competent, skillful
habileté *f.* skill, cleverness

habillé dressed
habit *m.* coat; **en —** in evening clothes, in a dress suit

habitant *m.* inhabitant
habiter to inhabit, live in, occupy
habitude *f.*   habit, practice, custom; **d'—** usual, usually
habituel, -le habitual, customary
habituellement habitually, usually, as a rule
habituer to accustom
hache *f.* axe, hatchet
haillon *m.* rag
haine *f.* hatred
haïr to hate
haler to haul, tow
haletant breathless, panting
haleter to pant
halle *f.* market
han *m.* cf. note to p. 175, l. 1
hanter to haunt
haquet *m.* dray
hardi bold
hargne *f.* bad temper
haricot *m.* bean
Harlem *m.* section of New York
hasard *m.* chance; **au —** at random; **au — de** at the risk of, just because of; **par —** by chance
hâter to hasten; **se —** to hurry
hausser: — les épaules to shrug one's shoulders; **se —** to be raised
haut high, tall, loud; **tout —** out loud; **là —** up there; **d'en —** from above; *n.m.* top; **haut-le-cœur** nausea, vomiting
hauteur *f.* height, hill, loftiness, haughtiness; **être à la — de** to be in front of
hé *interj.* there!; **— bien** well now!
hébétude *f.* torpor, dullness
hein *interj.* hey! eh! what!
hélas alas
héritage *m.* inheritance
héritier *m.* heir
héroïque heroic, epic
héroïsme *m.* heroism
hésitant hesitating, faltering

hésiter to hesitate
heure *f.* hour, time, o'clock; **de bonne —** early; **tout à l'—** just a moment ago, a little while ago; **sur l'—** immediately
heureusement fortunately
heureu-x, -se happy, fortunate, lucky, auspicious, prepossessing
heurt *m.* clash, bump
heurter to strike; **se — à** to clash with
hier yesterday
hisser to hoist; **se —** to raise oneself
histoire *f.* history, story
hiver *m.* winter
hochement *m.* shake, shaking
hocher to shake
holà *interj.* hello
homme *m.* man
honnête honest, respectable; **— homme** honest man, gentleman
honnêtement honestly
honnêteté *f.* honesty, integrity
honneur *m.* honor; **faire — à** to be a credit to; **être en —** to be honored
honoraire honorary
honte *f.* shame; **avoir —** to be ashamed; **avoir toute — bue** to have lost all sense of shame
honteu-x, -se ashamed
hôpital *m.* hospital
hoquet *m.* hiccup, gasp
horloge *f.* clock
hors: — de outside of; **être — de soi** to be beside oneself; **— d'atteinte** out of reach; **être — d'état de** to be unable to
hospitalité *f.* hospitality
hostie *f.* a wafer
hôte *m.* host
huissier *m.* cf. note to p. 251, l. 5
huit eight; **— jours** a week
huître *f.* oyster
humain human; *m. pl.* human beings

humeur *f.* humor; **être de bonne —** to be in a good humor
humide, damp, wet, watery
humiliant humiliating

humilier to humiliate
humilité *f.* humility
hurler to howl, yell
hybride hybrid

I

ici here
idéalisme *m.* idealism
idée *f.* idea
idéo-analytique ideoanalytical
idiot idiotic
ignoble ignoble, base
ignorer to be ignorant of, not to know
île *f.* island
illuminé illuminated, enlightened
illuminer to illuminate, brighten, light up
illyrien, -ne, illyrique of Illyria
îlot *m.* islet
image *f.* picture
imaginer to imagine, invent; **s'—** to imagine
imbécile *m.* imbecile, idiot, fool
imiter to imitate
immédiatement immediately
immobile motionless
immobilité *f.* immobility
immuable immutable, unchanging
imparfait imperfect, defective
impassible impassive
impérieu-x, -se imperious
importer to import
importer: n'importe no matter
imposer to impose, inflict
impressionner to impress
imprévisible unforeseeable, unpredictable
imprévu unforeseen, unexpected
improviser to improvise
improviste: à l' — all of a sudden, unexpectedly
impuissance *f.* impotence, incapacity

impuissant powerless, impotent, ineffectual
imputation *f.* imputation, accusation
inanimé inanimate, lifeless
inaperçu unnoticed, unseen
inattenti-f, -ve inattentive
inavouable unavowable, shameful
incapable incapable, incompetent
incliner to incline, bow; **s'—** to bow, turn towards
inconduite *f.* misconduct
incongru incongruous, foolish
inconnu *adj.* unknown; *n.m.* stranger
incontinent forthwith, immediately
inconvenant improper
incrédule incredulous, unbelieving; *n.m.* unbeliever
incrédulité *f.* incredulity, unbelief
incroyable incredible
indécent indecent, improper
Indes *f.pl.* India, the Indies
indice *m.* sign
indifférent indifferent, unconcerned
indigne unworthy
indigné indignant
indiquer to indicate, point out, inform of
indissolublement indissolubly
individu *m.* individual, fellow
individuel, -le individual
indu undue, unreasonable
indûment unduly
industriel *adj.* industrial; *n.m.* manufacturer

inégal uneven

inespéré unhoped for, unlooked for, unexpected

inexact inexact, inaccurate, incorrect

infaillibilité *f.* infallibility

infect foul

inféoder: s'— to attach oneself

inférieur inferior, lower

inférieurement at the bottom

infidélité *f.* infidelity; **faire des —s à** to be unfaithful to

infini infinite

infirmier *m.* **infirmière** *f.* nurse, attendant

infirmité *f.* infirmity

informe shapeless, misshapen

informer to inform; **s'—** to inquire, investigate

infortune *f.* misfortune

ingénieur *m.* engineer

ingénieu-x, -se ingenious

ingrat ungrateful, thankless, unpleasant

inhabité uninhabited

inimaginable unimaginable, inconceivable

initier to initiate; **s'—** to become familiar with

injure *f.* insult

injurier to abuse, insult

injurieu-x, -se abusive, insulting

injuste unjust, unfair

injustement unjustly

innombrable innumerable, numberless

innommable nameless, indescribable

inonder to inundate, flood

inqui-et, -ète disturbed, worried

inquiéter: s'— to worry

inquiétude *f.* anxiety, worry

insaisissable imperceptible, indiscernible

inscrire to inscribe; **s'—** (academic) to register

insensible insensible, unaffected (**à** by)

insigne arrant, outstanding

insistant insistent, persistent

insister to insist, persist

insolite unusual, unwonted

insondable unfathomable

inspecteur *m.* inspector

inspiré inspired

installer; s'— to establish oneself, settle

instant *m.* instant, moment

instincti-f, -ve instinctive

instruction *f.* instruction, education

instruit educated

insuffisance *f.* insufficiency, deficiency, incompetency

insulte *f.* insult

insulter to insult

insulteur *m.* insulter

insupportable insupportable, unbearable

intact intact, untouched, whole

intègre upright, honest

interdire to forbid, prohibit

interdit dumfounded, stunned

intéressant interesting

intéresser to interest; **s'— à** to be interested in

intérêt *m.* interest

intérieur *m.* interior

interpeller to address, question

interrogatoire *m.* examination, questioning

interroger to question, ask

interrompre to interrupt

intervalle *m.* interval

intime intimate, inmost

intimer to notify; **— l'ordre de** to order to

intrigue *f.* plot

introduire to introduce, put in

inutile useless

invariablement invariably

inventer to invent, think of, imagine

inviter to invite
iode *m.:* **teinture d'—** tincture of iodine
irait *condl. of* **aller**
ironie *f.* irony
ironique ironical
irréel, -le unreal

irresponsable irresponsible
irriter to irritate
italique *m.* italic letter; **en —s** italicized
ivre drunk, intoxicated
ivresse *f.* intoxication
ivrogne *m.* drunkard

J

jais *m.* jet; **noir comme le —** jet-black
jalou-x, -se jealous, solicitous
jamais ever, never
jambe *f.* leg
janvier *m.* January
jaquette *f.* coat
jardin *m.* garden
jardinet *m.* very small garden, tiny garden
jaser to chatter, gossip
jatte *f.* bowl
jaune *n.m. and adj.* yellow
jetée *f.* jetty, pier
jeter to throw, cast, utter, deal (a blow, slap)
jeu *m.* game; **en —** at stake
jeudi *m.* Thursday
jeun: à — fasting
jeune young
jeunesse *f.* youth, young people
joie *f.* joy
joindre to join, unite
joint *adj.* joined
joli pretty; (*ironical*) fine, nice
jongleur *m.* juggler
joue *f.* cheek; **mettre en —** to aim (at)
jouer to play
jouet *m.* toy, plaything
joueur *m.* player
jouir: — de to enjoy
jouissance *f.* enjoyment

jour *m.* day, daylight, light; **huit —s** a week; **quinze —s** two weeks; **au petit —** at daybreak; **mettre au —** to bring to light, expose, reveal
journal *m.* newspaper
journée *f.* day
journellement daily
joyeusement joyfully, joyously
joyeu-x, -se joyful, joyous, merry
jucher to perch
Judée *f.* Judea
judiciaire judicial
juge *m.* judge
jugement *m.* judgment, sentence, trial
juger to judge
jument *f.* mare
juré sworn
jurer to swear
juridique judicial, legal
juron *m.* oath
jus *m.* juice, gravy
jusque *adv.* even; **jusque-là** till then; **jusqu'à** as far as, up to, until
juste just, fair; **au —** exactly; **tout —** just, barely
justement just, exactly, precisely, as it happens
justice *f.* justice, (*fig.*) the law; courts (of justice)
justifier to justify

K

képi *m.* (*mil.*) cap, hat
kilo *m.* *abbrev.* *of* **kilogramme**
   kilogram (2.2 lbs.)

kilogramme *m.* see **kilo**
kilomètre *m.* kilometer (5/8 of
   a mile)

L

là there; **là-bas** over there,
   down there; **là-haut** up there
laboureur *m.* farmer, peasant
lac *m.* lake
lâche cowardly
lâcher to let go, release, set free
lâcheté *f.* cowardice, baseness,
   weakness
lacté milky
là-dedans in it, in that, in there,
   therein
là-dessus thereupon
là-haut see **là**
laid homely, ill-looking
lainage *m.* woolens
laisser to leave, let, allow, **se —**
   prendre to let oneself be caught,
   let oneself be found out
lait *m.* milk
laiti-er, -ère *adj.* having milk;
   chèvre laitière milch goat
laitier *m.* milkman
lambeau *m.* rag
lame *f.* wave, billow
lamenter : se — to bewail, lament
   (**sur** about)
lampe *f.* lamp
lancement *m.* throwing; sales
   promotion
lancer to throw, cast, emit, utter,
   (of smoke) blow out
lancer *m.* (of fishing line) cast
langage *m.* language
langue *f.* tongue, language,
   speech; **— verte** slang

lapin *m.* rabbit, rabbit fur
large broad, wide; *n.m.* open sea;
   il n'en mène pas — (*colloq.*) he
   looks very small, he doesn't cut
   much of a figure
largement amply, widely
larme *f.* tear; **en —s** in tears
las, -se tired, weary
latin *m.* Latin
laver to wash
lécher to lick
leçon *f.* lesson
lecteur *m.* reader
lecture *f.* reading
légende *f.* caption (under picture)
lég-er, -ère light, slight
légèrement lightly, slightly
légitime legitimate, justifiable
légume *m.* vegetable
légumi-er, -ère vegetable
lendemain *m.* next day
lent slow
lentement slowly
lépreux *m.* leper
lequel, laquelle, lesquels, les-
   quelles who, whom, which,
   which one
lettre *f.* letter; **à la —** literally
lever to raise; **se —** to rise, get
   up, stand up
lèvre *f.* lip; **du bout des —** disdainfully, contemptuously
lézard *m.* lizard
liberté *f.* liberty, freedom, in-
   dependence

libre free; **— à vous de** you are quite free to, you may if you like

licence *f.* master's degree

licou *m.* halter

lier to bind, tie; **— conversation** to enter into, engage in, start a conversation

lieu *m.* place; **au — de** instead of; **avoir — de** have reason to, have cause to

lieue *f.* league (about 3 miles)

lièvre *m.* hare

ligne *f.* line

ligue *f.* league, association

linge *m.* linen, underwear; bandage

liquide *m.* liquid

lire to read

lisait *imperf. of* **lire**

lisse smooth, sleek

liste *f.* list

lit *m.* bed

litanie *f.* cf. note to p. 135, l. 2

litre *m.* liter (about 1 quart)

littéraire literary

liturgique liturgical

livide livid, very pale

livre *f.* pound

livre *m.* book

livrer to hand over, abandon, give over; **— combat** to fight, wage a battle

logement *m.* lodging, dwelling place

loger to live

logis *m.* lodging

loi *f.* law

loin far, far off; **au —** far away; **de —** from afar, from a distance; **— de moi!** get away from me!

lointain distant, remote; *n.m.* distance

long, -ue long; **le .— de** along;

tout du — at full length; see also **longue** *f.*

longer to walk along, skirt

longtemps a long time; **de —** for a long time

longue *f.: à la —* at length, at last

longuement at length, lengthily

longueur *f.* length

loque *f.* rag, tatter

lorgner to eye, gaze at, have an eye on

lors then; **dès —** from that time

lorsque when

louange *f.* praise

louche dubious, suspicious, "shady"

louer to praise; **se — de** to rejoice in, be pleased with

louer to let, hire out, rent; **à —** to rent, for rent; **se —** to rent oneself out, work for wages

loup *m.* wolf

lourd heavy

lourdement heavily, clumsily

lu *p.p. of* **lire** to read

lubrifier to lubricate

lucide lucid, clear

lueur *f.* gleam

luire to shine, gleam, glitter

luisant shining, shiny

lumière *f.* light, daylight, enlightenment

lundi *m.* Monday

lune *f.* moon

lunette *f.: —s* spectacles, glasses

luron *m.* fellow, guy

lut *past def. of* **lire** to read

lutte *f.* contest, struggle

lutter to struggle, compete

lycée *m.* state secondary school in France

lyrisme *m.* lyricism

M

mâche *f.* corn salad
mâchoire *f.* jaw
mademoiselle *f.* Miss
magasin *m.* store, shop
magie *f.* magic
magistrat *m.* magistrate
magnan *m.* silkworm; **les —s**
(*Provençal*) silk-cocoon–picking
magnanime magnanimous
magnifique magnificent
maigre gaunt, skinny, thin
maigrir to get thin, lose weight
main *f.* hand; **à deux —s** with
both hands; **en un tour de —**
in a jiffy
maint many, many a
maintenant now
maintenir to maintain, keep up
maire *m.* mayor
mairie *f.* town hall
mais but
maïs *m.* corn
maison *f.* house
maître *m.* master, teacher
majesté *f.* majesty
majorité *f.* majority
mal *adj.* see **rage**
mal *adv.* badly, poorly, wrongly;
être — to be badly off, be uncomfortable; **tant bien que —**
as well as one can, after a fashion;
trouver — to disapprove
mal (*pl.* **maux**) *m.* evil, harm,
ache, pain, difficulty, trouble; **—
de gorge** sore throat; **faire —**
to hurt; **faire du — à** to harm,
hurt, injure; **il n'y a pas grand
—** it's no great misfortune, not
much harm done
malade *adj.* sick; *n.m.* or *f.* sick
person
maladie *f.* sickness, illness, malady, disease

maladresse *f.* awkwardness,
blunder
mâle male
malédiction *f.* curse
malgré in spite of
malheur *m.* unhappiness, misfortune, disaster
malheureusement unhappily,
unfortunately, unluckily
malheureu-x, -se unhappy, un-
lucky, miserable
malheureuse *f.* wretch
malhonnêtement rudely
malice *f.* slyness, trick, craftiness,
trickery
malignement maliciously
malin *m.* a shrewd, sly, or sharp
person
malin, maligne *adj.* mischievous,
sly
malotru *m.* boor
maltraiter to damage, handle
roughly
maman *f.* mamma
manant *m.* boor, lout
manche *m.* handle
manche *f.* sleeve
manège *m.* riding school, riding
stable
manger to eat, squander; **donner à —** to give something to
eat
mangeur *m.* eater
manier to handle
manière *f.* manner, style, kind,
sort; **de — à** so as to; **de —
que** so that
manifeste *m.* manifesto
manifester to manifest, make
known, show
manille *f.* manille (a card game)
manœuvrer to maneuver
manquer to miss, fail, be lacking,

lack; **il ne manquerait plus que cela**   that would be the last straw

mansuétude *f.*   gentleness, mildness

manteau *m.*   coat

maquignon *m.*   horse trader

mâquis *m.*   cf. note to p. 109, l. 6

marbre *m.*   marble

marbrier *m.*   marble cutter, tombstone cutter

marchand *adj:* **navire —** freighter

marchand *m.* **marchande** *f.*   merchant, dealer, shopkeeper; **— des quatre saisons**   vegetable vendor

marchandage *m.*   bargaining, haggling

marchandise *f.*   merchandise, goods, stuff

marche *f.*   walk, walking, course, progress, step; **en —**   moving

marché *m.*   market; **jour de —**   market day

marcher   to walk; (of time) advance, go on; **vous avez marché** (*colloq.*) you fell for it

mardi *m.*   Tuesday

marée *f.*   tide

mari *m.*   husband

mariage *m.*   marriage

marié   married

marier   to marry, marry off; **se —**   to get married

marin *m.*   sailor

marine *f.*   navy

marmonner   to mumble, murmur

marquer   to mark, indicate

marron *m.*   chestnut

Marsac *m.*   name of town

martinet *m.*   whip

martyre *m.*   martyrdom

mas *m.* (*Provençal*)   farm, house

masse *f.*   mass

masure *f.*   ruin, shack

matelas *m.*   mattress

matelot *m.*   sailor

matérialisme *m.*   materialism

matériel, -le   material, physical

maternel, -le   maternal

matière *f.*   matter, substance, subject matter

matin *m.*   morning; **au petit —**   early in the morning; **de si grand —**   so early in the morning

matinal   morning

matineu-x, -se   early rising

maudit   cursed, abominable, detestable, confounded, horrible

maugréer   to curse, grumble

maussade   glum, sulky, sullen, surly

mauvais   bad, disagreeable, poor, unpleasant

mazagran *m.*   cold coffee in a glass

méchant   malicious, mean, evil, wicked

méconnaître   to fail to recognize, disregard, ignore

médaille *f.*   medal

médecin *m.*   doctor, physician; **médecin-en-chef**   head physician, head surgeon

médecine *f.*   medicine (in general)

médicament *m.*   medicine, remedy

médiocrement   moderately, hardly, little

méditati-f, -ve   meditative, pensive

méditer   to meditate

meeting *m.*   meeting, (political) rally

méfiance *f.*   distrust, mistrust

méfiant   distrustful, suspicious

méfier: se — de   to be suspicious of

meilleur   better; **le —**   the best

mélancolie *f.*   melancholy

mélanger   to mingle, mix

mêler   to mingle, mix, mix up, jumble, entangle; **se —**   to get mixed up, interfere; **mêlez-vous de ce qui vous regarde** mind your own business

mélodieu-x, -se melodious

melon *m.* derby (hat)

membre *m.* limb

même same, even; **quand —** all the same, just the same; **tout de — just** the same; **moi-même** myself; **eux-mêmes** themselves

mémoire *f.* memory

menaçant menacing, threatening

menace *f.* menace, threat

menacer to threaten

ménage *m.* housekeeping

ménagère *f.* housewife

mendiant *m.* beggar

mendier to beg

mener to conduct, lead, direct; cf. also **large**

menterie *f.* falsehood, fib

menteur *m.* liar

mention *f.* (in examination) grade

mentionner to mention, name

mentir to tell a lie

méprendre: se — to make a mistake, be mistaken

mépris *m.* contempt, scorn

mépris *p.p. of* **méprendre**

mépriser to scorn

mer *f.* sea; **au bord de la —** at the seashore; **en pleine —** in the open sea, on the high seas

merci: Dieu — thank God

mercredi *m.* Wednesday

mère *f.* mother

mérite *m.* merit, ability, talent

mériter to deserve

merveilleu-x, -se marvelous, wonderful

mesdemoiselles *f.pl.* young ladies

messe *f.* mass

messieurs *m.pl.* gentlemen

mesure *f.* moderation; **à — que** in proportion as, according as, while

mesuré measured, moderate, prudent

mesurer to measure, measure out

méthode *f.* method

méthodiquement methodically

métier *m.* business, occupation, work, trade; **avoir du —** to know the tricks of the trade

mètre *m.* meter (about 39 inches)

mettre to put, put on; **se — à** to begin; **se — à table** to sit down to table; **se — en route** to start off, start out

meuglement *m.* lowing, mooing

meule *f.* millstone

meunerie *f.* milling trade, milling business

meunier *m.* miller

meunière *f.* miller's wife

meurt *pres. of* **mourir** to die

meute *f.* pack

mi half; **mi-clos** half-closed

microscopique microscopic

midi *m.* noon

mien, -ne *poss. pron.* mine; **les miens** *m.pl.* my relations, my family

mieux better; **le —** best; **de mon —** as well as I could

milieu *m.* middle; **au — de** in the middle of, in the midst of

militaire military

mille thousand

millier *m.* thousand

minable pitiable, weak

mince thin, slim

mine *f.* look, mien; **faire — de** to look as if, pretend to; **faire grise — à** to look sour at, look anything but pleased with

ministère *m.* ministry, department (of government)

minoterie *f.* flour mill

minotier *m.* miller

minuit *m.* midnight

minuscule tiny

minutieu-x, -se minute

miraculeu-x, -se miraculous
miroir *m.* mirror
mis *p.p. of* **mettre** dressed
misérable miserable, pitiful, wretched; *n.m.* wretch
misère *f.* misery, distress, poverty; *pl.* annoyances, troubles; **— de —!** heavenly day!
mistral *m.* name of wind
mit *past def. of* **mettre** to put
mitrailleuse *f.* machine gun
mi-voix : à — under one's breath, in an undertone, in a low voice
mobile *m.* motive, incentive
mode *f.* custom, fashion
modèle *m.* model
modelé *m.* relief
modeste modest
modestement modestly
modestie *f.* modesty
modifier to modify
moelle *f.* marrow
mœurs *f.pl.* manners, customs, habits
moindre : le — the least, slightest
moineau *m.* sparrow
moins less; **au —** at least, at any rate; **du —** at any rate
mois *m.* month
moisson *f.* harvest
moissonneuse *f.* harvester, reaper
moite moist, damp
moitié *f.* half; **à —** half
moleskine *f.* (name of a fabric resembling moleskin) velveteen
molle *cf.* **mou**
mollement indolently, lazily
moment *m.* moment, time; **au — où** at the moment that, at the instant that; **du — que** since; **par —s** at times
momie *f.* mummy
monacal monastic
monde *m.* world, society, people; **beaucoup de —** a lot of people; **tout le —** everybody, everyone;

du bon — good people; **mettre au —** to bring into the world
monnaie *f.* money, change, currency
monsieur *m.* sir, gentleman, Mr.
monstre *m.* monster
montagnard *m.* mountaineer
montagne *f.* mountain
montagneu-x, -se mountainous, hilly
monter to go up, climb; **monté** on board (ship)
montre *f.* watch; **montre-bracelet** wrist watch
montre *f.: faire — de* to show off, display
montrer to show
moquer : se — de to make fun of, laugh at
moquerie *f.* mockery, jeer
morceau *m.* piece
mordre to bite
moribond *m.* dying man
mort *adj.* dead; **nature —e** still life (painting); *n.m.pl.* the dead
mort *f.* death
mortel, -le mortal, fatal
mortifier to mortify
morue *f.* (*colloq.*) prostitute
mot *m.* word; **gros —** swear word
motus *interj.* hush!
mou (mol), molle soft
mouchard *m.* police spy, informer, stool pigeon
mouche *f.* fly
mouchoir *m.* handkerchief
moudre to grind, thrash
mouflon *m.* wild sheep
mouillé moist, damp
mouiller to water, wet, moisten, mix with water; **— les bouches** to make people's mouths water
moulin *m.* mill; **— à vent** windmill
moulu *p.p. of* **moudre**
mourir to die

mousse *f.* moss, foam; see also **champignon**

moutarde *f.* mustard; (*colloq.*) **la — lui est montée au nez** he lost his temper, his blood boiled

mouvement *m.* movement, motion, gesture, impulse

moyen *m.* means, way, manner; **au — de** by means of

moyennant in consideration of, in return for

mucre damp, wet

mue *p.p. fem. of* **mouvoir** to move

muet, -te mute, speechless

mule *f.* mule, slipper

munir to provide (**de** with)

munition *f.* ammunition, supplies

mur *m.* wall

muraille *f.* wall

mûrir to mature, ripen

murmure *m.* murmur

murmurer to murmur

muscat *m.* muscatel wine

musée *m.* museum

musicien *m.* musician

musique *f.* music

myope *m.* or *f.* nearsighted person

mystère *m.* mystery

mystérieu-x, -se mysterious

mystiquement mystically

N

nacre *f.* mother-of-pearl

nager to swim

nageur *m.* swimmer

naguère not long ago

naï-f, -ve naive

naissance *f.* birth

naître to be born

nappe *f.* tablecloth

narrateur *m.* narrator, storyteller

narrer to narrate, relate, tell

nationaliste nationalist

nationalité *f.* nationality

nativité *f.* nativity, birth (of Jesus Christ)

nature *f.* nature, character; **— morte** still life (painting)

naturel, -le natural; **enfant —** illegitimate child

naturellement naturally, of course

nauséeu-x, -se nauseous

navet *m.* turnip

navigation *f.* navigation, sailing

navire *m.* ship

navrer to distress

né *p.p. of* **naître** to be born

nécessaire necessary

nécessairement necessarily, of course

nécessiteu-x, -se needy, poor

négligence *f.* negligence, carelessness

négliger to neglect

négociation *f.* negotiation

nègre Negro

néo-homérique neo-Homeric

nerf *m.* nerve; **— de bœuf** lash

nerveu-x, -se nervous; *n.m.* nervous person

nervosité *f.* nervousness

net, -te clear, sharp

neuf nine

neu-f, -ve new

nez *m.* nose; **au — de** in the face of

ni neither, nor

niais foolish, silly, stupid

nier to deny

noblement nobly

noceur *m.* roisterer, rake, libertine, "gay dog"

nocturne nocturnal, at night

Noël *m.* and *f.* Christmas

nœud *m.* knot; (of snakes) tangle

noir *adj.* black, dark; *n.m.* black; **le petit —** the demitasse, cup of black coffee
nom *m.* name; **petit —** Christian name; **— de — !** by gosh!
nomade *m.* nomad
nombre *m.* number
nombreu-x, -se numerous
nommer to name, appoint; **se — ** to be named
non no, not; **— pas que** not that; **— plus** neither, *(after negative)* either
nonobstant notwithstanding
nord *adj.:* **pôle —** North Pole; *n.m.* north; **nord-ouest** northwest
Normand *m.* Norman
Normandie *f.* Normandy
notablement notably, considerably
notaire *m.* notary
note *f.* (school) grade; **changer de — ** to change one's tune
noter: personne bien notée person of good reputation, person well-esteemed
Notre-Dame *f.* Our Lady, Virgin Mary
nourrir to nourish, feed
nourriture *f.* food
nouveau, nouvel, -le new; **les nouveaux époux** the newly married couple; **à —** anew, again; **de —** again, over again
nouvelle *f.* news; **envoyer des —s** to send news; **de mes —s** news of me
nouvellement newly, recently
noyer: se — to drown
nu naked, nude; **pieds —s** barefooted
nuance *f.* shade, difference, distinction
nuire to harm, hurt, injure, be harmful, be injurious
nuit *f.* night; **de —** at night
nullement in no way, by no means, not at all
numéro *m.* number

O

obéir to obey, comply (with)
objectif *m.* objective
objet *m.* object
obligé obliged
oblique oblique, indirect
obscur obscure, dark, dim
obscurité *f.* obscurity, darkness
observation *f.* observation, remark; **faire l'— à** to call to one's attention
observer to observe, remark, obey, comply with, follow; **faire —** to point out
obstination *f.* obstinacy
obstruer to obstruct
obtempérer to obey, comply with
obtenir to obtain, get
occasionner to bring about, cause
occupé occupied, busy, preoccupied
occuper: s'— to occupy oneself, think (**de** of), take notice of
octaédrique octahedral
octobre *m.* October
odeur *f.* odor, smell
œil (*pl.* **yeux**) *m.* eye; **coup d'—** glance
œuf *m.* egg
œuvre *f.* work
offensé offended
offenser to offend
officier *m.* officer
offrir to offer; **s'—** to offer to oneself, treat oneself to
ogive *f.* **en —** ogival (shaped as a pointed arch)

ohé *interj.* hello
olivade *f.* olive-picking
olivier *m.* olive tree
ombre *f.* shade, shadow, darkness; **à l'—** in prison
on one, people, they, we, you
oncle *m.* uncle
onze eleven
opérer to operate, affect
opiner to nod assent
or *adv.* now
or *m.* gold
orage *m.* storm
orateur *m.* orator, speaker
ordinaire ordinary; **d'—** usually
ordonnance *f.* order, regulation; (*med.*) prescription
ordonner to order, command
ordre *m.* order, command
oreille *f.* ear; **avoir l'— dure** to be hard of hearing; **prêter l'—** to lend an ear, listen
organe *m.* organ
organiser to organize
orgueil *m.* pride
orgueilleu-x, -se proud
originaire (de) native (of)
origine *f.* origin

orme *m.* elm
ornement *m.* ornament, knick-knack
orner to adorn, decorate, ornament
orphelinat *m.* orphanage
orpheline *f.* orphan
osciller to dangle, swing
oser to dare, venture
osseu-x, -se bony
ôter to remove, take off
ou or; **— bien** or else
où where, at which, when; **d'—** whence, where . . . from
oublier to forget
oui yes; **mais —** why yes, yes indeed, yes of course
ouïe *f.* hearing
outil *m.* tool
outrage *m.* outrage, offence
outre: en — besides, moreover
ouvert open
ouverture *f.* opening
ouvrage *m.* work
ouvreur *m.* opener
ouvrir to open
oxyder: s'— to become oxidized

P

paille *f.* straw, stalk
pain *m.* bread
paire *f.* pair, couple
paisible peaceful
paître to pasture, graze
paix *f.* peace
palais *m.* palace; **— de justice** courthouse
pâle pale
pâleur *f.* paleness, pallor
palme *f.* palm
panier *m.* basket; **— à salade** Black Maria (police wagon)
panneau *m.* panel
pansement *m.* dressing (of a wound)

panser to dress (a wound)
pantalon *m.* trousers
pantelant palpitating, quivering
pantoufle *f.* slipper
paon *m.* peacock
papa *m.* papa, daddy
pape *m.* pope
papier *m.* paper
paquebot *m.* steamer
paquet *m.* package
par by, through, by means of, per; **— ci** here; **— là** there
parages *m.pl.* region, locality, quarter, vicinity
paraître to appear, seem; (of book) be published

parapluie *m.* umbrella
parasol *m.* beach umbrella
parc *m.* park, estate
parce que because
parcourir to travel through; — **des yeux** to survey
pardessus *m.* overcoat
par-dessus above, over
pardonner to pardon
pareil, -le like, similar, same, such
pareillement similarly, likewise
parent *m.* relative; *m.pl.* relatives, parents
parenté *f.* relationship
paresse *f.* laziness
paresser to idle, fritter away one's time
paresseusement lazily
paresseu-x, -se lazy
parfaitement perfectly
parfois sometimes, occasionally, now and then
parfum *m.* perfume, scent
parfumer to perfume, scent
Parisienne *f.* Parisian
parlement *m.* law court
parler to speak; **entendre — de** to hear about, hear of
parmi among
parole *f.* word; **prendre la —** to begin a speech, speak; — **d'honneur** my word of honor, upon my word; **adresser la — à** to speak to; **tenir —** to keep one's word
parquet *m.* public prosecutor's office
part *f.* share; **à —** aside; **de ma —** for my part, for me, in my behalf; **d'une —** on the one hand; **d'autre —** on the other hand; **pour sa —** so far as he is concerned; **à — cela** aside from that, except for that
partager to share
parti *m.* party (political); **prendre un —** to come to a decision

participer to participate (**à** in)
particuli-er, -ère particular, peculiar; *n.m.* private person, civilian, fellow
particulièrement particularly
partie *f.* part, game, contest; **faire — de** to belong to, be a member of
partir to leave, go away, start; **à — de** from; **à — de maintenant** starting now; — **d'un éclat de rire** to burst out laughing; **parti** (*p.p.*) gone off
partout everywhere; **un peu —** here and there
paru, parurent, parut from **paraître** to appear
parvenir to attain, reach, obtain, succeed
pas *adv.* no, not
pas *m.* step; **à — comptés** step by step, with measured steps; **le — de la porte** the threshold
passable passable, passing
passablement passably, somewhat
passant *m.* passer-by
passe *f.:* **être en — de** to be on one's way to, be about to
passé *adj.* past; *n.m.* past, past tense
passer to pass, pass over; — **pour** to pass for, be considered; (of examinations) take; (of time) spend; (of clothes) put on; — **prendre** to come and get, call for; **se —** to take place
passereau *m.* sparrow
passerelle *f.* bridge (of ship)
passionnant thrilling
patati, patata (*sound words*) gabble, jabber
patauger to paddle, splash
pâte *f.* **mettre la main à la —** (*fig.*) to put one's shoulder to the wheel, put one's hand to the work
Pater *m.* the Lord's Prayer

pâteu-x, -se pasty; (of the voice) thick
patiemment patiently
patin *m.* skate; **—s à roulettes** roller skates
pâtissier *m.* pastry cook
patrie *f.* native country
patriotique patriotic
patron *m.* owner, proprietor, boss
patronne *f.* owner, boss
patte *f.* paw, foot
pâture *f.* food, fodder, grub
paume *f.* palm
paupière *f.* eyelid; **battre la —** to blink, wink
pauvre *adj.* poor, scanty; *n.m.* poor person, pauper
pauvrement poorly
pauvreté *f.* poverty
pavé *m.* pavement
pavillon *m.* banner
pavoiser to deck out, dress up
payement *m.* payment
payer to pay, pay for, reward; **se — la tête de** (*colloq.*) to make fun of, mock
pays *m.* country, region
paysage *m.* landscape
paysan *m.* peasant
paysanne *f.* peasant woman
paysan, -ne *adj.* country, rustic
peau *f.* skin
peccadille *f.* slight offense, slight fault
péché *m.* sin
peigner to comb
peindre to paint
peine *f.* pain, penalty, punishment, difficulty, toil, trouble; **à — ** hardly, scarcely; **être en —** to be uneasy, worried; **être en — de** to find it difficult to
peintre *m.* painter
peinture *f.* painting
pèlerine *f* cape
pelouse *f.* lawn

pencher to bend, incline; **se —** to bend, bend over
pendant during, for; **— que** while
pendre to hang
pendule *f.* clock
pénétrant penetrating
pénétrer to penetrate, understand
pénible painful, laborious, difficult, distressing, arduous
péniblement painfully
pénombre *f.* dim light
pensée *f.* thought, idea
penser to think
pensionnaire *m.* boarder
percer to pierce
percevoir to perceive
perdre to lose, corrupt
perdu lost, ruined
père *m.* father; **le —** dad, doc, old
perfide perfidious
perfidie *f.* perfidy, treachery
période *f.* period
Pérou *m.* Peru
perplexe perplexed
perplexité *f.* perplexity
perron *m.* flight of steps
persécuter to persecute
persécuteur *m.* persecutor, tormentor
persévérer to persevere
personnage *m.* personage, person, individual, character
personne *f.* person
personne *indef. pron.* no one, nobody, not . . . anyone
personnel, -le personal
pervenche *f.* periwinkle, myrtle
pesée *f.* weighing down, pushing down, bearing down
peser to weigh; **tout pesé** everything considered, all in all
peseur *m.* weigher
petit *adj.* small, little, short; *n.m.* **le —** the little son; *m.pl.* young ones, kittens

petite-fille *f.* granddaughter
peu little; **un —** a little, a bit; **depuis —** lately, recently; **— à —** little by little; **quelque —** somewhat, in some degree; **— de** (+ *pl. noun*) few
peuple *m.* people, nation
peupler to people, populate
peuplier *m.* poplar
peur *f.* fear; **avoir —** to be afraid; **avoir grand'—** to be in great fear; **de — de** for fear of
peureu-x, -se fearful, timid
peut-être perhaps
peux (from **pouvoir**) can
pharmacie *f.* pharmacy
phénomène *m.* phenomenon
philharmonie *f.* love of music
philo. *abbrev. of* **philosophie**
philosophe *m.* philosopher
philosophie *f.* philosophy; last year in French *lycée*
philosophiquement philosophically
phrase *f.* phrase, sentence
piaillement *m.* screech, cry, yell
pièce *f.* piece, coin, room; **un franc —** one franc apiece, one franc each
pied *m.* foot; **à —** on foot; **au — levé** hastily; **se lever en —** to rise to one's feet; **perdre —** to get out of one's depth, lose one's footing; **le — lui avait manqué** his foot had slipped, he had lost his footing
pierre *f.* stone
piété *f.:* **— filiale** filial devotion
piler to trample, stamp (upon)
pin *m.* pine tree
pince *f.* forceps
pique *m.* spade (in cards); **la Dame de —** the Queen of Spades
piquer to sting
piqûre *f.* prick, sting
pire worse

pis worse; **le —** (the) worst; **tant — so** much the worse, it can't be helped
pissenlit *m.* dandelion
pistolet *m.* pistol; **coup de —** pistol shot
pitié *f.* pity
pittoresque picturesque
placard *m.* closet, cupboard
place *f.* place, square; **à sa —** in his, her, its place; **rester en —** to remain where one is (was)
placer to place
plafond *m.* ceiling
plage *f.* beach
plaidoirie *f.* pleading, speech
plaie *f.* wound
plaindre to pity, feel sorry for; **se —** to complain, lament
plaine *f.* plain
plainti-f -ve plaintive, mournful
plaire to please; **s'il vous plaît** please
plaisant *m.* joker
plaisanter to joke
plaisanterie *f.* joke, joking, mockery
plaisir *m.* pleasure; **faire —** to please
plan *m.* plan, project, scheme
plante *f.* plant
planter to plant, station
plat flat
platane *m.* plane tree
plateforme *f.* platform
plâtras *m.* old plaster, rubbish
plâtre *m.* plaster
plein full
pleurer to cry, weep
pli *m.* fold, crease
pliant *m.* folding chair
plisser to crease, wrinkle
plomb *m.* lead
plongée *f.* dive
plu *p.p. of* **plaire** to please
pluie *f.* rain
plumard *m.* (*colloq.*) bed

plume *f.* pen
plus more; **ne ... —** no longer, no more; **de —** moreover, besides; **de — en —** more and more; **— ... —** the more ... the more; **tout au —** at most; **non —** neither, (*after negative*) either
plusieurs several
plutôt rather; **voyez —** see for yourself, just see
poche *f.* pocket, pouch, bag
poésie *f.* poetry; *pl.* poems
poète *m.* poet
poétique poetical
poids *m.* weight
poignard *m.* dagger
poignet *m.* wrist, cuff
poil *m.* hair; **à longs —s** long-haired, shaggy
poindre to dawn
poing *m.* fist
point *adv.* not, not at all
point *m.:* **à —** in time, at the right moment; **à ce —** so much so, to such a degree
pointu pointed
poireau *m.* leek
pois *m.* pea
Poitou *m.* Poitou (a province)
poitrine *f.* chest, bosom, lungs
poivrot *m.* (*colloq.*) drunkard, "drunk"
pôle *m.* pole
polir to polish
politesse *f.* politeness
politique *adj.* political; **homme —** politician
politique *f.* policy, politics
Polonaise *f* Polish woman
pomme (de terre) *f.* potato
pommette *f.* cheekbone
pompeusement pompously
pompeu-x, -se pompous
pont *m.* bridge
populaire popular, of the people
populeu-x, -se populous
porc-épic *m.* porcupine

portail *m.* portal
portant: bien — in good health
porte *f.* door
porte-cartes *m.* cardcase
porte-cigares *m.* cigar holder, cigar case
portefeuille *m.* pocketbook, wallet
porte-monnaie *m.* purse, change-purse
porteplume *m.* penholder
porter to bear, bring, carry, have, wear; **se —** to be (of health)
porteur *m.* porter
portraitiste *m.* portrait painter
portugais Portuguese
posément slowly, quietly
poser to place; to ask (a question)
position *f.* position, situation
posséder to possess, own
possesseur *m.* possessor, owner, holder
poste *f.* post, post office, mail
poste *m.* police station
posture *f.* posture, attitude
pot *m.* pot, jug, jar; cf. note to p. 19, l. 2.
potag-er, -ère *adj.* vegetable
pouce *m.* thumb; **se tourner les —s** to twirl or twiddle one's thumbs
poudre *f.* powder
poule *f.* hen
poulet *m.* chicken
pour for, in order to
pourboire *m.* tip
pourquoi why
pourrait (from **pouvoir**) could, might
poursuivre to pursue, chase, continue, proceed
pourtant however, yet
pourvu que provided, provided that
pousser to push, continue, keep going, drive on, impel, urge on, utter (a cry), put forth
poussière *f.* dust

pouvoir *m.* power
pouvoir to be able, can; **aurait pu** would have been able, might have
pratique *f.* method, custom, customer; *(slang)* rogue
pratiquer to practice
pré *m.* meadow
précéder to precede
précieu-x, -se precious, valuable
précipitation *f.* haste
précipiter: se — to rush
précis precise
préciser to state precisely, specify
précision *f.* precision, exactness
précocement precociously, prematurely
préconiser to advocate, recommend
prédilection *f.* preference, partiality
préfecture *f.:* **— de police** police headquarters (in Paris)
préférer to prefer
prélasser: se — to saunter along, take things easy
préliminaire *m.* preliminary
préluder to prelude, tune up
premi-er, -ère first, early
prendre to take, catch, seize, call for (a person), acquire, form (a habit); **— un temps** to take one's time, wait a while; **— par** (a path) go by, take; **se laisser —** to let oneself be caught, be found out; **s'y —** to go about it; **pris de** seized with, overcome by
préparer to prepare
près *adv.* near; **à cela —** except for that, save that; **à peu —** almost, nearly, approximately; **de moins —** less closely; **de plus —** from close to; **de trop —** too closely; **— de** *prep.* near, *(before number)* nearly; **être — de** to be on the point of

prescription *f.* (*med.*) prescription, orders
présent *adj.* present; *n.m.* present, gift; present time; **à —** at present, now
présenter to present, offer, introduce; **se —** to present oneself, appear
président *m.* (of court) judge
presque almost
pressé *adj.* crowded, in a hurry
presser to press, jam, urge on, hold tight; **se —** crowd together, form a crowd
prêt ready, prepared
prétendant *m.* suitor
prétendre to claim
prêter to lend, attribute, ascribe; **— l'oreille** to lend an ear, listen
prévenir to anticipate, forestall, prevent, inform, warn
prévention *f.* prejudice
prier to ask, beg, invite
prière *f.* prayer
primevère *f.* primrose
princesse *f.* princess
principe *m.* principle
printemps *m.* spring
prirent *past def. of* **prendre**
pris *p.p. of* **prendre**
prise *f.* capture
prisonnier *m.* prisoner
prit *past def. of* **prendre**
priver to deprive; **privé** (*p.p.*) deprived (of), lacking
prix *m.* prize, price
problème *m.* problem
prochain next, coming
proche near
procurateur *m.* governor
prodiguer to lavish
produire to produce, cause; **se —** to happen, occur
produit *m.* product
proférer to utter
professeur *m.* professor, teacher

profiter to profit, benefit, take advantage (**de** by, of)
profond profound, deep
profondément deeply, profoundly
profondeur *f.* depth
proie *f.:* **être en — à** to be a prey to
projet *m.* project, plan, scheme
prolonger to prolong, extend; **prolongé** (*p.p.*) long, lengthy
promenade *f.* walk, stroll, drive, excursion; **en —** while walking
promener to take out; **se —** to go for a walk, drive, etc., take a walk, drive, walk up and down, walk (for pleasure)
promeneur *m.* walker, stroller
promettre to promise; **s'en —** to promise, be foreboding, be ominous
promirent *past def. of* **promettre**
promis promised; **la Terre —e** the Promised Land
prononcer to pronounce, utter, declare
propice propitious, favorable
propos *m.* remark, talk; **à tout —** on every occasion
proposer to propose, offer, nominate
proposition *f.* proposal, offer
propre (*before noun*) own; (*after noun*) clean
proprement cleanly, neatly

propreté *f.* cleanliness, neatness
propriétaire *m.* owner
proscrit *m.* outlaw
protéger to protect
protestation *f.* protest
prouver to prove
Provence *f.* Provence (a province)
proverbe *m.* proverb
province *f.* province; cf. note to p. 195, l. 12
provision *f.* provision; *pl.* supplies
provoquer to provoke, bring on, cause
psychologue *m.* psychologist
pu *p.p. of* **pouvoir**
publi-c, -que public
pudeur *f.* modesty, bashfulness
puer to stink
puis then, next
puis *pres. of* **pouvoir**
puisque since
puissance *f.* power, force
puissant powerful
pupille *f.* pupil (of eye)
pupitre *m.* desk
purée *f.* mash; **— de haricots** mashed beans; **— de pommes de terre** mashed potatoes; **— de pois** mashed peas
purée *f.* (*slang*) pauper, penny-pincher
put *past def. of* **pouvoir**

Q

quai *m.* dock, wharf
qualité *f.* quality, attribute, skill, position, title, capacity
quand when; **— même** all the same, just the same
quant à as for
quarantaine *f.* about forty
quarante forty
quart *m.* quarter

quartier *m.* quarter, district, section (of city), neighborhood, block; **— de roc** boulder
quatorze fourteen
quatre four
quatre-vingts eighty
que that, than, as; **ne . . . que** only
quelque *adj.* some; *pl.* a few;

adv. about, some; **quelque** . . . **que** whatever

quelquefois sometimes

quelqu'un (*pl.* **quelques-un[e]s**) somebody, someone

quenouille *f.* distaff

querelle *f.* quarrel

question *f.* question; **il n'en est pas question** there is no possibility of it, it's not even being considered

questionneur *m.* questioner

quiconque whoever, anyone who

quiétude *f.* repose, tranquillity, calmness

quignon *m.* chunk, hunk (of bread)

quinzaine *f.* about fifteen

quinze fifteen; **— jours** two weeks

quitter to leave, abandon

quoi what; **de — vivre** enough to live on; **je ne sais —** I don't know what, something or other; **—!** I tell you! in short

quotidien, -ne daily

R

rabais *m.* reduction in price, bargain; **au —** at a reduced price, when marked down

raccourci shortened

race *f.* race, family, kind

racheter to redeem, atone for

racine *f.* root

raconter to relate, tell about

raffiné refined

rafler to sweep off, make a clean sweep of

rafraîchir to refresh

rafraîchissement *m.* refreshment

rage *f.: de male —** wild with rage, in great fury

rageu-r, -se ill-tempered, angry, mad

raide stiff

raie *f.* parting (of the hair)

raillerie *f.* raillery, joking, mocking, scoffing

raison *f.* reason; **avoir —** to be right

raisonnable reasonable

râleuse *f.* (*slang*) grumbler, scold

rallumer to light again

ramage *m.* branched pattern, flower pattern

ramasser to pick up

rame *f.* oar

ramener to bring back, bring home, pull around, pull up

rameur *m.* rower, oarsman

rancune *f.* rancor, spite

rancuni-er, -ère rancorous, spiteful, vindictive

rangé orderly

rangée *f.* row

ranger to arrange, put away

rapatrier to repatriate, bring back to one's native country

rapide rapid, quick

rapidement rapidly, quickly, swiftly

rapiécer to patch up

rappeler to remind of; **se —** to remember

rapport *m.* relation, report; **en — avec** in touch with

rapporter to bring back, return

rapprocher to bring nearer or closer; **se —** to approach, draw nearer or closer

ras *m.* level; **au — de** on a level with, close to

raser to shave; **se —** to shave

rassembler to assemble, gather

rassurer to reassure

rattraper to catch up with, overtake, make up for (lost time)

ravage *m.* ravage; *pl.* havoc, ravages
ravin *m.* ravine
ravir to charm, delight
ravissant ravishing, delightful, lovely
ravissement *m.* delight, rapture
rayer to cross out, scratch out, eliminate
rayon *m.* shelf
rayonnant beaming, radiant
réactionnaire reactionary
réalité *f.* reality; **en —** in reality, in fact
rebelle rebellious, resistant, difficult
rebondir to bound, rebound
rebord *m.* edge, ledge
recevoir to receive
rechange *m.:* **fusil de —** spare gun
recherche *f.* search; **à la — de** in quest of, in search for; **à sa —** in search of him
récit *m.* story, tale
réciter to recite
reçoit *pres. of* **recevoir**
récolte *f.* crop
recommencer to begin or start again
récompense *f.* reward
reconduire to take back
réconfort *m.* comfort, help
réconfortant comforting, strengthening
réconforter to comfort, console, cheer up
reconnaissance *f.* gratitude
reconnaissant grateful, thankful
reconnaître to recognize, be grateful, acknowledge, admit
reconstituer to reconstitute, reconstruct
recopier to recopy
recoucher: se — to lie down again
recourir to have recourse

recours *m.:* **avoir — à** to have recourse to
recouvrir to cover over
récréation *f.* recreation, recess
recréer to recreate
recueillir to gather, reap, receive; **se —** to meditate
reculé distant, remote
reculer to draw back, move back, go backwards
reçut *past def. of* **recevoir**
redingote *f.* frock coat
redire to repeat
redoubler to redouble, increase
redoutable redoubtable, formidable
redoute *f.* redoubt, fort
redouter to dread, fear
redresser: se — to straighten up again
réduire to reduce, diminish, shrink
réellement really, truly
refermer to close again, shut again; (*surg.*) to close
reflamber to blaze or burn again
réfléchir to reflect, ponder, think
reflet *m.* reflection
refléter to reflect
réflexion *f.* reflection, consideration, remark, thought
refouler to drive back, force back
refrain: sans — cheerless
refroidir to become cold
refuser to refuse
regard *m.* look, notice, attention, gaze
regarder to look at, concern, watch; **cela ne me regarde pas** that does not concern me
régime *m.* diet, regime
régir to rule, govern
régler to rule, arrange
règne *m.* reign
régner to reign, be prevalent, prevail

regret *m.:* **à —** regretfully, reluctantly

regretter to regret

réguli-er, -ère regular

régulièrement regularly

reine *f.* queen

reins *m.pl.* loins, back

réitérer to reiterate, repeat

rejeter to throw back

rejoindre to join, overtake

réjouir to delight, gladden, please

relever to raise; **se —** to get up again

religieu-x, -se religious, pious

religion *f.* religion, faith

relire to read again, read over again

remarier: se — to remarry, marry again

remarquable remarkable

remarquer to observe, notice

rembrunir: se — to grow somber, become gloomy

remède *m.* medicine

remerciement *m.* thanks

remercier to thank (**de** for)

remettre to place, put, hand, hand in, hand over, cure, make right again; **se — à** to begin again; **s'en —** to recover from it, get over it

remise *f.* shed

remonter to reascend, come back up

remontrer to point out

remords *m.* remorse

remplacer to replace, fill or take the place of

remplir to fill; **se —** to be filled

remuement *m.* moving

remuer to shake, move

renaître to be born again

rencontrer to meet, encounter, come across

rendre to render, make, return, restore, give back; **— service à** to do a favor to; **se —** to become

renom *m.* reputation, repute, renown

renoncer to give up

renouveler to renew, replace

renouvellement *m.* renewal, renewing

renseignement *m.* information

rentier *m.* person who lives on his income

rentrée *f.* reopening (of schools)

rentrer to return, come or go home

renverser to upset, (of liquids) spill

renvoyer to send away

répandre to spread; **se —** to spread, be scattered

repartir to answer, retort

repas *m.* meal

repasser to pass again, come again

repêcher to fish out

repeindre to paint again, repaint

repentir: se — to repent

répéter to repeat, keep saying, rehearse

réplique *f.* answer, reply

répliquer to reply

répondre to answer, reply

réponse *f.* answer

reporter to bring back, carry back

repos *m.* rest; **au —** at rest

reposer to rest

repousser to repulse

reprendre to take again, seize again, go on, answer; **se — à** to begin again to

représentant *m.* representative

représenter to picture

réprimer to repress, restrain, check

reprise *f.:* **à plusieurs —s** several times

reprit *past def. of* **reprendre**

réprobation *f.* reprobation, censure; **être en — pour** to be thought guilty of

reproche *m.* reproach, blame
reprocher to reproach
reproduire to reproduce; **se —** to occur again
républicain *adj.* and *n.m.* Republican
république *f.* Republic
requérir to require, demand
réserve *f.* reserve, resource
réserver to reserve; **se —** to bide one's time, postpone
résistant resisting, unyielding, tough
résolu determined, resolved
résolution *f.* resolution, decision
résoudre: se — à to bring oneself to, make up one's mind to
respecter: se — to have self-respect
respectueu-x, -se respectful
respiration *f.* respiration, breathing
respirer to breathe
responsabilité *f.* responsibility
ressaisir: se — to regain one's self-control, regain one's composure
ressembler to resemble, be like; **se —** to look alike
ressentir to feel
reste *m.* rest, remainder; **au —** besides, anyhow; **du —** moreover
rester to remain, stay, continue
résultat *m.* result
résumé *m.* summary, synopsis
résumer to sum up, summarize, give a summary of
rétablir to restore; **se —** to be reestablished or restored
retard *m.* delay, slowness; **être en —** to be late, be behind (time)
retenir to retain, learn, remember; **se —** to restrain oneself, refrain (from)
retenue *f.* reserve, restraint, self-control

réticent reticent, reserved
réti-f, -ve balky, stubborn
retirer to pull out, draw out, withdraw, remove; **se —** to withdraw
retomber to fall again
retour *m.* return, coming home; **un vieux cheval de —** an old offender, jailbird, criminal
retourner to go back, turn over, turn around, turn inside out; **s'en —** to go back
rétracter: se — to retract, take back what one has said
retrait *m.* alcove, recess
retraite *f.* retreat; **battre en —** to retreat
retranchement *m.* suppression
retrouver to find again, recover
réunion *f.* meeting
réunir to bring together
réussir to succeed, accomplish, carry out, perform, put across, put over
réussite *f.* success
revanche *f.* revenge
revancher: se — to take one's revenge
rêve *m.* dream
réveil *m.* awakening
réveiller to wake, wake up, stir up; **se —** to wake up
réveillon *m.* Christmas eve supper (after midnight mass)
révéler to reveal
revenant *m.* ghost
revenir to come back, return
rêver to dream, muse, ponder
révérence *f.* bow, curtsy
reverrai *fut. of* **revoir**
revers *m.* (of boots) top
revêtir to put on, assume
revinrent *past def. of* **revenir**
revivre to live again; **faire —** to bring to life again
revoir to see again, continue to see

révolte *f.* revolt, rebellion
revue *f.* magazine
rhumatisme *m.* rheumatism
ribambelle *f.* line, string
ribote *f.:* **être en —** to be drunk, tipsy, "tight"
ricanement *m.* sneer
ricaner to sneer, laugh scornfully
riche rich
richesse *f.* wealth
ridé wrinkled
rideau *m.* curtain
ridicule *adj.* ridiculous; *n.m.* ridiculousness
ridiculement ridiculously
rien nothing, not anything
rigidité *f.* rigidity, stiffness
rire to laugh; **se — de** to laugh at; *n.m.* laugh, laughing, laughter
risquer to risk, run the risk of
rissoler to brown
rite *m.* rite, ritual
rituel, -le ritual
rive *f.* bank
robe *f.* dress, gown
robuste robust, sturdy
roc *m.* rock; **quartier de —** boulder
roche *f.* rock, boulder
rocher *m.* rock, boulder
rogner to cut, cut off
roi *m.* king
roide *adv.* instantly, suddenly; *adj.* stiff
romain *m.* (type) roman
roman *m.* novel

romancier *m.* novelist
rompre to break, interrupt
rond *adj.* round; *n.m.* (*slang*) sou, money; **— de serviette** napkin ring
ronde *f.:* **à la —** round about, around
ronfler to snore
ronger: se — les sangs to worry oneself sick
rose *adj.* rosy, pink; *n.m.* rose-color, pink
rôtir to roast
roue *f.* wheel
rouge *adj.* red; *n.m.* red
rougeur *f.* redness
rougir to turn red, blush
roulant rolling, swaying
roulement *m.* rolling, roll
rouler to roll, roll up
roulette *f.:* **patins à —s** roller skates
roulure *f.* streetwalker
route *f.* road, highway; **en —** on the way; **faire — avec** to walk along with; **se mettre en —** to start, start off, start out
rou-x, -sse red, reddish
rude rough, hard, rugged
rue *f.* street
ruine *f.* ruin
ruisseau *m.* gutter (in street)
ruisseler to stream, run, drip, trickle down
rumeur *f.* confused noise
ruse *f.* ruse, trick

S

sable *m.* sand
sabot *m.* (of animal) hoof
sabre *m.* saber, sword
sac *m.* bag, knapsack; **à plein —** by the bag full
saccadé jerky, irregular

sachant *pres. part. of* **savoir**
sacré sacred, holy; (*colloq. before noun*) damned
sacrifier to sacrifice
sage good, well-behaved
sagement widely, prudently

sagesse *f.* wisdom, good sense
sagouin *m.* monkey; (*fig.*) slovenly fellow, lazybones
sain healthy, wholesome
saint holy, blessed
sainte *f.* saint
saisir to seize; **se —** to seize, snatch
saison *f.* season
sait *pres. of* **savoir**
salaire *m.* wages, pay
sale dirty
salle *f.* hall, ward (in hospitals); **— à manger** dining room
salon *m.* drawing room, living room; art exhibition, art show
salopette *f.* overalls
salut *m.* salvation, safety, greeting
sang *m.* blood; **bon — de bon —** darn it all! see also **ronger**
sang-froid *m.* coolness, composure; **de —** cool
sanglant bloody, blood-covered, blood-stained
sangler to bind, strap
sanglot *m.* sob
sangloter to sob
sanguin full-blooded
sans without, were it not for, but for; **— que** without
sans-gêne *m.* familiarity, free-and-easy way
santé *f.* health
saoul drunk, intoxicated
sarcophage *m.* sarcophagus
satisfaire to satisfy
sauf except
saugrenu absurd, ridiculous
saurais *condl. of* **savoir**
saut *m.* jump, leap
sauter to leap, rush, spring, bob up and down
sauvage fierce, savage, wild; *n.m.* savage
sauver to save
sauveur *m.* rescuer
savant *adj.* learned, trained; *n.m.* scholar, scientist, intellectual

saveur *f.* savor, flavor
savoir to know
savoir-faire *m.* readiness in doing, saying, etc., the proper or graceful thing
savoir-vivre *m.* good manners, politeness, social ease and grace
scander to scan
sceller to fasten, fix
scène *f.* scene; **entrer en —** to come on stage; **faire une —** to abuse, scold, give a scolding
schéma *m.* scheme, plan, procedure
scientifique *adj.* scientific; *n.m.* scientist
scruter to search
sculpter to sculpture, carve
sec, sèche dry, curt, gaunt, spare, unfeeling
sèchement dryly, curtly
sécheresse *f.* dryness
seconde *f.* second
secouer to shake, shake up, give a shaking to
séduire to seduce
seigneur *m.* lord
sein *m.* breast, bosom
Seine *f.* name of river that flows through Paris
séjour *m.* abode, region
selon according to
semaine *f.* week
semblable like, similar
semblant *m.:* **faire — de** to pretend to
sembler to seem, look like
semelle *f.* sole (of a shoe)
semer to sow, plant
sens *m.* sense, meaning, opinion, understanding; **le bon —** good sense, common sense
sens *pres. of* **sentir**
sensibilité *f.* sensibility, feeling
sensible sensitive
sentier *m.* path
sentir to feel, smell of; **— le**

mystère to have an air of mystery about it

séparer to separate; **se —** to part, part company

sept seven

. **sergent** *m.* sergeant

sergot *m.* (*slang*) policeman, cop

sérieusement seriously

sérieu-x, -se serious; *n.m.* seriousness

serment *m.* oath

serpent *m.* snake; (*fig.*) coil

serré tight; **la gorge —e** his throat choking

serrer to press, squeeze, tighten; **— la main à** to shake hands with; **se —** to press

serrure *f.* lock; **le trou de la —** the keyhole

serviable obliging, helpful

service *m.* service; (of business firm) department, division

serviette *f.* napkin; **— de classe** schoolbag; **rond de —** napkin ring

servile servile, slavish, cringing

servir to serve, be of use; **rien ne sert de** it is of no use to; **se — de** to use, make use of

serviteur *m.* servant

seuil *m.* threshold

seul alone, only

seulement only, even

sévère severe

sévèrement severely

sévérité *f.* severity

sévir to punish

si if; **— ce n'est** except

si so, such a

siècle *m.* century

siège *m.* seat, siege

siéger to sit, be seated

sien, -ne (le, la) his, hers, its; **les —s** the members of his family

siffler to whistle

sifflet *m.* whistle; **un coup de —** a whistle

siffloter to whistle softly

signal : donner le — de to give the signal for, to start

signe *m.* sign; **en — de** as a sign of

signifier to mean

silencieusement silently

silencieu-x, -se silent

simplement simply

simuler to feign, pretend

sincèrement sincerely

singuli-er, -ère singular, peculiar, strange

sitôt : — dit — fait no sooner said than done

sobre sober, moderate

société *f.* society, association

sœur *f.* sister

soi oneself

soif *f.* thirst; **avoir —** to be thirsty

soigné carefully done, polished

soigner to take care of

soin *m.* care, trouble; **avec —** carefully

soir *m.* evening; **hier —** last evening, last night

soirée *f.* evening

sois *subj. of* **être**

soit que whether

soixante sixty; **soixante-treize** seventy-three

sol *m.* soil, ground; **au ras du —** close to the ground

soldat *m.* soldier

soleil *m.* sun, sunshine

solennel, -le solemn

solfège *m.* solfeggio; cf. note to p. 215, l. 22

solide strong, firm

solidement firmly

solitaire solitary

sombre somber, dark

sombrer to sink

sommaire summary, sketchy, brief

somme *f.* sum; **en —** on the whole, in short

sommeil *m.* sleep
sommer to call upon
sommet *m.* summit, top
sommité *f.* head, top, leader
son *m.* sound
son *m.* bran; **taché de —** freckled
sonder to sound, try
songer to dream, think
sonné: il a 60 ans —s he is over 60
sonner to ring, sound, strike
sorcier *m.* sorcerer
sort *m.* fate
sorte *f.* sort, kind; **de — que** so that; **fais en — que** act in such a way that
sortie *f.* exit, going out, coming out
sortir to go out, come out, get out, emerge, leave, pull out, take out
sottise *f.* foolishness, nonsense
sou *m.* cent; **avoir pour deux —s de** to have two cents worth of
souci *m.* care, concern, anxiety
soucieu-x, -se anxious, uneasy
soucoupe *f.* saucer
soudain suddenly, all of a sudden
soudainement suddenly, all of a sudden
souder: se — to be soldered, be joined
souffle *m.* breath, breathing
souffler to breathe, blow, pant, puff, blow out
souffrance *f.* suffering, pain
souffrir to suffer
souhaiter to wish, desire
souiller to soil, dirty
soulagement *m.* relief
soulever to raise, lift; **se —** to rise
soulier *m.* shoe
souligner to underline, emphasize
soumettre to submit, subject, make to follow

soumission *f.* submission
soupçon *m.* suspicion
soupçonner to suspect
soupe *f.* soup; **— grasse** meat soup
soupente *f.* garret
soupir *m.* sigh
soupirer to sigh
sourcil *m.* eyebrow; **froncer les —s** to knit one's brows, to frown
sourciller to wince
sourd deaf, muffled
sourire *m.* smile
sourire to smile
souris *f.* mouse
sournois sly, underhanded
sous under
sous-titre *m.* subtitle, subheadline
soutenir to maintain
soutenu sustained
souvenir *m.* memory
souvenir: se — de to remember
souvent often
souverain sovereign
soyeu-x, -se silky
spécial special, particular, peculiar
spécialiste specialist
spontanément spontaneously
sporti-f, -ve sporting, relating to sports
stage *m.* period or term of probation; apprenticeship, internship
stèle *f.* gravestone, tombstone
stérile sterile, barren
store *m.* blind, Venetian blind
strictement strictly
stupéfait amazed, astonished
stupeur *f.* stupor, amazement
stupide stupid, nonplussed
stylet *m.* stiletto
su *p.p. of* **savoir**
suaire *m.* shroud
suave delicious, sweet
subalterne subordinate
subtil subtle

succéder: se — to follow each other

succès *m.* success

succession *f.* inheritance

succomber to succumb, yield

sucer to suck

sucrer to sugar, sweeten

sud *m.* south

Sud-Américain *m.* South American

sueur *f.* sweat, perspiration

suffire to suffice, be sufficient, be enough

suffisamment sufficiently

suffisant sufficient

suffoquer to suffocate, choke

suggérer to suggest

suie *f.* soot

suisse Swiss

suite *f.* continuation, succession, following; **tout de —** immediately, at once; **donner — à un projet** to carry out a plan or a project; **prendre la — de** to follow, succeed; **par la —** later on

suivant following

suivre to follow; (of course) to attend, take

sujet *m.* subject, matter; **à ce —** about this matter; **au — de** about; **mauvais —** rascal, rogue, "bad egg"

supérieur superior

supplémentaire supplementary, additional, extra

suppliant supplicating, beseeching, entreating

supplication *f.* supplication, entreaty

supplier to beg, entreat

supporter to bear, endure

suprême supreme, highest, last

sur on; **trois fois — quatre** three times out of four

sûr certain, sure; **pour —!** to be sure! sure enough! **bien —** surely, certainly, of course

sûrement surely, securely

sûreté *f.* safety, security

surgir to appear, arise

surmener to overwork

surmonter to surmount

surnaturel, -le supernatural

surprenant surprising

surprendre to surprise, take by surprise, catch unawares

surpris *p.p. of* **surprendre**

sursaut *m.* start; **en —** with a start

sursauter to start up

surtout especially, above all

surveiller to watch, look after, keep an eye on

survenir to arrive, happen, occur, come along, come up

sus *past def. of* **savoir**

suspect held in suspicion

suspendre to suspend, interrupt

suspendu suspended

suspension *f.* hanging lamp

sût *imperf. subj. of* **savoir**

syllabe *f.* syllable

symétrie *f.* symmetry

sympathie *f.* sympathy

symphonie *f.* symphony

synthèse *f.* synthesis

système *m.* system

T

tabac *m.* tobacco, snuff

tableau *m.* picture

tablette *f.* shelf

tablier *m.* apron

tabouret *m.* stool

tache *f.* spot

tâche *f.* task, job

tacher to stain, spot

tâcher to try

taille *f.* waist, body, figure

taillis *m.* copse, brush

taillole *f.* (*Provençal dialect*) sash

taire: se — to be or become silent, stop talking, hold one's tongue; (*colloq.*) shut up

talon *m.* heel

tambour *m.* drum

tandis que whereas, while

tant so much, so many; **— bien que mal** as well as one can, after a fashion, so-so

tante *f.* aunt

tantôt: — . . . — now . . . now, sometimes . . . sometimes

tape *f.* tap, pat, slap, thump

tapis *m.* carpet

tapissière *f.* van

tard late; **plus —** later

tarder to delay, be long in; **il me tarde de** I am anxious to, I am impatient to

tarir to dry up, exhaust, drain

tas *m.* heap, pile

tâter to feel

tâtons: chercher à — to grope for

technicien *m.* technician

technique *f.* technique

teint *m.* complexion

teinte *f.* complexion, tint, shade

teinture *f.* tincture

tel, -le such, like; **M. un —** Mr. So-and-So

tellement so, to such an extent, to such a degree

témoignage *m.* evidence, testimony, testimonial

témoigner to give evidence, evince, show

témoin *m.* witness; **prendre à —** to ask one to take note

tempête *f.* tempest

temporel, -le temporal, worldly

temps *m.* time; **autre —** formerly; **de — en —** from time to time;

en même — at the same time

temps *m.* weather; **il fait un —** the weather is; **par tous les —** in all kinds of weather

tenace tenacious

ténacité *f.* tenacity

tendancieu-x, -se tendentious, biased

tendre tender, affectionate, loving

tendre to stretch, hold out, throw out, push out, stick out, throw (a bridge) across

tendu strained

ténèbres *f.pl.* darkness, obscurity

ténébreu-x, -se dark, obscure

tenir to hold; **— à** to be resolved to, be anxious or eager to; **— bon** to hold on, hold out; **— de** to partake of, savor of; **se —** to stay; **se — debout** to stand up, remain standing; **se — tranquille** to keep still, be quiet; **tiens! tenez!** look here! indeed! well! etc.; **il ne tient qu'à moi de** it depends only on me to, it rests only with me to

tentation *f.* temptation

tenter to attempt, try out

tenue *f.* bearing, behavior, appearance, demeanor; **grande —** full dress

terme *m.* term, expression

terminer to end

terrain *m.* land

terre *f.* earth, land; **à —** to the ground; **en —** in the ground; **par —** on the ground, on the floor

terreur *f.* terror

terriblement terribly

terrifier to terrify, frighten

tête *f.* head; **perdre la —** to lose one's head; **se payer la — de** to make fun of, mock, get a "rise" out of

texte *m.* text

théâtre *m.* theater; **coup de —** sudden striking change

thème *m.* theme

tic-tac *m.* ticktack

tient *pres. of* **tenir**

tilbury *m.* tilbury (two-wheeled carriage)

tilleul *m.* linden tree

timbale *f.* cup, mug

timbre *m.* tone

timbré cracked, crazy; **voix peu —e** a not very sonorous voice, a not very resonant voice

timidement timidly

tir *m.* shooting

tirailler to shoot, skirmish

tirer to draw, pull, get out, shoot; **se — d'affaire, s'en —** to get along, manage

tireur *m.* shooter, marksman, shot

tison *m.* ember, coal

toi you; **de chez —** from your house

toile *f.* canvas; **— d'araignée** spider's web, cobweb

toit *m.* roof

tolérer to tolerate

tomber to fall

ton *m.* tone, air, style, manner

tondre to clip, mow, cut

tondu mowed, clipped, close-cropped

tordre to twist

tors twisted, crooked, warped

torse *m.* torso, bust, body

tort *m.* wrong, harm; **avoir —** to be wrong; **avoir le — de** to make the mistake of; **à — et à travers** indiscriminately, at random

tortiller to twist

tortue *f.* tortoise

tortueu-x, -se winding

totalement totally

touchant touching, moving

toucher to touch, hit; **— deux mots de** to say a few words about; **— à** to tamper with, meddle with

touffe *f.* tuft

touffu bushy, thick

toujours always

tour *f.* tower

tour *m.* turn, circuit, trip, trick, (of false hair) switch; **faire un —** to take a walk or a ride; **faire le — de** to go around; **fermer à double-tour** to double-lock; **en un — de main** in a jiffy

Touraine *f.* Touraine (a province)

tourmenter to torment

tournée *f.* walk; **se mettre en —** to start on one's rounds; **faire une —** to walk around

tourner to turn; **se —** to turn

tousser to cough

tout (*m.pl.* **tous**) *adj.* all, every

tout *adv.* quite, very, very much

tout *n.m.* everything; **le —** the main thing

toutefois nevertheless, however

traditionnel, -le traditional

traduction *f.* translation

traduire to translate, express, show

tragique *m.* tragedy; tragic; **tourner au —** to become tragical

trahir to betray, disclose

trahison *f.* treason, treachery; **faire une —** to commit an act of treachery

train *m.* train; **aller son —** to go on, keep on; **être en — de** to be in the act of, be engaged in

traîner to drag, delay, protract, knock about, linger, loiter, trail about; **se —** to drag oneself along, crawl

trait *m.* act, deed, feature; **— d'adresse** feat

traite *f.* journey, distance, stretch

traitement *m.* treatment, doctor's orders

traiter to treat

traître *m.* traitor

tramontane *f.* north wind
tranchant sharp, cutting
tranchée *f.* trench
trancher to cut short, decide
tranquille tranquil, calm, at ease, undisturbed; **laisser —** to leave alone; **rester —, se tenir —** to be quiet, keep still, stay put; **sois, soyez —** don't worry
tranquillement tranquilly, quietly
tranquillité *f.* tranquillity, calm
transcendant excellent, extraordinary
transférer to transfer
transi benumbed, chilled
transparent *m.* transparency, transparent disk
transporter to transport
trappe *f.* trap door
traquer to track down
travail *m.* work; **être dur au —** to be a hard worker
travailler to work
travailleu-r, -se hardworking, industrious
travers: à — across; **à tort et à —** at random, indiscriminately
travers *m.* defect, fault, eccentricity, idiosyncrasy
traverser to cross, interrupt
treize thirteen
tremblant trembling
trembler to tremble
tremper to soak, wet
trente thirty; **trente-six** thirty-six
très very
trésor *m.* treasure
trésorier *m.* treasurer
tribunal *m.* tribunal, court
trictrac *m.* backgammon (game)
triomphal triumphal
triomphalement triumphantly
triomphant triumphant
triomphe *m.* triumph

triompher to triumph
tripier *m.* tripeseller
Triplepatte *m.* Triplepaw
triste sad
tristement sadly
tristesse *f.* sadness
trois three
troisième third
tromper to deceive; **se —** to be mistaken, make a mistake
tronc *m.* trunk
trop too, too much
troquet *m. abbrev. of* **mastroquet** saloonkeeper
trotter to run about, skip about
trottiner to trot, toddle
trottoir *m.* sidewalk
trou *m.* hole
troublant disconcerting, disturbing
trouble *m.* confusion, embarrassment
troubler to disturb, agitate, disconcert
trouer to make a hole in; **troué** (*p.p.*) full of holes
troupe *f.* troop, company, band
troupeau *m.* herd, flock
trouvaille *f.* find
trouver to find, think; **— mal** to disapprove; **se —** to be, happen, turn out
truc *m.* trick; (*colloq.*) stuff; **connaître le —** to be in the know, know what's what
tuer to kill
tumultueu-x, -se tumultuous
tutoiement *m.* familiar or intimate form of address
tutoyer to address familiarly or intimately
type *m.* (*colloq.*) fellow, guy
tyran *m.* tyrant
tyrannique tyrannical
tzigane *m.* gypsy (Hungarian)

U

un a, an, one; **les —s** some
uniforme *m.* uniform
unique unique, sole
uniquement uniquely, solely, only
univers *m.* universe
universel, -le universal
universitaire of a university, academic
université *f.* university

usage *m.* custom, practice
usé worn-out, hackneyed, trite
usine *f.* factory, mill
ustensile *m.* utensil, implement
usure *f.* wear, wear and tear, worn look
usurper to usurp; **usurpé** (*p.p. fig.*) unjustified
utiliser to utilize

V

va *pres. of* **aller**
vacances *f.pl.* vacation, holidays; **en —** on vacation
vacarme *m.* noise, din
vachard *m.* (*slang*) lazy person
vache *f.* cow; **mort aux —s** damn the cops!
vacillant vacillating, flickering
vaciller to flicker
vagabond *m.* vagabond, tramp, hobo
vagissement *m.* wailing, lamentation
vaguement vaguely
vaillant valiant, courageous
vainement vainly, in vain
vainqueur *m.* victor, conqueror, winner
vaisselle *f.* dishes
valet *m.:* **— de chambre** valet; **— de ferme** farmhand
valeur *f.* value, worth
vallée *f.* valley
valoir to be worth, cost, earn, assure, gain, procure; **— mieux** to be better; **faire —** to make the most of, turn to account
valse *f.* waltz
valurent *past def. of* **valoir**

vanité *f.* vanity; **tirer — de** to pride oneself on
vaniteu-x, -se vain, conceited
vanter: se — to boast, brag
vapeur *f.* steam; **à —** by steam
vapeur *m.* steamer
varié varied
vaste vast
vaurien *m.* good-for-nothing, scamp
vaut *pres. of* **valoir**
veau *m.* calf, veal
vécut *past def. of* **vivre**
véhicule *m.* vehicle
veille *f.* watching, waking, being awake, late hours, eve, day before
veillée *f.* evening; **faire la —** to pass or spend the evening
veiller to keep watch
veilleuse *f.* night light (small lamp)
veine *f.* vein
velours *m.* velvet
vendetta *f.* feud
vendeur *m.* seller
vendre to sell
vendredi *m.* Friday
vénération *f.* veneration, reverence

venir to come; **— de** to have just; **il venait de** he had just; **— à** to happen; **s'en —** to come along

vent *m.* wind

vente *f.* sale

ventre *m.* abdomen, belly, stomach

vêpres *f.pl.* vespers; **bonnes —** good evening

verbaliser to arrest, give a ticket

verdoyant verdant

véritable real, true

vérité *f.* truth; **à la —** to tell the truth

verni varnished

vernissage *m.* cf. note to p. 23, l. 26

verrai, verras *fut. of* **voir**

verre *m.* glass; **petit —** glass of brandy

vers towards, (of time) about

verser to pay in, deposit (money)

vert green; **la langue —e** slang, popular locutions

vert *m.* green; *pl.* green things, green crops, green vegetables

vertu *f.* virtue

veste *f.* coat

veston *m.* jacket, coat

vêtements *m.pl.* clothes

vêtir to dress; **vêtu** (*p.p.*) dressed

veuf *m.* widower

veut *pres. of* **vouloir**

veux *pres. of* **vouloir**

vexé vexed, annoyed

viande *f.* meat

vicieu-x, -se false, faulty, unsound, untenable

victime *f.* victim

vide empty; **à —** empty; *n.m.* empty space, blank, gap

vider to empty; **se —** to become empty

vie *f.* life, living; **prendre —** to come to life

vieillard *m.* old man; *pl.* old people

vieillir to grow old

viendraient *condl. of* **venir**

vierge *adj.* spotless, pure, unsoiled; *n.f.* virgin

vieux, vieille old; *n.m.* old man; **mon —** old fellow, old chap; **les vieux** the old people

vi-f, -ve quick, fiery, lively, intense; *n.m.* (*fig.*) the heart

vigne *f.* vine

vigoureusement vigorously

vigoureu-x, -se vigorous, lusty, strong

vilain mean, naughty

ville *f.* town, city; **en —** in town

vin *m.* wine

vingt twenty

vingtaine *f.* about twenty, score

vins, vint *past def. of* **venir**

violet, -te violet, purple

violon *m.* violin; lockup, jail

vipère *f.* adder, snake

virer to turn

Virgile Virgil (Latin poet)

virgule *f.* comma

vis *pres. of* **vivre**

visage *m.* face, aspect, visage

viser to aim at

visiblement visibly, obviously

visite *f.* visit; **rendre — à** to visit (a person)

visiter to visit, examine, inspect

visiteur *m.* visitor

vit *past def. of* **voir**

vitalité *f.* vitality

vite quickly, fast; **faire —** to make haste, hurry

vivace long-lived, enduring, deep-rooted

vivant living; *n.m.* living person; *pl.* the living

vivement quickly, briskly, sharply, deeply, keenly, vigorously

vivre to live; **faire —** to support

vivre *m.* living, board, food

vœu *m.* desire, wish

voici here is, here are

voilà there is, there are

voilé veiled

voir to see; **voyons!** come now! come, come! of course, sure!

voire even; nay, even; not to say

voisin *adj.* neighboring, adjoining, near (**de** to); *n.m.* neighbor

voiture *f.* vehicle, auto, car

voix *f.* voice, vote; **à — basse** in a low voice, in a whisper; **à haute —** aloud

vol *m.* flock

volaille *f.* poultry, fowl

voler to steal

volet *m.* shutter

voleur *m.* thief, robber

volonté *f.* will; **y mettre de la mauvaise —** to do a thing reluctantly, unwillingly

volontiers willingly, gladly, with pleasure

voltigeur *m.* cf. note to p. 113, l. 31

vomir to vomit, belch, throw up

vont *pres. of* **aller**

vouer to doom

vouloir to want, wish; **— bien** to be willing, be kind enough to; **ne pas —** to be unwilling; **— dire** to mean; **que veux-tu? que voulez-vous?** what can you expect? **en — à** to have a grudge against; **il voulut** he decided to

voûte *f.* vault

voyage *m.* travel, trip; **en —** on a voyage, traveling

voyager to travel

voyons see **voir**

voyou *m.* hoodlum

vrai true, real; **— de —!** honest to God! upon my soul!

vraiment truly, really

vue *f.* sight; **à — d'œil** visibly, very rapidly

vulgarité *f.* vulgarity, triviality

Y

y there

yeux *m.pl. of* **œil** eyes

Z

zéphyr *m.* Zephyr; cf. note to p. 193, ll. 30-31